Rêves
et Réalités

Cet ouvrage est un livre atypique où le lecteur possède la liberté du choix des nombreuses découvertes offertes par la richesse du texte. Cette dernière permet à chacun d'y entendre les échos de sa propre réflexion en restant libre d'adhérer aux idées, aux propositions, à la pensée de l'écrivain.

Ce livre est nourri des jugements de l'honnête homme tel que l'entendaient les grands classiques. Indéniablement, Marcel Le Ny appartient à cette race d'individus à l'esprit curieux, ouvert, tolérant, respectueux de la pensée d'autrui, opposé à tout sectarisme quelles qu'en soient les sources.

Il dévoile dans ces pages, l'histoire d'un homme découvrant que la vie n'est pas un long fleuve tranquille. Il vous dit ses joies, ses peines, ses espoirs, ses combats et sa réussite, récompense méritée d'une vie honnête et droite.

Cet homme est bon par essence et, par là même, généreux. Faites sa connaissance au long de ces pages et, comme moi, vous serez heureux et fier d'appartenir au cercle de ses amis.

Charles CARTERON*

* Docteur en chirurgie dentaire. Ecrivain, parolier, poète.

ISBN : 2-9523052-0-X

Marcel Le Ny

à Marcha et Susan avec toute mon affection,

3 Aout 2006

Rêves
et Réalités

La poésie venue d'ailleurs…

Dès l'instant où elle se révèle, l'écriture poétique – celle instinctive – ne vaut que par le choix et l'arrangement spontanés des mots, de leur force, leur couleur, leur musique qui créent l'alchimie de l'image, expriment ou suggèrent les émotions, les sentiments, les états d'âme.

Non recherchées, la rime et la scansion, si elles apparaissent, naîtront alors dans leur vérité et leur plénitude de façon naturelle.

Telle apparaît être aussi, la loi en Art chromatique.

Aux lecteurs

Mon Dieu, comme cela est difficile de traduire en clair, une pensée forte, mais confuse...

Ni une vocation, ni un talent d'écrivain, ne m'y ont aidé.

J'ai écrit avec mon cœur, mais véritablement à cette occasion, j'ai bâti ma cathédrale...

Avec ma passion, souvent mes excès, mes maladresses, mes vérités.

Angélique souvent, parfois naïf, je fus, mais de plus en plus lucide et perspicace, je suis depuis longtemps, devenu.

J'ai toujours crû sans avoir vu.

Je continue.

Je continuerai...

A Claude, ma femme, aux qualités humaines remarquables, admirable de dévouement, et de patiente fidélité.

A mes enfants et petits enfants, à l'affection jamais démentie.

A mes parents que j'ai tant aimés, en reconnaissance de l'amour qu'ils m'ont donné.

A ma famille présente et disparue, qui demeure bien au chaud dans mon cœur.

A mes amis, à celles et ceux qui ont particulièrement éclairé, réchauffé ma vie du soleil de leur discrète et lumineuse intelligence de cœur, de leur généreuse bonté.

A la Vie, à la Chance d'être conscient et reconnaissant à Dieu, d'avoir, un court moment pu admirer la beauté des étoiles...

Mes chaleureux remerciements et mon amicale affection à Ghislaine Huon, authentique œil magique lors de la lecture de l'ensemble de mon manuscrit, ainsi qu'à Alain et Cyrille pour leur critique constructive d'un des chapitres.

7

Biographie sommaire

Cette biographie sommaire a pour objectif de conférer à l'ensemble de l'ouvrage, l'aide d'un cadre de déroulement chronologique de ce que furent mes vies personnelles et professionnelles. Que l'austérité et le caractère rebutant de ces premières lignes, ne vous fassent pas augurer de la suite, qui veut demeurer empreinte d'optimisme et de gaieté.

— Vieille famille Bretonne. Origine côté paternel : nord-ouest du Morbihan, côté maternel : pays Bigouden et Lorientaise (documents de famille datant de 1700).

— Né à Lorient le 17 novembre 1926, 4 rue Ratier, dans la maison construite par mon grand-père Le Floch.

— Enfance heureuse et (trop) protégée près de parents très unis. Père ouvrier ajusteur à l'arsenal de Lorient puis technicien, enfin à 25 ans ingénieur de la Marine, portant plus tard le costume d'officier.

— En 1937 - débuts catastrophiques au lycée Dupuy de Lôme, puis excellente scolarité jusqu'à la classe de seconde, interrompue définitivement en janvier 1943 par la destruction de la ville de Lorient.

— Mai 1945 - fin de la guerre et retour dans une ville ravagée. A 18 ans, emploi précaire au Ministère de la Reconstruction et de l'Urbanisme. Etablissement de croquis des maisons détruites.

— 1946/1947 - reprise des études à Paris, obtention de deux diplômes : l'un d'agent technique B.T.P, l'autre d'organisation supérieure du travail (Taylorisation).

— 1947/1948 - une année très éprouvante de service militaire à Marrakech. Retour en octobre, amaigri de 13 kgs.

— 2 juin 1951 – naissance de ma fille Fabienne qui exerce actuellement dans un lycée de Rennes la fonction de proviseur. Sens de l'organisation.

— 1er décembre 1952 – naissance de mon fils Eric, marié, deux enfants : Yoann et Emeline. Philosophe. Sculpteur. Sa femme Claire, professeur de peinture-dessin dans un lycée. Talentueuse artiste-peintre dans le genre surréalisme – onirisme –.

— 1948/1955 – Expert au M.R.L. : – relevés et établissements des plans des immeubles détruits. En 1949, réalisation le soir et la nuit, de devis estimatifs de Dommages de guerre, pour le compte de cabinets d'architectes. Par mes seuls gains, achat de mon premier véhicule 4cv Renault. En 1955, démission de l'Administration.

— 1952 – Création fortuite d'un magasin de vêtements pour hommes, à l'enseigne Vêtements AMI, 21 cours de la Bôve (angle) puis 1 rue des Fontaines à Lorient. Gestion assurée par un directeur compétent. Cessation volontaire en 1969.

— 1956 – Création en nom personnel, en association avec le Colonel Bettembourg, personnalité honorablement connue à Lorient, d'une Agence Immobilière. Amical arrêt de l'association en 1958.

— 1960 à 1966 – Confirmation de ma passion du rugby, de sa philosophie et découverte du plaisir de pratiquer ce sport.

— 1958 à 1983 - Pendant cette période, quatre volets ont constitué mon activité professionnelle :

A – 1958 à 1982 – Création, en SARL, d'une agence immobilière. Constitution progressive d'un important portefeuille de syndic de copropriété, gestion, location. Arrêt d'activité et dépôt de bilan en 1983. Bénéfice d'un concordat de 10 ans, entièrement honoré. (1988-1998).

B – 1958 à 1975 – Support juridique des 5 500 logements construits, établissement d'une Société Anonyme, dont j'étais l'actionnaire majoritaire et le P.D.G. En 1958, réalisation du premier immeuble rue de Verdun. Secteur géographique d'activité : de Quimper à Nantes.

C – 1965 à 1970 – Cabinet d'architecture en nom personnel. Activité limitée à une quinzaine d'immeubles collectifs de 8 à 20 logements. Créateur du choix esthétique des façades et du concept général des plans (modénature en pierres de taille).

● 51 Bd du Scorff
● 22 Rue de Pressensé
● Rue Amiral Bouvet
● Rue Traverse, etc…

D – 1965 à 1983 – Création d'une SARL de construction de maisons individuelles dans le secteur diffus, principalement Ouest du Morbihan. Nombre de maisons édifiées et livrées : environ 500.

Logistique générale

L'ensemble de ces quatre activités a nécessité l'emploi, variable en nombre, d'environ 42 personnes dont 5 cadres. Ces 5 500 logements ont été édifiés, pendant cette période de 25 ans, dans le respect des lois et dans celui d'une qualité technique générale de construction irréprochable. Aucune procédure, ni pénale, ni civile, à l'exception de cette dernière concernant d'inévitables et rares litiges techniques mineurs, n'a été engagée à mon encontre.

— Mai 1957 – Mariage avec Claude.

— 24 janvier 1967 – Naissance de ma fille Laurence, comptable à Antibes. Très attachante et dévouée. Thierry, son compagnon : sérieux, solide, bosseur. Une fille : Julie. Douée en natation synchronisée. 11 ans. Au lycée en 6e. Bons débuts.

*
* *

Évènements marquants

— 1970 - Début de la galère

— 1972 - Propriétaire d'un terrain de 30 hectares, situé sur la commune de Guidel, à Locmaria, au bord de la Laïta. Autorisation administrative de lotir 30 lots destinés à la construction d'un ensemble résidentiel de maisons individuelles dont l'esthétique architecturale et l'harmonie d'ensemble étaient, de ma propre volonté, contrôlées et assurées par le prestigieux architecte Guilloux de Vannes, concepteur, entre autres, de l'église de Caudan.
Une violente campagne de presse orchestrée par des pseudos-écolos-chasseurs-riverains ont saboté le projet et m'ont amené à l'abandonner.
Le Conservatoire du Littoral m'a racheté le terrain pour sa valeur de base et remboursé le coût des investissements déjà réalisés.

— 1975 - Annulation par la municipalité de Quiberon des 160 logements restant à réaliser, d'un permis de construire 280 appartements, dont
l'esthétique architecturale était imposée. J'ai engagé une procédure près
du Tribunal Administratif de Rennes dont la décision ne m'a pas été favorable. Recours au Conseil d'Etat, constitution d'un dossier exceptionnel
de précision et plein succès obtenu.

Mes droits ayant été rétablis, l'Etat a été condamné à me verser en
1986, des Dommages et Intérêts considérables en proportion du préjudi-
ce subi. J'ai revendu l'année suivante ce droit à construire les 160 logements à des promoteurs parisiens.

— 1965 à 1977 - Armateur à la pêche. Sollicité par les milieux
maritimes, et profitant de subvention d'Etat, dans le cadre de sa politique
d'aide à la reconstitution des flottilles Françaises, j'ai accepté de financer
à 100% la construction d'un chalutier de 28 mètres en acier, équipé en
pêche classique. Equipage 11 hommes. Baptisé « Bonne Madeleine » du
prénom de ma mère.

J'ai également participé en 1967 au financement à 33% d'un chalutier de 32 mètres, pêche arrière, équipement frigorifique. Le « Grand
Large », équipage 13 hommes.

Ces deux chalutiers, basés à Concarneau, ont été rachetés en 1977 par
le Sénégal où ils ont poursuivi leurs carrières dans la pêche à la crevette.

— 1984 - Admission au sein d'un Ordre Philosophique et Littéraire.

— 1985 - Révélation de l'altération de mon état de santé mais
bonne stabilisation de ce dernier.

— 1985 à 1991 (5 ans)
Cours de dessin-peinture chaque soir et les samedis après-midi, aux
Beaux-Arts de Lorient. Quelques expositions.

— 1992 à 1999 (7 ans)
Assidu et passionné du cours hebdomadaire du soir d'Histoire de
l'Art, à l'Ecole Supérieure des Beaux-Arts de Lorient.

— 1986 - Par la réalisation progressive de mes actifs professionnels, juridiquement et financièrement intacts, achèvement du rembourse-

ment de la masse (valeur 2003) des 15.000.000 d'euros d'engagements financiers contractés en 28 ans d'activité, et recouvrement à titre personnel de l'important solde des actifs devenu disponible.

— 2000
Début de la rédaction de cet ouvrage.

Quelques courtes poésies ou écrits poétiques émaillent,
en alternance, mes textes.
Comment naissent-ils en moi ?...

Naissance d'un poème

A l'exception de deux ou trois textes très noirs, qui reflétaient mes états d'âme à une certaine époque, l'Imaginaire et l'Onirisme ont constitué, exclusivement, les sources de mes poésies.

Imprégnation spirituelle d'une sorte d'état second, fulgurance spontanée et incontrôlable d'une émotion sublimée, en ont constitué les racines.

Quels que soient l'heure et le lieu, un souffle, pour deux ou trois d'entre elles d'atroce désespérance, mais pour toutes les autres de bienheureuses félicités et d'éclatantes couleurs, m'envahissaient.

Déjà, la poésie chantait en moi.

D'un impératif, venu de je ne sais où, naît l'ordre d'écrire.

Jaillissent alors, d'un seul trait et presque sans correction, les mots sur le papier.

Emotion étrangement fascinante d'avoir pénétré une autre dimension…

Puis, la source se tarit, le maelström s'apaise et disparaît.

*
* *

« Allez tranquillement parmi le vacarme et la hâte, et souvenez-vous de la paix qui peut exister dans le silence.

Sans aliénation, vivez autant que possible en bons termes avec toutes personnes. Dîtes doucement et clairement ce que vous tenez pour vrai ; et écoutez les autres, même le simple d'esprit et l'ignorant ; ils ont eux aussi quelque chose à dire.

Evitez les individus bruyants et agressifs, ils sont une vexation pour l'esprit. Ne vous comparez avec personne ; vous risqueriez de devenir amer ou vaniteux. Il y a toujours plus grands ou plus petits que vous. Jouissez de vos projets aussi bien que de vos accomplissements. Soyez toujours intéressé à votre carrière, si modeste soit-elle ; c'est une véri-table richesse dans les prospérités changeantes du temps. Soyez prudent dans vos affaires, car le monde est plein de fourberies. Mais ne soyez pas aveugle en ce qui concerne la vertu, qui existe ; beaucoup d'hommes recherchent les grands idéaux ; et partout la vie est remplie d'héroïsme.

Soyez vous-même. Surtout n'affectez pas l'amitié. Ne soyez pas non plus cynique envers l'amour car il est, en face de toute stérilité et de tout désenchantement, aussi vivace et éternel que l'herbe. Prenez avec bonté le conseil des années, en renonçant avec grâce à votre jeunesse. Fortifiez votre puissance d'esprit pour vous protéger en cas de malheur soudain. Ne vous chagrinez pas avec vos chimères. De nombreuses peurs naissent de la fatigue et de la solitude. Au-delà d'une saine discipline, soyez doux envers vous-même.

Vous êtes un enfant de l'univers, pas moins que les arbres et les étoiles. Vous avez le droit d'être ici. Et qu'il vous soit clair ou non, l'uni-vers se déroule, sans doute, comme il le devrait. Soyez en paix avec Dieu, quelle que soit votre conception de lui. Gardez, dans le désarroi bruyant de la vie, la paix dans votre âme ; Avec toutes ses perfidies, ses besognes fastidieuses et ses rêves brisés, le monde est pourtant beau. Prenez atten-tion. Tâchez d'être heureux. »

(Texte découvert dans une vieille église de Baltimore [Irlande] en 1692. Auteur inconnu.)

La guerre de 39-45

1938

C'était en été 1938. Tous dans ma famille étaient dévorés d'angoisse, face à la probabilité d'une guerre contre l'Allemagne. J'avais 11 ans passés, j'épousais aussi cette panique communicative tout en observant l'évolution de la menace. En dépit de mon jeune âge, la marche des évènements m'intéressait au point de connaître le lieu – Munich – où se débattait la paix et le nom des protagonistes : Hitler et l'Allemagne, Daladier côté Français et Chamberlain muni de son très Britannique et légendaire parapluie. Ces deux derniers personnages avaient sauvé la paix.

Je me souviens du soulagement qui fut le nôtre, à tous, à l'annonce de la mise à la raison de Monsieur Hitler. Le soleil à Lorient-Plage où je me trouvais à ce moment là en vacances chez mes grands-parents, brillait à nouveau de tout son éclat et l'air marin qu'on respirait était redevenu léger. Les deux hérauts des Pieds Nickelés, Croquiniol et Ribouldingue avaient, en fait, été bernés par celui qui n'était pas un Filochard, de bande dessinée.

Représentant nos deux pays décadents, non seulement, ils n'avaient pas sauvé la paix mais, par leur capitulation, inscrit honteusement leurs noms et celui de nos deux pays dans l'Histoire. Le 3 septembre 1939, la guerre éclatait. Elle allait durer six longues années. Ce furent les affiches tricolores de mobilisation générale placardées sur les murs, celles de propagande représentant la carte du monde avec, en rose, la France et les colonies Françaises, qui claironnaient : « Nous vaincrons car nous sommes les plus forts », celles, encore, représentant une grande oreille avec la légende : « Taisez-vous ! Des oreilles ennemies vous écoutent ».

Ce fut encore les rondes de nuit des surveillants de Défense Passive dans les rues, qui veillaient au respect des consignes hautement stratégiques de camouflage des raies de lumières perçant des fenêtres, leurs hurlants rappels : Lumière !... adressés à ceux qui avaient mal tiré leurs rideaux, les globes d'éclairage des rues peints en bleu, les phares des rares voitures limités à un faisceau lumineux de l'épaisseur d'un doigt, comme on cligne les paupières, la distribution accélérée et traumatisante des masques à gaz…

Ce furent dans les rues de Lorient, des soldats de l'armée Française en début de mobilisation vêtus comme en 1914, d'hétéroclites uniformes démodés bleu horizon, dépareillés ou trop grands ou trop petits, chaussés d'épaisses godasses à clou, les mollets ceints de bandes molletières, ce fut un (pas deux) soldat dubitatif, avec lequel j'avais conversé, armé de son fusil mitrailleur modèle 1918, en position couchée, dans le secteur encore vide de construction de la Sécu de Lorient. Ce fut… Ce fut… Ce fut la guerre qui s'installait.

Pendant dix mois, campée à l'Est et vautrée dans sa certitude de victoire, la France et son armée, blottie dans ses tranchées modèle 1914, observaient, menaçantes, hallebardes en mains, le craintif ennemi.

Mai 1940

Le premier des quelque 450 bombardements que la ville de Lorient allait subir s'est déroulé à la fin du mois de mai 1940. Ce n'était pas, en fait, un vrai bombardement avec de vraies bombes, mais des mines flottantes destinées à être mouillées dans la rade, les Allemands qui connaissaient l'imminence de leur invasion, voulant empêcher les bateaux de guerre Français de quitter le port. Une de ces mines explosât d'ailleurs dans le secteur de la rue de Kerolay vers le port de pêche.

La fantastique DCA Française, composée d'au moins deux canons en position sur une prairie de Kerpape, à cinq kilomètres de Lorient, à la cadence rapide d'environ un coup par minute, veillait sur notre défense.

Eclair blanc du départ. Terreur. Grondement du coup quelques instants plus tard. Re-terreur. Regroupés dans un des couloirs du rez-de-chaussée de l'immeuble, mes parents, nos voisins, et nos cousins, tous attendions l'heure de la mort.

« A mon commandement ! Tous à terre quand je vous le commanderai ! » aboyait le cousin Pierre Le Floch, qui à 17 ans avait fait Verdun. Le ridicule, soyez désormais rassurés, ne tue pas. Sans cela nous serions morts ce jour-là.

Juin 1940

Las en juin… Le craintif ennemi, de ses divisions de Panzer, bousculait nos lignes et envahissait le territoire Français.

L'énorme incendie volontaire des cuves de mazout, implantées à Lanester, rive droite de l'embouchure du Blavet et de la rade, émettait une chaleur irradiante d'une telle intensité interdisant l'approche et le stationnement des personnes, à moins d'un kilomètre, sur l'embarcadère situé en face côté Lorient.

Le décor de l'invasion Allemande était planté : d'énormes panaches de fumée noire et grasse zébrées de flammes rouge sang, s'élevaient dans le ciel et masquaient l'horizon, les draps blancs de la reddition fleurissaient sur les toits, pendaient à toutes les fenêtres ou servaient de carpette sur le sol en pleine rue, les espions de la 5è colonne Allemande déguisés en bonnes sœurs, couteaux ensanglantés à la main enflammaient les imaginations, l'amiral de Penfantonio organisait, pour l'honneur de la France, un ultime combat aux cinq chemins de Guidel, infligeant des pertes en hommes et en matériel à l'ennemi, et payant sa bravoure par la mort de quelques Français.

Comme au spectacle du passage d'une étape du Tour de France, une population incrédule, fascinée et silencieuse – dont j'étais – muette d'inquiétude, assistait au calme et colossal défilé des envahisseurs qui descendaient la rue de Belgique vers le centre ville. Impressionnante de puissance, l'armée Allemande ne marquait aucune agressivité. Sa discipline et son équipement étaient remarquables. Quelques semaines plus tard, les Français surpris et quelque peu rassurés, ne voyaient plus, dans ces troupes occupantes, les monstres sanguinaires qui lui avaient été annoncés.

La vie, par nécessité, repris son train-train quotidien, intégrant cette nouvelle habitude de côtoyer progressivement dans tous les milieux du travail et du commerce, ces « vert de gris », ces « doryphores », ces « schleux », (on ne disait plus « boches »), sommes toutes – dans les premiers temps – bien polis et fréquentables.

Automne 1940

La pénurie des salles de classes du Lycée Dupuy de Lôme, réquisitionné et transformé en hôpital par les Allemands, obligeait les élèves, dont j'étais, à suivre les cours dans des locaux hétéroclites et inadaptés situés dans tous les quartiers de la ville. L'appel du 18 juin du Général de Gaulle, commençait à être connu et à se répandre. Tous les élèves marquaient déjà leur choix, par les « V » tracés à la craie sur les murs et sur le sol, avec la croix de Lorraine entre les branches divergentes. Nous avions tous les oreilles collées à notre TSF, pour mieux entendre la radio interdite et brouillée : « Ici Londres... Les Français... Tutt... Tutt... Tutt... parlen – t – aux Français... »

Des Anglais et Américains, le premier bombardement aérien s'abattit sur la ville en septembre ou en octobre 1940. Malgré les tués et les blessés quasi-quotidiens, la population ne sombrait pas dans la panique et demeurait chez elle. Ce n'est qu'à la fin de l'année, les bombardements perdurant, qu'un exode très limité commençât à se manifester.

Les bombardiers Halifax ou Lancaster vrombissaient presque tous les soirs à 20 heures dans le ciel Lorientais, tandis que le lendemain la banale litanie de l'annonce du nombre de victimes nocturnes s'instituait : 27 morts… – on ne comptait pas les blessés – 3 morts… Ah ! Ce n'est pas beaucoup aujourd'hui ! 10 morts… Ah ! C'est mieux ! Inconscience tordue… rétrospectivement affreux ! on s'habitue hélas à tout, même à casser la croûte sur un tas de cadavres – il n'y avait pas de chaises de jardin – ainsi que me le racontait mon copain de lycée Louis Le Léon, arrêté avec son père, par la gestapo et déporté à l'âge de 15 ans à Dachau ou Ravensbrück. Je ne sais plus. Authentique résistant, il cachait les aviateurs alliés, dont l'avion avait été abattu, dans la cale du petit bateau de pêche « Le Papillon des Vagues » jusqu'au sous-marin qui les attendait au large de Port Manech.

Relayée par les médias, en 1999, une cérémonie de décoration, d'une vraie et méritée celle-là, croix de la Légion d'Honneur, leur fut spécialement consacrée – 55 ans plus tard – lors de la fête commémorative de la victoire de 1945. C'est avec plaisir que je rencontre quelquefois en ville, mon copain Louis, plutôt mieux remis des séquelles de sa quasi-hémiplégie consécutive aux tortures subies en déportation.

Avec les Allemands, comme on dit, ça ne rigolait quand même pas… Leur DCA s'est révélée rapidement impressionnante de puissance. Les lugubres sirènes hurlantes annonçaient le feu d'artifice : des dizaines de chapelets de balles traçantes serpentaient dans le ciel noir, des canons mobiles quadruples à tir rapide passaient et repassaient rue de Merville, tiraient leurs salves en roulant, des obus par centaines pétaradaient dans le ciel comme le bouquet final d'un feu d'artifice, les luminions oranges des fusées suspendues et immobiles éclairaient la ville, les projecteurs, de leurs faisceaux, convergeaient sur l'oiseau blanc pris pour cible, les bombes sifflaient, les explosions assourdissaient les oreilles…

Le spectacle de dévastation qui nous attendait le lendemain était impressionnant. Ma mémoire olfactive se souvient bien de l'odeur fade de la poussière des ruines. Toujours la même : remugles rétrospectivement terrifiantes. Les centaines de « saucisses » soutenant les câbles d'acier destinés à faire chuter les avions, montaient haut dans le ciel Lorientais, et transformaient le paysage. Ma mère était terrorisée. Mon père et moi à la fenêtre du premier étage de la maison dans laquelle je demeure actuellement, ne perdions pas une miette du spectacle.

Beaucoup de Lorientais se comportaient de la même manière, fascinés, inconscients du danger. Une nuit, le hurlement strident, terrifiant, interminable d'une torpille qui se dirigeait vers nous, explosât à 200 mètres sur une maison située au n° 36 de l'avenue Jean Jaures, tuant – je m'en souviens – sept personnes.

De jour, quand le ciel était clair, les forteresses volantes et leurs traînées blanches dans le bleu du ciel, nous rendaient visite. Le raid était plus rapide et moins spectaculaire, quoique plus violent, les avions volant plus haut, lâchant leurs bombes et disparaissant.

1941-1942

Alors commençât le départ, un peu moins rare, des habitants vers des quartiers périphériques ou vers les patelins des environs immédiats de la ville. Le nombre de ces mouvements fut extrêmement réduit. Ce n'était pas encore les nombreux et terrifiants bombardements. En ce qui nous concernât ce fut le déménagement genre camping au 5 de la rue de Calvin au domicile de mes grands-parents : nous avons quitté les lieux après quelques jours de présence. Nous dérangions leurs habitudes.

Quelques jours après notre départ une bombe fit 23 morts dans l'immeuble situé exactement en face de ce n° 5. L'émigration se poursuivait à Plouay dans de la famille éloignée. Nous dérangions encore. Nous sommes partis. A Hennebont, chez une vieille tante, la sœur de mon grand-père Le Floch, quelques semaines. Nous dérangions toujours. Dans la même ville, une grande pièce au rez-de-chaussée d'un immeuble de la rue Nationale, nous fut louée et le quotidien rentra dans l'ordre.

8-9-10 Janvier 1943

Le lien qui nous unissait avec le monde libre était la TSF et ses émissions brouillées. Pas suffisamment inaudibles d'ailleurs, pour nous empêcher d'entendre les avertissements répétés et sans équivoque de Londres, les 8-9-10 Janvier 1943, destinés à la population Lorientaise, conseillant d'évacuer, immédiatement et sans délai, la ville. Informations répétées et de plus en plus précises, de l'imminence de terribles bombardements.

Il faut savoir en effet, que les U-boot de la Kriegsmarine, depuis quelques mois, agissant en meutes, prenant la mer principalement à partir de la base de sous-marins de Lorient – Keroman – équipée d'énormes abris en béton, infligeaient, dans le grand Nord Atlantique, des pertes tellement importantes aux convois de navires marchands alliés, transportant troupes et armements en Angleterre, que l'issue de la guerre se révélait compromise et les perspectives de victoire, incertaines.

La décision du haut commandement allié d'ordonner la destruction, non seulement des structures militaires ou servant à l'entretien ou à la réparation des U-boot – les abris béton étant virtuellement indestructibles – mais aussi celle de l'ensemble de l'habitat urbain, était donc guidée par un objectif hautement stratégique. En décidant de raser, en incendiant tout ce qui pouvait être détruit ou brûlé, en provoquant la fuite inexorable de la quasi-totalité de la population, elle privait la marine allemande d'une base arrière de loisirs et de repos pour les équipages éprouvés après les terribles combats dont ils étaient, tout à tour, les chasseurs, puis le gibier, dans les eaux glacées de l'Atlantique Nord, mais aussi et surtout, ils voulaient priver l'économie de guerre de l'Axe, qui n'avait plus à sa disposition immédiate et à proximité, une main d'œuvre involontairement et utilement productive. Car, ami ou ennemi, la situation était telle, qu'il fallait bien que la population travaillât pour faire bouillir la marmite et nourrir ses enfants.

16 Janvier 1943

Les avertissements de Radio-Londres n'étaient pas du bluff. Ce soir là, pour la fête des deux Marcel, ma mère avait fait des crêpes Suzette. Peu après 20 heures, nous entendions, sans nous affoler, car, en principe à Hennebont, nous étions en sécurité, le bruit des bombardements de Lorient. Quelques heures plus tard, vers deux ou trois heures du matin, nouveau raid de bombardiers sur Lorient, qui nous paraissait être beaucoup plus sérieux que celui de la veille au soir. C'est en me rendant au lycée par le train le lendemain matin, qu'à l'arrivée à Lorient, à partir du pont de chemin de fer, l'ampleur du désastre m'apparu : des ruines fumantes partout, des poutrelles métalliques tordues par les flammes, des incendies par dizaines qui achevaient de se consumer, une partie du lycée détruite. Et ce n'était qu'un début. Trois autres bombardements allaient suivre dans les douze heures, après celui des Américains vers 14 heures.

Une centaine d'appareils laissaient leurs traces blanches dans le ciel. Bombes explosives. Ce n'est qu'après le quatrième bombardement de 20 heures le 17, et le cinquième qui suivit dans la nuit du 18 vers 3 heures, que, dès le lendemain matin, la population s'en fût massivement. Des centaines de maisons brûlaient en même temps. Les gens erraient, hagards, apeurés, les yeux rougis par la fumée. Les tués se comptaient par dizaine.

Les nuages, sur l'ensemble de la ville, rougeoyaient des lueurs des incendies. Le 17, alors que jusque là, notre lieu de refuge, à Hennebont, avait été épargné, ce fut notre tour. Expérience assez terrifiante.

En qualité de bombardés, nous étions tout à fait expérimentés sur deux points. Le premier concernait le processus tactique des attaques aériennes de nuit. Dans l'air froid et léger du soir – le beau temps était obligatoire – en premier lieu le vrombissement, de plus en plus fort, des avions qui approchent. Fusées éclairantes et leurs lumières oranges, à giorno, par dizaines. Le bruit des moteurs s'atténue – une minute de silence pour ceux qui vont mourir – et disparaît, immédiatement remplacé par celui des escadrilles qui approchent… pour, cette fois, lâcher leurs bombes. Surprise du chef : on ne sait généralement pas s'il s'agit de bombes incendiaires ou explosives… Le deuxième point concerne l'appréciation de savoir – de la même manière que les poilus de 14 en avaient l'expérience – si la bombe va nous tomber sur le coin de la figure ou non. Si elle hurle, si elle siffle, si elle terrorise, elle n'est pas très dangereuse pour celui qui l'entend, et explosera à une distance d'au moins 300 mètres. Si elle souffle, si elle respire comme un asthmatique en crise, si elle chuinte, si elle fait vibrer les tympans, c'est comme on dit, pour notre gueule. Le quatrième bombardement de Lorient en 24 heures, concernait aussi la ville d'Hennebont, principalement par bombes explosives. Les deux ponts, chemin de fer et routier, étaient visés.

Tous les trois, serrés les uns contre les autres, dans un angle de la pièce, mes parents et moi acceptant la fatalité, déjà résignés à la mort – oui, étonnant mais vrai – écoutant, muets de terreur, la respiration, le souffle, le chuintement, le halètement, interminablement longs des bombes qui tombaient sur nous. Le bruit de l'explosion fut bref, mais terrifiant, vitres, fenêtres, portes brisées, trappes en bois soulevées, plafond écroulé, poussières suffocantes, visages blancs de peur et de plâtre. Vivants. Etonnamment calmes. Choqués mais sains et saufs, sans une égratignure, malgré les impacts des bombes à 50 mètres.

18 Janvier 1943 – 19 heures

Le lendemain soir, un camion à gazogène que mon père avait réussi à dégoter je ne sais où, nous évacuait avec nos pauvres meubles rescapés – les principaux ayant été abandonnés à leur sort à Lorient – à la campagne. La silencieuse et tranquille. La calme. La vraie. La « sans bombardement ».

C'était l'hiver. La nuit, à notre arrivée, était noire et sans lune. Logement provisoire chez les anciens locataires de mes parents. Une grande salle de ferme au sol en terre battue, murs en pierres brutes aux joints de glaise, cheminée immense équipée de bancs de chaque côté de l'âtre pour les veillées, où brûlait le bois mort ramassé dans la forêt, dont les flammes crépitantes, projetaient des ombres chinoises dansant sur les murs et exprimaient leur joie de nous savoir sains et saufs. Jamais le chaud « café » – de l'orge grillé – au lait, dégusté au vivant coin du feu, au goût fumé, surprenant d'onctuosité crémeuse, ne m'a paru aussi délicieux.

19 Janvier 1943

Ainsi, ce jour là fut le premier des mille jours que nous allions passer dans ce logement misérable, à l'extrémité de ce petit bâtiment de ferme, dans lequel, quelques jours plus tard, nous nous sommes installés, situé à l'orée de cette superbe forêt de Pont-Calleck.

Notre espace de vie était composé d'une remise à fagots désaffectée, de 4.5 mètres de long sur 2.40 mètres de large, au sol très bosselé de terre battue. Au plafond, un plancher pourrissant composé de lames de bois disjointes et vermoulues, reposait sur des poutres grossières rongées par les vers, nous saupoudrait de poussière de bois, quand ce n'était pas la chute de milliers de minuscules puces de bois, les jours de canicule.

La cuisinière à charbon ramenée au grade inférieur de brûleuse de bois mort ramassé dans la forêt, trouvait son bon air à respirer par un tuyau en tôle, lequel tel un gros python, serpentait jusqu'à la minuscule fenêtre, dont une des vitres avait été sacrifiée. Le lit cage de mes parents, sauvé des bombes comme Moïse sauvé des eaux, dont la musique des ressorts explosait à chaque mouvement du corps, jouxtait le mien, réservant un espace de circulation de 30 centimètres, jusqu'au fond de la « cave », où, l'été, les bouteilles de cidre libéraient leurs bouchons et laissaient mousser leur nectar, où, chaque nuit, les crapauds tenaient récital de leurs sympathiques et amicaux croassements. Cet habitat moyen-âgeux était un havre d'amour et de paix. Cette longère débouchait, plein sud, sur un terre-plein, sur lequel, moi le sous-doué voire débile du bricolage, avait réussi à confectionner une tonnelle ombragée en bois, sous laquelle, l'été, nous prenions nos repas. Les barbecues, à l'époque, étaient inconnus.

Dans des situations imprévues et extraordinaires, on s'adapte, ou s'habitue à tout, même à l'idée, aujourd'hui inimaginable, d'accomplir 50 ou 60 kilomètres à pieds dans la journée, avec bagages, comme je l'ai fait plusieurs fois, de Coët Cado à Concarneau, ou de la gare d'Auray à notre lieu de refuge. Nous étions bien nourris : viandes, volaille, poissons de Concarneau, beurre, pain, farine, légumes secs, légumes frais, lait, beaucoup de produits sauf ceux exotiques bien entendu. Nous avions le bon air. J'étais « heureux de vivre entre mes parents le reste de mon âge » comme l'a dit le poète Dubellay ou Ronsard, je ne sais plus.

Placé plein axe sud, vue dégagée vers Lorient située à environ 25 kilomètres, l'emplacement permettait « d'admirer », à nouveau, le spectacle des bombardements qui se poursuivaient avec une intensité accrue. Les alliés, ayant très certainement pris connaissance de l'évacuation quasi totale de la population, avaient abandonné leur stratégie première, qui consistait à utiliser, presque exclusivement, des dizaines de milliers de bombes incendiaires, pour ne s'amuser qu'avec des milliers de bombes explosives, afin de mieux dévaster les ruines.

Sauf ma mère, toujours terrorisée, nos voisins réfugiés et nous, chaque soir à 20 heures précises, pendant près de trois mois, bien protégés, par nos vêtements, du froid de l'hiver, nous assistions au spectacle. Le metteur en scène était talentueux, pas une minute de retard ne lui était imputable à l'ouverture du rideau. Ma mère, était à elle seule une armée spécialisée, dans l'écoute de la détection des escadrilles d'avions qui arrivaient. Dans l'attente des trois coups, assis autour de l'âtre où brûlaient les fagots, nous parvenaient, amplifiés par le large conduit de fumée qui faisait office de caisse de résonance, les vrombissements, d'abord imperceptibles pour nous – sauf pour ma mère, qui devait sans doute les entendre à leur décollage en Angleterre – (les v'là, disait-elle) des escadrilles de bombardiers qui se dirigeaient sur notre ville, afin de l'achever.

Quelques minutes plus tard, après leur passage au-dessus de nos têtes, l'horizon, au loin, s'illuminait de la lueur orangée des centaines de fusées éclairantes, sans cesse renouvelées dans leur éclat, s'agrémentait de myriades de « grappes de raisin » couleur vert émeraude, luminescentes – j'ai su plus tard qu'il s'agissait de la phase de marquage des zones à bombarder, par des plaquettes phosphorescentes à effet spécifiquement lumineux – qui chutaient lentement. Le ciel s'irisait de nuées de balles traçantes qui serpentaient, s'éclairait des faisceaux éblouissants des projecteurs, au milieu desquels scintillaient les multitudes d'éclatements d'obus. L'air résonnait des vibrations et des grondements puissants de l'explosion des bombes. Parfois, parmi les fusées éclairantes, immobiles dans le ciel, une luciole à l'éclat de feu particulièrement intense, disparaissait dans un flash aveuglant, qui nous serrait la gorge. Un bombardier venait d'exploser avec son équipage. Seule, après, baignée dans le silence, sous l'immense nuage de fumée couvrant la ville, se reflétait l'éblouissante lumière couleur sang de l'incendie des maisons, qui, par centaines, achevaient de se consumer. Ainsi, tous les soirs, pendant trois mois...

Dans la journée, seulement par temps clair, cent, deux cents, trois cents Forteresses Volantes, groupées en escadrilles, en formation serrée à haute altitude, laissaient tomber, en une seule fois, leurs centaines de bombes de gros calibres. Leurs objectifs étaient essentiellement militaires, notamment les abris en béton de la base des sous-marins. Ces derniers n'ont jamais pu être détruits. Des combats aériens se déroulaient, haut dans le ciel, marquant leur réalité par des centaines de volutes blanches. Parfois, pâles et blêmissants, nous assistions à l'éclatement silencieux d'une luciole...

La vie continuait. Nous attendions le débarquement des alliés, tout en suivant sur la carte de géographie du Petit Larousse Illustré de 1936, que mon arrière-grand-mère Henry m'avait offert pour mes 10 ans, la guerre de Russie : Kiev, Karkov, Smolensk, Minsk, Odessa...

J'appréciais déjà la méditation et la lecture. Nous n'avions évidemment pas l'électricité. A la lueur – toujours orange – de la lampe Pigeon à pétrole, j'ai véritablement lu – indépendamment des classiques étudiés au lycée – décortiquant chaque ligne, chaque paragraphe, mon premier grand classique : « Le Rouge et le Noir », dont l'écriture au plus haut point, m'a passionnée, puis « La femme de trente ans » me posant la question de savoir, ce que cette vieille femme pouvait bien avoir à dire. J'écrivais aussi des poèmes en alexandrins, encore imprégnés de mes humanités interrompues.

J'allais ramasser avec la classique lassitude de l'adolescence, le bois mort dans la forêt, nécessaire à nous chauffer et cuire les aliments, ou imprégné du plus profond dégoût, allait quérir des brocs d'eau, au puits de la ferme voisine...

Eté 1943

Nos futurs libérateurs, surtout ceux du nouveau monde, faisaient figure d'habitants d'une autre planète, d'hommes mythiques, d'Hommes-Dieux en quelque sorte. Tous les sens professaient cet état d'esprit, cette sensation de surnaturel. Un après-midi, conditionné par cette interminable attente du débarquement, de la vallée, en plein axe de mon regard, rasant la cime des arbres, surgirent six chasseurs Spit Fire Anglais, virage à gauche, en piqué, canons crachant le feu, douilles éjectées, noria incessante, mitraillant le château de Pont-Calleck où se reposaient les sous-mariniers Allemands. Fou, fou de plaisir, de joie, d'excitation, à la vue de ce nouveau spectacle des extraterrestres enfin visibles, des cocardes mythiques, rouge, blanc, bleu.

Annonce consternante de la mort, à deux pas du village, d'un jeune homme de 19 ans abattu d'une balle de Mauser dans le dos, tirée, comme un lapin, par un soldat Allemand ivre. C'était le fils unique d'une jeune veuve qui s'est laissée mourir de chagrin.

J'empruntais deux fois par jour ce chemin, à la lisière du château, le long de l'étang. Notre village de Coët Cado où se trouvait notre misérable logis, se situait à 500 mètres du château, celui du Duc de l'Orge, occupé par la Kriegs Marine et destiné au repos des sous-mariniers, après leurs dures missions, principalement en Atlantique Nord. La chapelle de Sainte Anne des Bois était le lieu de rendez-vous de la jeunesse. En dehors de la messe, bon nombre de pardons, de fêtes et de kermesses, s'y déroulaient.

C'est ainsi, qu'un beau dimanche matin ensoleillé, vêtu de mon beau costume du dimanche, en pur tissu synthétique, je me dirigeais lentement vers la chapelle, quand je fus brusquement entouré d'une quinzaine de marins Allemands, surgis des fourrés, armés jusqu'au dents, mitraillettes menaçantes, canon du revolver de l'officier chef du commando, pointé sur ma poitrine. Les mains en l'air, détendu, j'ai commencé à leur expliquer en Allemand, que je parlais un peu, d'où je venais, qui j'étais, où je me rendais. L'affaire s'est arrêtée là. Ceux là n'étaient pas des méchants. Rires. Cigarettes. Poignées de main pour se dire au revoir. Avec des abrutis, serai-je encore là pour vous raconter cette anecdote ?

Pentecôte 1943

Il faisait beau, très chaud ce jour-là, fête de Sainte Anne des Bois. Réputée kermesse de la région. Messe le matin, chantée en Breton. Vieilles femmes en coiffe du pays, vêtues de leurs plus beaux atours. Grande foule, principalement des jeunes. Modestes stands dressés, proches de la chapelle, centre de la fête : loteries, colifichets, médailles saintes, rafraîchissements. Sur les chemins et routes encore empierrées, conduisant à l'étang et au Pont-Neuf, un kilomètre plus bas, où chacun passe et repasse, se croise et se recroise. On se promène…

Vers 16 heures 40, nos pas nous conduisent, mon groupe d'amis et moi-même, dans une prairie ombragée près du Pont-Neuf, dans laquelle nous prenons longuement le frais. Quelques minutes avant 17 heures, une douzaine de camions bâchés, occupés par des soldats Allemands, remonte vers le centre de la fête, barrant, au fur et à mesure, les routes. Tout à fait par hasard, nous étions en dehors du secteur de la rafle. Nous l'avions échappé belle. Des centaines de jeunes gens furent aveuglément pris en otage : certains furent emprisonnés, battus au nerf de bœuf, torturés, d'autres déportés ou fusillés. L'armée Allemande, en difficulté en Russie, ponctuellement harcelée par les FFI, commençait à se montrer méchante...

Printemps 1944

Des armadas de centaines de forteresses volantes Américaines et leurs immenses traînées blanches, se montraient de plus en plus nombreuses à sillonner le ciel.

Je ramassais du bois mort toujours en maugréant, j'allais chercher des brocs d'eau au puits. C'est en vélo pourri, – dont les deux pneus usés avaient chacun un pansement en caoutchouc d'une couleur différente, attaché avec un fil de fer, ce qui me faisait rouler en saccadant – que, par des petits sentiers, j'allais nous ravitailler en pain, à Kernascléden. Seul, le câble rouillé dans sa gaine, me permettait, en tirant violemment dessus, de freiner par l'arrière.

Après la courte descente de Coët Cado, entamant à peine la partie plate près de l'étang, un « Halt ! » hurlé en Allemand, me fit immédiatement m'arrêter en tirant sur ma gaine rouillée, et me diriger vers la vingtaine d'Allemands – en réalité des volontaires Russes – qui me tenaient en joug de leur fusil mauser. Vélo à la main, mon vieux sac à provision en lin pendant au guidon, je me suis approché calmement. « papier ! » ordonna l'officier. « Voilà papier (papire) » ich gehe brot, essen für mein fater und mutter... Village Kernascléden, bakeirei montrant la direction de la main. Mort de trouille, mettez-vous à ma place... « Gut ! Yavol ! » « Fou bartir ». Une alternative : ou bien j'aurais été pris de panique et aurais pris la fuite, ou mon frein, fabrication maison, n'aurait pas fonctionné, je servais alors sans coups férir, de tir au pigeon, comme à la fête foraine. Remarquez bien que je n'aurais pas souffert, mais avec vingt balles dans le corps, on aurait eu du mal à identifier les morceaux.

6 Juin 1944

Tôt le matin.

Malgré notre isolement, sans contact urbain, sans TSF, sans électricité, sans journaux, nous avions, en dépit de tout, la prémonition de l'imminence du débarquement. Le seul point de contact avec le monde, se résumait à l'écoute de Radio Londres, l'oreille collée au poste de TSF détenu par un réfugié dont le baraquement – un luxe pour un Lorientais – était situé dans une zone électrifiée à 1 km de Coët Cado, pas très loin du Pont-Neuf.

Ce matin là, 6 juin 1944, levé comme d'habitude très tôt, dans l'attente du « café » au lait et du pain beurre, je respirais l'air frais de ce début de journée, semblable à celui de la veille, sauf que depuis quelques jours, le ciel était gris et lourd, sans qu'il pleuve. Le silence, à la campagne, régnait.

Soudainement, un grondement lourd, terrible, apparemment très proche se fit entendre. L'air vibrait. Comme un fou, je courais vers le nord, persuadé de la proximité du bruit qui persistait. Quatre cents mètres plus loin, arrêté par un coude de la rivière et vallée du Scorff, je commençais à m'interroger sur la nature de ce bruit de bombardement, inhabituel dans sa nature et sa direction, anormal dans sa puissance, sa constance et sa durée. Ce n'était pas le bruit habituel des bombardements aériens de Lorient, qui se situaient au sud. Courant toujours comme un fou, cette fois-ci vers le sud, en direction de l'écoute de l'information, émise par la TSF, qui me confirmerait ce dont je pressentais la nature, c'est-à-dire, le débarquement des Alliés. C'était bien cela. Quelques mois plus tard, il m'a été donné d'en connaître la cause, confirmée par l'horaire, des grondements colossaux, énormes que j'avais entendus. En effet, dès l'aube des centaines de canons de gros calibres des cuirassés et croiseurs lourds, ajustaient simultanément leurs salves, sur les positions côtières de Normandie, tenues par l'armée Allemande. Ce bruit inouï, incroyable, apparemment si proche, malgré les 500 kilomètres qui nous séparaient, représente la stricte vérité.

La réussite du débarquement se confirmait. Les Alliés, de plus en plus, progressaient en profondeur. Tous les jours, une fois pendant six heures, des centaines, des milliers d'avions zébraient le ciel de leurs traînées blanches. On recueillait, un peu partout, des petites languettes de papier aluminium lancées par les avions. Plus tard, j'ai su qu'il s'agissait de leurres contre les ondes radar. Nous attendions. Désœuvrés. A l'écoute de la guerre, proche de nous.

Fin Juillet 1944

C'était le mois des atrocités d'Oradour sur Glane. Je l'ai su bien après. Un après-midi, debout sous l'échelle rustique qui, de l'extérieur, donne accès au grenier, les bras levés, appuyés sur un des barreaux, je rêvais… comme toujours… Silencieux et rapides comme des fauves, des commandos Allemands, en tenue de combats, féroces, le visage noirci, le casque recouvert de filets ou s'inséraient des feuilles de camouflage artificielles, armés de pistolets mitrailleurs, de grenades au ceinturon, envahissent le terre-plein sud de notre maison. Pas besoin de lever les bras, ce qui était déjà fait, quand ils sont intervenus. Ils recherchaient sans doute des « terroristes » - des résistants ou des parachutistes – dont l'activité et la combativité étaient très fortes et très nombreuses pendant cette période du débarquement.

Un des soldats Allemands m'a demandé de l'accompagner dans le grenier, pour vérifier l'absence de « terroristes ». Il me chuchotait : « Allemagne kaput ! Allemagne kaput ! ». Ils sont partis… Ils auraient pu ne pas partir, et tuer ma mère et moi d'une rafale de mitraillette. Ils auraient pu – c'était le sport favori de cette époque pourrie – nous enfermer dans la maison et y mettre le feu… A Oradour, c'est ce qu'ils ont fait. A Saint-Marcel, près de Malestroit, aussi. Ailleurs également. Exactement à la même époque. Nous étions tombés sur des « pas méchants ». Ce danger mortel est le dernier auquel nous avons échappé.

Eté 1945

Après la libération de la poche de Lorient, nous regagnons notre ville en ruine, rasée, d'où nous pouvions, du cours de Chazelles, apercevoir la mer. L'herbe poussait partout sur les trottoirs, dans les crevasses du revêtement au milieu des rues, les lapins trottaient sur les avenues, les murs noircis, silencieux, attendaient… les jardins abandonnés nous invitaient à cueillir leurs fruits murs. Parfum léger de la paix retrouvée… Etonnants, terrifiants silences d'une ville morte…

*
* *

Paul Valéry :

« *Le lyrisme n'est jamais que le développement d'un point d'exclamation.* »

Concis, précis, séduisant, étonnant…
Ne trouvez vous pas ?

*
* *

Le pot au feu

C'était le 17 janvier 2001, j'avais convié trois couples de mes amis, deux d'entre eux exerçant la profession de médecin, le troisième de notaire, a partager ce symbolique et délicieux pot au feu, concocté par Claude et moi-même, dont les émanations subtiles et ragoûtantes embaumaient déjà, bien avant leur arrivée, la voie publique.

Guidés seulement par ces somptueuses effluves, c'est en aveugle mais les narines frémissantes, qu'ils ont trouvé le chemin du festin.

Nous les reçûmes avec ce chaleureux plaisir qui sied aux hôtes recevant des amis très chers. Nous allions fêter cette nouvelle année, ce siècle débutant, ce millénaire tout neuf, en liesse et le champagne pétillant. Dans nos flûtes, les bulles marquaient, elles aussi, à leurs manières, leurs joies de vivre l'événement.

L'appartement que j'occupe est plutôt petit. Les murs, tous les murs, du séjour et de la chambre sont tapissés d'huiles, d'aquarelles et autres pastels que j'ai réalisés jusqu'en 1995, date à laquelle j'ai, provisoirement arrêté de peindre. Ce n'est pas la manifestation d'un insoupçonné et latent narcissisme, qui m'a fait prendre la décision d'exposer en permanence ces œuvres, mais la seule nécessité de trouver des surfaces, volumes et endroits où les ranger. Mon cher et grand ami Kik Poirier, avait, à son domicile, le même problème à résoudre. Pour les mauvais esprits, il vaut mieux que cette précision soit apportée.

L'ambiance était chaleureuse. Sans que je n'y puisse rien, mes tableaux, dont la vue ne pouvait échapper à personne, ont suscité une remarque.

Assis dans un de mes fauteuils préférés de sieste, Jean-Claude se trouvait donc placé face au mur principal de cette involontaire mais permanente exposition.

Laissant ses paroles murmurer ses pensées j'ai entendu : « tes tableaux sont tous de factures différentes, pour l'un tu as copié Gauguin, pour l'autre, l'exécution est cubiste, pour d'autre encore, le style est différent... » Cela est vrai. Ce qu'il regardait ne constituait certainement pas une unité de style.

Ma peinture se nourrit de sa propre vie, mais le but du discours qui va suivre est de l'expliquer et non de me justifier.

Cette logique procède de deux éléments qui s'imbriquent et se confortent l'un et l'autre : le premier a pour base la probité naturellement profonde qui m'habite depuis mon enfance. Le second est le choix d'une éthique artistique.

Dès 1984, première année de mes essais de peinture, je n'ai jamais envisagé **de peindre ce que je voyais, mais ce que je sentais.** En quelque sorte, l'autre côté du miroir. Je n'ai jamais conçu d'autre choix que celui d'une recherche permanente, avec tout ce que cela implique de stress et de pugnacité. Vous avez compris que j'ai choisi d'être un cherchant, un souffrant, un persévérant.

Être un cherchant, cela veut dire s'efforcer de faire passer par ses gestes, ses choix, ses instincts, sa réflexion, sa sensibilité, **une vision autre** que celle, parfois banale, de la réalité.

Être un souffrant, **c'est éprouver le doute permanent**, être insatisfait, désespérer de ne pas trouver, mais **s'imposer la persévérance**, signifie, malgré tout, continuer, croire à un aboutissement acceptable, avoir **la foi** dans l'œuvre entreprise.

Sans probité naturelle profonde, devenir cherchant, souffrant, persévérant, ne signifie rien ou peu de chose pour la raison que la base sur laquelle s'appuie cette éthique, n'existe pas. **Peindre de cette manière, représente un chemin de croix tapissé de pétales de roses...**

De la même manière que celle d'avoir décidé d'écrire cet ouvrage : difficile, très difficile de circonscrire, de synthétiser ses pensées et de les matérialiser. Mais quelles joies, quelles exaltations d'aboutir !...

Après sept années d'assiduité aux cours d'Histoire de l'Art, j'ai pu combler une partie de mon inculture dans ce domaine.

Cela me permet d'affirmer que je vais poursuivre dans la même voie : celui de la recherche. Je sais aujourd'hui que ma peinture – que j'espère reprendre bientôt – s'orientera vers un graphisme peu lisible, vers des sujets suggérés, vers la recherche d'harmonies chromatiques, qui affirmeront l'expression de ma sensibilité, de mon moi profond, de mon intention de communiquer un message d'amour, de tendresse, de spiritualité, de vérité. Tant pis pour ceux qui ne seront pas capables de sentir, de lire...

Analyse de la « TERRE ORANGE »

Ce tableau, de même que la couleur orange du champ labouré, ont une histoire. Il m'intéresse de vous faire assister à sa naissance. C'est une des rares fois où j'ai commencé à peindre un tableau à l'extérieur.

Subjugué ? Encore davantage à l'âge de 15 ans, je l'ai été par cette analyse passionnée émanant d'un prof de français, portant sur « La Mare au Diable », des puissances évoquées de cette terre nourricière, de celle des huit bœufs sous leurs jougs, de ce large terrain, comme l'écrit George Sand, « **d'un brun vigoureux** ».

Comment traduire, sur toile, par la couleur, ce « brun vigoureux » ? Marron ? Banalement marron, sa couleur d'origine ? Insuffisant. Il fallait exprimer très fort cette impression. Il fallait oser.

Ce furent donc des sillons oranges marbrés de jaune. Violents. Bleu, gris bleuté par touches légères pour rehausser un peu, comme du sel sur un melon sucré, quelques traits foncés pour accentuer encore... Cette terre cultivée est le seul endroit authentiquement figuratif – sauf la couleur – de ce tableau.

Le reste est totalement œuvre d'imagination. Le fond dans les ocres clairs évoque un paysage des Corbières. Pourquoi ? Je ne sais pas. Le ciel est jaune clair moiré d'orange. Pourquoi ? Je ne sais pas. Les arbres de la forêt qui borde, sont bleus et par endroit verdâtres marbrés de jaune, quelques taches roses en plus. Pourquoi ? Je ne sais pas. Les sentiers au milieu sont bleu clair, ou beige, ou mauve. A droite quelques surfaces orangées. Des taillis très sombres ou troisième plan. Pourquoi ? Je ne sais pas. Franchement, je ne sais toujours pas.

Je n'aime pas peindre à l'extérieur. J'ai besoin d'être seul, concentré. Je perçois les vibrations harmoniques des couleurs sur la toile. Mon imagination se débride. J'obéis. Ma main, mes gestes, mes choix de couleur ne m'appartiennent plus. J'obéis.

Gauguin ! Pauvre Gauguin ! Pas une fraction d'un millième de seconde je n'ai pensé à lui, même pas dans mon subconscient. Gauguin ! Pauvre Gauguin ! Même si j'avais pensé imiter ses couleurs, ses harmonies, je ne l'aurais jamais fait. Trop honnête pour cela.

Voilà mon cher Jean-Claude, ce que je voulais te dire ce jour-là, qu'il m'était impossible et trop long d'exprimer au moment de ta remarque.

Humour

Depuis quelques décennies, systématiquement, j'ai noté les lapsus, contresens, qui me sont tombés dans le creux de l'oreille. Certains sont drôles, d'autres moins, mais toutes sont authentiques. Au nombre d'une centaine j'en parsème mon écrit.

* Ce monsieur s'est fait très mal aux cervelles verticales…

* Riscus arrête le rhume avant qu'il arrive, non ! je veux dire qu'il l'arrête avant la période pubertaire.

* Ma mère faisait le beurre avec ail et persil, tandis que ma mon père égorgeait les escargots.

* Il se tirait par la queue pour vivre…

* Mes yeux étaient au bord des larmes…

*
* *

Autopsie de l'âme

Les surprenantes découvertes réalisées par les scientifiques depuis quelques années, suscitent en moi beaucoup d'interrogations mais ne m'apportent que des bribes de réponses.

L'apparition de nouveaux moyens techniques, la presque exclusive utilisation de la physique quantique dans leurs recherches, leur a permis d'explorer le paradoxal **domaine de l'infiniment petit** et par les nouveaux télescopes en orbites spatiales, de **mieux comprendre et approfondir** celui de la dynamique de l'univers.

Dans ces deux sphères d'exploration, ces savants sont déjà contraints **d'accepter l'idée que l'inimaginable devient réalité, l'im-**

Noël

Toujours m'émeut
M'émeut...
Toujours m'émeut
Se noue...
Ma gorge se noue
D'Amour
Contenu...

J'ai envie, envie
Je voudrais,
Voudrais
Qu'on ne m'offre rien,
Rien
Pour Noël...

D'affection, vos regards
D'affection
D'amour
Vos lueurs
D'Amour, suffisent
Comblent, me comblent
De bonheur...

Mon Dieu, j'ai envie, envie
Je voudrais, voudrais tant,
Tant qu'on ne m'offre rien...
Rien
Pour Noël.

Il suffit... suffit, suffit...
Je vous aime.
Tous.
Aussi.

Volutes bleues
Chiffonnées de
Tendresse...

Matins paisibles
Des nuits
D'ambre...

Dans un souffle,
Tes boucles effleurent ta
Lèvre,
En un miel abandon...

Bientôt
Six heures...

Bonjour
Mon amour...

Prières

Mère éternelle,
Maîtresse de
L'Univers...

Des âmes,
S'il te plait,
Chasse à jamais
La Vraie Nuit...

Sublime prêtresse
Du cycle sacré
Des temps,
Messagère des
Lumières,
Fasse, chaque matin,
Qu'elles renaissent...

Dorment les étoiles
Là- haut.

Nuit...

Noire encore...

Silences...

En paix
La ville
Repose...

Clair écho
Résonne...

Mobylette
Réveillée
Claironne...

Le jardin

Si vous n'avez pas trop étudié
Dans les livres,
Avez été sage, un peu...
Humble suffisamment,
Et surtout point méchant,
Même si vous aimez moins...
Je sais,
Vous avez tant aimé !...
Je vous inviterai
Dans mon jardin secret...

Vous laverez vos mains,
Revêtirez cravate et habit du dimanche,
Mais si, vous savez bien, celui
Que mon aïeule chantait...
Vous serez digne
Et estimable, et vous prierai d'agréer
Ma rare et vraie considération distinguée.

Alors,
J'aurai plaisir,
Sincère
A te présenter
Une à une
A mes fleurs...

Tu es

Rouge fleur d'Azalée
Ou Pétunia rose du ciel,
Tu es
Mélodie...
Humus poivré aussi...
Tes propos sont valeurs et
Ton esprit est grand, comme
Ta peau est ambrée...
Tu es piment brûlant et
Douce vanille.
Tu es un jardin d'ombres...
Fleur de subtilité.
Et tes mots sont senteurs
Et poésie...

Chui un
Nandicapé de la malignité...
Des zandicapés de l'intelligence
De cœur ? Sur terre
Yabocou...
Chui content d'être un
Simple d'esprit...

Soleil de minuit

Amie, Amour, Tendresse...
Soleil de la nuit...

Fugitive caresse...
Baiser de lumières
Volé au matin.

Amie, Amour, Tendresse,
Clarté de minuit.

T'appellerai-je à jamais Aurore
Toi, avec qui
J'ai,
La première fois,
Du temps,
Caressé
L'aile ?...

La vie m'a souvent aimé
Mais la Mort est une
Sale bête...

Sclap... Sclap...
J'agassse...
Sclap...Sclap...
Si, si, je sais,
J'agassse...

Petits matins ensommeillés...

Au-dessus des bols
De café,
Quatre z'yeux torves
Me regardent...

Sclap... Sclap...
J'agassse...
Si, si, je sais,
J'agassse...

Silences réprobateurs...
Agressifs même...

Sclap...Sclap...
Font mes joyeuses
Pantoufles
Sur le marbre
De la cuisine...

Sclap... Sclap...

Le train

Ça arrive
Un train...
C'est gentil
Un train
Quand ça arrive
Un train...

Mais ça repart
Un train
Dira-t-elle...

C'est con
Un train
Précisera-t-elle
Ce lendemain
Nostalgique...

C'est l'histoire d'un mec...

Sympa, attentif, larmoyant de tendresse,
Amical, affectueux, attachant, intelligent,
Cordial, bien élevé, très British, généreux...
Donnant même l'heure et son avis,
Gratuitement...

Mais si ! vous savez bien qui c'est !

C'est l'ami aimé de la Grande Famille des Touce-Bézé...

La gare

Sage, heureuse...
Dans le hall
Mouvant de quidams
Pressés... Pressés...
Elle attend.

Elle n'entend
Que sa tendresse
Qui pulse...

Elle attend,
Douce, tendre,
L'homme qu'elle aime...

L'étoile

Ne sois pas étonné
Ne te laisse pas troubler, ami
Pas ces myriades d'étoiles
Qui habitent le ciel noir

Regarde...
Ajuste ta lunette et
Maîtrise ton vertige...
Cherche la bonne planète...

Non, ce n'est pas celle
Au torrents de feu
A l'ouragan de souffre
Aux tourbillons de sang...

Ni celle, là bas, qui épouse à jamais
La froidure de l'espace
Ni ce caillou, inerte,
Sans couleur et sans joie...

Ne te laisse pas troubler, ami
Par ces myriades d'étoiles
Qui habitent le ciel noir
Regarde...

Ajuste bien ta vue
Ne vois-tu pas, là-bas,
Dans ce coin de l'espace
Près de l'astre qui luit
Un diamant bleuté
Moiré de blancs nuages ?

C'est là que j'habite, ami.

Oubliés, jetés, kleenexés,
As-tu idée à quel point
Ils ont peur ?
Peur de déranger,
Peur des regards absents,
Qui ne regardent
Plus...
Peur de ne plus jamais être
Ecoutés,
Transparents...
As-tu idée, toi,
Le provisoirement jeune,
Toi,
Le provisoirement jeune encore,
Toi,
Le provisoirement encore jeune,
A quel point, ils deviennent
Humbles
Les vieux ?...

Il adore tout.
Il te permet de l'admirer,
Il t'autorise à l'écouter,
Il aime beaucoup se faire humer,
Il veut fort bien que tu le touches,
Il est ravi que tu le goûtes,
Et se réjouit que tu
Défailles,
Le beau,
Le vrai,
Le bon,
Pain chaud
Qui
Grésille...

De tout à tout n'adore pas tout...
Il te permet de l'admirer,
Il t'autorise à l'écouter,
Il aime beaucoup se faire humer,
Il a horreur que tu le touches,
Il est ravi que tu le goûtes,
Et se réjouit que tu
Défailles,
Le beau,
Le clair,
Le bon,
Vin
Qui
Pétille

possible se couvre de vérité, le paradoxal se mêle à l'imaginaire et l'abstrait projète dans notre réflexion des images presque concrètes.

Ces fantastiques – pardonnez moi de ne pas utiliser un superlatif plus fort – avancées, outre qu'elles permettent de **pénétrer** des mondes **inconnus** qui ouvrent la porte à une meilleure connaissance de l'espace-temps, **d'avantage accessible à la compréhension** du commun des mortels dont je suis, créent **l'ouverture à la perception d'une intuition** – que pour ma part je ressens de plus en plus fortement – de la présence, presque palpable, d'une autre dimension.

Cette sensation, bien près de se traduire en certitude, de pénétrer un monde inhabituel à l'esprit Cartésien de l'homme, ne va-t-elle pas constituer **une ouverture vers une nouvelle manière de raisonner** ? En particulier, établir un **trait d'union** entre un Cartésianisme pur et dur et les spéculations philosophiques et plus précisément théologiques.

Face à l'insignifiance des colossaux progrès de la science, **où** peut-on situer ce **que constitue la pensée organisée et contrôlable** que l'homme est le seul sur terre à savoir et pouvoir maîtriser ? Doit-on appeler « **âme** » ou bien « **conscience** » ce qui nous habite et nous anime ? Quelle qu'en soit l'appellation, **elle est l'hôte, l'une faisant l'autre,** de notre corps **quelque part dans notre cerveau.** « Ame » me paraît posséder une connotation plus spirituelle que « **conscience** » qui revêt un aspect davantage technique. En quelque sorte la conscience ne serait-elle pas **l'enveloppe spirituelle** de l'âme ?

Essayons d'enfermer dans **une alternative,** l'analyse de ce que pourrait représenter l'âme. Vous noterez que je pose des questions sans avoir la prétention d'apporter des réponses, ma démarche étant essentiellement ludique. J'ai toujours apprécié depuis mon adolescence, le jeu de la réflexion approfondie.

– **l'âme serait-elle une entité purement spirituelle, dotée ou non de l'étincelle divine, qui impulse la conscience d'être ?**

– **ou bien serait-elle constituée d'une ou plusieurs énergies conjuguées** munies ou non de l'étincelle divine, issues de l'organisation de particules élémentaires soumises aux forces électromagnétiques, **en connexion parfaite avec les neurones du cerveau, et impulsant la conscience d'être ?**

Voici le problème qui me préoccupe, posé d'une façon aussi concise et précise que possible : je ne perçois aucune autre alternative, en dehors de ces deux termes, dans cet essai d'analyse de la nature de l'âme.

Sa perception intime me paraît **représenter**, avant toute définition et quelle qu'en soit la véritable nature, **conscience d'être**. Dans tous les cas, cette lumière qui nous habite n'est pas « **rien** » car elle « **est** ». Entité abstraite pure ? Energie corpusculaire ?

*

* *

Françoise Dolto, psychanalyste, mère de Carlos :

« L'homme est sur le chemin des Dieux. »

*

* *

Le chien noir

En cet après-midi de canicule, le vieux chien noir était fatigué, fatigué, mais alors fatigué, comme c'est pas possible de l'être.

Avachi il était, dans un coin d'ombre de la station service où je m'étais arrêté pour effectuer le plein d'essence.

Lentement, péniblement, il s'est dressé sur, au moins, ses quatre pattes et s'est traîné à hauteur de mon pneu arrière droit, pour lui pisser dessus…

Blasé, cette noble mission accomplie, anéanti par tant d'efforts, il est reparti lentement et s'est laissé pesamment choir à l'ombre.

Quelle vie de chien !..

*

* *

Vous tous

Mes amis, je dirai davantage : mes frères, qui furent nombreux à m'exprimer, l'un après l'autre, au cours de cette réunion philosophique de février 1999, ce genre d'hommage qu'on ne rend généralement à une personne qu'à titre posthume, mes amis, mes frères, que, de tout cœur, vous en soyez remerciés.

Sachez, qu'à ce moment là, mon mutisme masquait mon émotion et ma pudique humilité, traduisait l'affection et l'estime que je vous portais et que je ne cesserai d'éprouver à votre égard.

Moment unique dans la vie d'un homme.

Je vous embrasse tous.

*
* *

L'Art de la cuisine

Lorsque j'étais enfant, j'observais attentivement la confection, par ma mère, des plats familiaux. Très tôt, elle m'a laissé beaucoup d'initiatives dans ces exercices culinaires. Grâce à elle, j'en ai gardé, toute ma vie, la manière et le plaisir. La cuisine que j'aime élaborer n'est pas constituée de plats hautement sophistiqués, affectés de mélanges savants ou bizarrement inédits et compliqués, mais se situe, de la gamme des plats simples, familiaux, rustiques et conviviaux, à celle d'une valeur gastronomiquement ajoutée. Sans fausse modestie, ma réputation de bien cuisiner est unanimement reconnue chez mes amis.

Sans amour du prochain, sans cette propension réelle à faire plaisir à ses invités, on cuisine mal. Bien œuvrer, même avec simplicité, implique organisation, volonté de n'utiliser que des produits authentiques, calcul anticipé des temps, rapidité, réflexion, intuition, modestie, bon sens et sensibilité. On retrouve ce même esprit, spontanéité et inspiration en plus, dans l'élaboration d'une œuvre artistique.

Il est nécessaire de livrer aux papilles gustatives de vos invités, le mets choisi cuit à point et chaud, au moment de servir.

D'esprit simple, j'apprécie la cuisine simple, de vérité. L'été, quoi de meilleur qu'une friture de sardines pêchées il y a deux heures, ou de petits maquereaux à l'œil vif, accompagnés de patates à l'eau, d'une salade de jardin, d'un vrai cidre fermier brut, qui chante ses mousses et ses couleurs ?

Oui, quoi de meilleur, l'hiver, que les splendeurs olfactives, visuelles, gustatives d'un riche pot au feu, mijoté longtemps, bichonné du regard pendant sa cuisson ? Sa viande et ses moutardes, son os à moelle et sa fleur de sel de Guérande sur un toast de vrai pain, ses légumes aux variées et éclatantes couleurs ?..

Ou bien un vrai poulet de ferme, rôti à point et ses petites pommes de terre rondes onctueuses rissolées au beurre ? Ou encore ce véritable couscous qui sent et qui a le goût du vrai couscous, qui exhale les parfums des épices ensoleillées et du suint du mouton, ces merguez comme là-bas dis ?

Le gouleyant, le frais, le clair Muscadet sur lie des pays Nantais, l'eau fraîche des montagnes, captée à la fontaine éternelle de la place à l'Estréchure dans les Cévennes, le délicieux, l'authentique Pélardon du même pays, et ce Haut Marbuzet à la robe de chez Dior ?

Encore, cette modestissime soupe de légume du jardin et cette sole Normande qui, dans une assiette, ressemble à une vraie sole ?.. ou des ris de veau à la crème, flambés au cognac ?

Cuisine de vérité, d'authenticité, de simplicité…

*
* *

Le temps présent

Le temps présent peut être comptabilisé en heure, en jour, en années, en siècles, en millénaires suivant le moment ou l'époque où on le situe.

Ainsi, si on fait référence à celle des dinosaures, on peut affirmer que le temps présent de l'existence de ces animaux, a été de plusieurs dizaines de millions d'années.

Mais si on considère un match de foot qu'on regarde à la télé, on peut prétendre que le temps présent est celui de la durée du match. Ce dernier commence à entrer très lentement dans le passé, quand l'arbitre, d'un coup de sifflet, indique que c'est fini.

*
* *

Invitation

Tiens ! Tiens ! Vous n'avez pas été invité ? Vous n'êtes pas souvent invité ? Bizarre !… Vous avez dit bizarre ? Comme c'est bizarre… ON a dû vous oublier… Non. Si ON ne vous a pas invité, c'est qu'ON n'a pas eu envie de vous inviter… Les affinités égoïstes ça existe, la ségrégation, même celle de l'âge, ça existe. La sensibilité et l'intelligence de cœur ça peut ne pas exister chez certains. L'égotisme inconscient, ça existe… On ne vous rend pas souvent vos invitations ça existe aussi… C'est l'implacable lecture du baromètre de l'intérêt que vous suscitez…

*
* *

Humour

* J'étais mes petits pieds dans mes souliers.

* Celui-là, s'il m'agace encore, je vais lui remonter la braguette … (les bretelles)
* Plus on vieillit, plus il faut manger moins…

* - Alors Causette va s'occuper des filles Ménardier… Ah ! Ah ! les gens bons sont bons jusqu'au bout…

* C'était bon ! c'était bon ! le petit Jésus en petite culotte !

*
* *

Insécabilité de l'atome

Je sais bien qu'il n'est pas fondamental à la vie, je sais bien que le pot au feu ce soir ne paraîtra pas meilleur, si on découvre que l'atome est insécable ou non.

Mais j'aime le jeu qui consiste à sodomiser les mouches philosophiques afin d'aboutir à une réponse, ou **seulement** à une interrogation, ou encore à une **certitude d'incompréhension**. Cela me créé une grande paix avec moi-même de savoir que je ne sais pas.

Et puis je me sens moins seul dans ma tentative de maîtriser mon angoisse métaphysique.

Donc en gros, un atome est composé de six éléments en ce qui concernant le noyau, et de six électrons qui tournent autour. Déjà, on sait que chaque particule aurait un « spin » différent qui régit son comportement. Il aurait pour effet de le faire tomber presque dans l'abstraction, dans l'irrationnel, dans l'absence d'existence.

Quand j'essaye de pousser au plus profond ma réflexion, je me heurte à un mur invisible.

Comment pourrait-on **imaginer concrètement dans sa composition physique, l'ultime élément corpusculaire dans son état d'insécabilité ?**

Relisez bien cette dernière interrogation, elle résume avec précision le problème posé, mais vous ne trouverez pas de réponse qui vous satisfasse.

Les particules élémentaires seraient-elles donc sécables et pourquoi pas à l'infini ?

Déjà certaines physiciens, par l'utilisation de la physique quantique et seulement par elle, ont prouvé que certaines ne possèdent pas de masse, mais produisent néanmoins une énergie.

Je n'arrive pas à imaginer un corpuscule insécable, pour la raison que toujours, intervient dans mon raisonnement, cette division en éléments de plus en plus petits. A l'infini.

Sauf d'accepter la probabilité d'existence d'une forme d'analyse aujourd'hui inaccessible à l'intelligence humaine, **une finalité physiquement concrète d'insécabilité peut-elle être logiquement imaginée ?**

Peut-être faudrait-il alors rechercher un **commencement de réponse** à cette interrogation dans **la découverte**, relativement récente, **de l'existence de particules élémentaires sans masse, ou dans l'antimatière ?**

La question de la sécabilité purement physique de l'atome trouverait, de cette façon, un commencement de solution par une réponse à la limite de l'abstraction.

Considérant une masse atomique existante, la sécabilité me paraît être infinie, mais en son absence, ne considérant que seulement son énergie, ne faut-il pas chercher la réponse **carrément dans l'abstraction ?**

L'ultime état physique d'insécabilité de l'atome ne peut et ne pourra donc jamais être défini avec précision, ni même imaginé par la voie d'un système de pensée à trois dimensions dans lequel, si on veut bien y réfléchir, n'existe aucune autre solution, que celle de se diviser à l'infini.

A la question posée, une réponse ou plus précisément seul l'intuition d'une réponse, uniquement accessible aux scientifiques ou philosophes de haut niveau, devrait se rechercher et peut être se trouver par un autre raisonnement de pensée comportant plus de trois dimensions, en utilisant les moyens et les réflexions paradoxales de la physique quantique, ou d'une autre physique à inventer.

Cette intuition valant résultat, se situera vraisemblablement dans un flou proche de l'abstraction, sans commune mesure, dans tous les cas, avec celui que nous apporte la précision Cartésienne.

Allo ! Pourrais-je parler à Dieu ?…

*
* *

Question

Dans le cadre de mes modestes capacités de méditation et de connaissances scientifiques vulgarisées, j'ai la tentation d'essayer d'expliquer le Divin par le Rationnel.

*
* *

Tout

Tout, absolument tout, disparaît.

Le tronc de l'arbre mort, en humus. L'acier du Titanic dans la mer, qui se dissout chimiquement, en rouille. Notre corps en poussière du chemin.

Tout, absolument tout, disparaît. Ou fait semblant.

La mort ne serait-elle qu'un vaste tour de magie ?

Ou de chimie ?

Mais ce qui constitue, l'âme, la conscience de vie ? Quid ?

*
* *

Quatre

Terre, air, eau, feu. Depuis la naissance de notre terre, isolés, tous les éléments qui la composent sont inertes, statiques, passifs. Intrinsèquement. L'Homme n'est pas encore apparu. Depuis des milliards d'années, ils attendent que l'Homme ait l'**Idée**. Un jour elle naît. Sans elle, rien ne se fera

Il transforme la terre en fer, usine des pièces, qu'il dépose là, sur le sol. Temps mort. Hypothèse : il a oublié l'**Idée**. Inventera-t-il un jour le feu ? La terre, l'eau, l'air, resteront-ils à jamais inertes, statiques, passifs, oubliés, si l'homme ne retrouve plus l'**Idée** ? Un jour il s'éveille, crée, imagine, invente, dessine, assemble entre eux les morceaux de métal posés sur le sol. Il rive, boulonne, ajuste, chauffe l'eau, crée la vapeur, la maîtrise, la canalise, ventile, brûle le charbon. L'inerte, le statique, le passif bougent, soufflent, crachent, rugissent. Naît, noire, rouge, monstre fumant et rugissant, la terrifiante et humaine locomotive à vapeur, merveilleuse et vivante machine, génie de l'Homme, née de l'Idée. Chauffeurs, mécaniciens, conducteurs, fiers de leurs visages noircis, fascinés de tant de puissance, en seront, forcément, à jamais, amoureux un jour…

*
* *

Amicalement dangereux

La portée des actes et des paroles, devrait, avant accomplissement, être soumise à réflexion de Prudence et de Tolérance.

L'intelligence de cœur, confortée par ces deux Vertus, pèsera alors beaucoup dans le refus d'un homme de céder à la tentation d'en charrier un autre, même sur le mode d'une, soi-disant, franche camaraderie, surtout si ce dernier paraît sensible, donc vulnérable. Sinon, ce jeu verbal vulgaire, que je n'ai jamais apprécié ni pratiqué, dans lequel je ne me sens pas habile, qui me paraît souvent entaché de méchanceté sous jacente, occasionne toujours des blessures morales plus graves qu'on imagine, au cœur et à la dignité de celui qui en est l'objet.

Des professionnels du genre, qui souffrent peut-être de complexes qu'ils comptent apaiser à bon compte sur le dos d'un autre, ont le mauvais goût pour faire des « bons » mots, d'insister lourdement, de s'acharner sur la même cible et de ne jamais renouveler leurs thèmes minables.

Souvent, dans le jugement des auditeurs – car, bien entendu, il leur faut un public pour briller – les plus cons ne sont pas ceux qu'ils ont cherché à ridiculiser. Tant pis pour l'auteur, bêtement à l'aise dans son numéro, qui n'a pas la lucidité d'esprit d'arrêter à temps. A moins que ses inten-

56

tions soient volontairement blessantes… Et ses foudres attendent celui qui se permettrait, dans son légitime droit de répondre, d'afficher à son égard, une attitude aussi déplaisante.

Pourtant, c'est tellement mieux de rester simple et amical avec tous, ou pratiquer de temps en temps, une courte taquinerie visiblement marquée d'affection.

*
* *

Sagesse

La sagesse qui paraît liée à l'intelligence de cœur, s'acquiert, se développe, s'épanouit parallèlement à celle qu'on prête à l'âge. Elle se manifeste dans les attitudes, actes et paroles. La tempérance, vertu cardinale, en constitue les fondements.

L'appréciation de la bonne décision à prendre, d'un jugement de valeur, ou des réponses à donner aux questions posées, semble procéder d'une fine perspicacité, associée à une lucidité de jugement sans faille, d'une maîtrise de soi, d'un grand esprit de synthèse et enfin d'une prudence sans défaut. Seront alors examinés tous les aspects du problème à résoudre, pour aboutir à une décision équilibrée. Mais l'intelligence de cœur, c'est-à-dire la faculté d'apprécier d'abord avec sa sensibilité, reste souveraine.

La sagesse n'est pas innée, mais prend naissance à la source de la volonté d'y parvenir.

Les théosophes professent l'omniprésence de la Sagesse Divine chez l'Homme et dans l'Univers…

Le débat reste ouvert…

*
* *

J'ai appris

J'ai appris, je sais depuis plusieurs années, lire la lueur fugitive contenue dans les regards, j'ai appris, je sais, sans beaucoup me tromper traduire les expressions du visage…

Humour

* Dans le bus, une vieille dame à son amie « oui, mon mari a passé hier une écologie du poumon … »

* Devant la télé : qui sont ces deux-là ? Ah ! oui Séret et Poireau…

* Sainte Vierge, protégez moi des alinéas de la vie…

* A la maison c'est elle qui tient le pantalon !

* Lui ? c'est un bavardeur impénitent…

*
* *

Critique

Il me paraît utile parfois d'accepter la franche critique d'une tierce personne, afin que soit révélé l'un de ses propres travers comportementaux, difficile à discerner soi-même. Des indices significatifs auraient pourtant pu éveiller en moi quelques soupçons. En particulier celui de me complaire de plus en plus dans la réflexion, le rêve, le silence des moments de solitude, sans rejet pour autant du plaisir des contacts avec les autres.

Ainsi, un des membres de ma famille, m'a avoué qu'il éprouvait parfois à mon égard, un dubitatif agacement, lorsqu'au milieu d'une banale conversation ou d'un échange d'idées plus étoffé – cette attitude se révélant chez moi, disait-il, de plus en plus fréquemment depuis plusieurs années – je décrochais quelques brefs instants.

Ce proche craignait surtout que ce travers ait pour effet de provoquer chez mes amis ou relations, une réaction négative, me faisant ainsi mal juger, parce que susceptible d'être interprété comme un désintérêt incompréhensible et soudain des propos échangés ou même comme la révélation inconsciente d'un certain irrespect de l'interlocuteur.

Naïvement, croyez le bien, je n'ai jamais éprouvé, ni aujourd'hui ne ressent au fond de moi, de tels sentiments. Bien au contraire, tout m'intéresse ou me passionne et recueillir la pensée d'un autre est perçu dans mon cœur, comme un cadeau précieux.

Je l'ai déjà exprimé dans cet ouvrage : je suis simple d'esprit. C'est vrai, je décroche, sans en avoir tout à fait conscience, parce que l'écoute d'un seul mot ou d'une phrase, déclenche parfois dans ma pensée, une fixation qu'il me brûle d'approfondir.

Je pénètre alors un autre monde dans lequel s'occultent l'ouïe et la vue, où ne subsiste que le plaisir de décortiquer l'idée, où se révèlent déjà les prémices de ce que j'éprouve lorsque je peins ou vagabonde dans les sphères poétiques.

Que ceux que j'ai pu, bien involontairement, offenser, sachent bien que, non seulement je les respecte, mais je les aime. Qu'ils veuillent bien me comprendre et si possible me pardonner.

*

* *

La bébête

Rassurez-vous, je sais fort bien que lorsque vous posez le pied sur le sol à votre réveil, votre souci est davantage de prendre votre petit déjeuner, que de réfléchir au problème que je vais poser.

Mais ne vous êtes vous pas étonné, n'avez vous jamais pris conscience d'une chose qui est tellement élémentaire, tellement banale, tellement inintéressante sur le moment, qu'elle en devient oubliée, transparente ?

Pourtant, dans un cas précis, dès son invention, le microscope optique a permis la vision du protozoaire, s'agitant dans son milieu. Cette bébête unicellulaire s'agite pourtant, tant qu'elle peut, dans son liquide : un minuscule morceau de gélatine pour le corps, quelques cils autour pour avancer. C'est bien modeste. Elle devrait pourtant susciter notre étonnement. Que dis-je notre émerveillement. Non pas à cause de la sophistication de sa mécanique physique, mais au contraire pour son élémentaire simplicité et pour la seule raison que « ça » bouge… **Pourquoi, comment, cette énergie ? Où se situe le centre, le moteur qui la produit ?**

Le minuscule morceau de gélatine que constitue son corps n'est pourtant pas une pile miniaturisée.

Le mouvement est pourtant là. **Cette sorte d'ectoplasme bouge... Qui, quoi** lui a **insufflé** ce qu'on est bien obligé de désigner par « vie » ? Comment et pourquoi ?

Pardonnez moi d'avoir pris l'initiative de cet essai de prise de conscience. Bien sûr qu'on peut bien vivre sans s'imposer la torture de questions ésotériques... Le secret de l'origine de l'homme se trouve chez cet être primitif, qui s'impose en qualité de notre grand et lointain ancêtre baignant la soupe originelle...

*
* *

Petit Papa Noël

1950/An 2000

Papa, Maman, Papy, Mamy d'ici, Mamie, papi d'ailleurs, grand-Papi, Grand-Mamie, Tata, tonton, Tati, et l'autre Tati, et l'autre Tonton, Cousins, Cousines. Ah, Oui ! L'autre Cousin, Parrain, Marraine, les Copains de Papa-Maman, et les autres Copains, tous, **ils ont tous leur Père Noël personnel**, y compris la Baby sitter qui aime beaucoup les enfants...

Père Noël ! Prêt ? A vos marques ! A vos cadeaux ! Attention ! Un, deux, trois... Distributions !

Un, deux, quatre, dix, vingt, des montagnes de cadeaux. L'horreur !...

My father Noël is rich ! Very rich...

Oh ! Oh ! Cric, Crac, font les rutilants emballages qu'on déchire...

Océans de papiers massacrés, montagne de ficelles multicolores entremêlées.

Cui-là pour l'enfant, et cui-là pour l'enfant et cui-là encore et encore. Fébrilité, panique. Horreur.

Maman ? où est le suivant ? demande l'enfant.

C'est fini... dit Maman.

Comment cela ? dit l'enfant gâté qui pleure ...

Gâchis, frustration, crime contre l'affectivité...

Noël 1931

Il faisait bon ce soir-là dans la cuisine, au rez-de-chaussée. Comme tous les soirs d'hiver.

Rutilante de ses cuivres rouges, la cuisinière noire à charbon répandait fidèlement sa douce chaleur. Vieille amie de famille et de l'enfant de 5 ans que j'étais alors.

L'affection de mes parents ajoutait à la chaleur ambiante, apaisante, rassurante. Mon arrière-Grand-Mère, Grand-Mère Henry, que j'aimais tant, plantait quelquefois le tisonnier dans les braises ardentes, puis, le plongeait, rougeoyant, dans son verre de vin sucré aromatisé à la cannelle. Pschitt… ça faisait.

C'était bientôt l'heure de grimper sur la chaise pour monter sur le dos de Papa, c'était le rite pour regagner la chambre, là-haut. Bon père, bon compagnon de vie de ma mère…

C'était l'heure de se coucher. Le moment de déposer mes petites galoches à semelles de bois, devant le foyer de la cheminée, était arrivé. Mon unique paire… C'était comme cela à l'époque… D'aucuns n'étaient bien riches… Bien droites, bien rangées, pour marquer au Père Noël que, sûrement, j'étais sage… Bien en vue, afin qu'il ne m'oublie pas. **Mais mon Dieu, qu'il fait froid dans la chambre…** Comment va-t-il faire pour passer par là ? Sais pas. Le Père Noël va attraper un rhume cette nuit. Sûrement. Il fait si froid dans la chambre…

Silence bleuté de l'aube que masque encore la nuit. Est-ce le moment ? Mais mon Dieu, il fait encore plus froid dans la chambre ce matin… Est-ce qu'Il est passé ? Silence. Papa, Maman reposent dans le lit à côté. J'espère qu'Il ne m'a pas oublié… C'est le matin ? Oui, je crois bien que c'est le matin… Une jambe prudente hors de la tiédeur du lit… Un pied nu, puis les deux sur le parquet ciré. Papa, Maman, réveillés, guettent l'événement… Instants magiques, émerveillements ! Le Père Noël a pensé à moi ! **Petit Jésus en sucre rose, dort dans son sabot en chocolat qui brille. Petit Jésus repose sur sa paille.**

Petit Jésus en sucre rose, grand comme mon petit doigt, dans son sabot, grand comme ma main, petite…

Une orange ? Oh ! une orange… Comme elle est orange… Comme elle est douce et froide sous la caresse de mes doigts… **Il fait si froid dans la chambre…** Mais quelle bonne, quelle bonne odeur d'orange elle a. Comme je suis content… content… content…

Mon père, ce sage

Dans cette Bretagne sud, si souvent magnifiquement ensoleillée, sa préférence, son modeste rêve jamais réalisé, son lieu de vie, s'imaginaient au petit port de Brigneau, proche de Pont-Aven, à l'aval de cet aber de granit conduisant, tout au fond, à Riec-sur-Belon, le paradis des huîtres plates. Là, où de la cale en lourdes pierres frappées d'iode et de sel, on voit, lascives, danser les algues vertes et brunes, à travers l'eau cristalline.

Sa modeste maison de deux pièces – une salle commune et une chambre au parquet de chêne ciré – se serait nichée parmi les chaumières basses et serrées du village de pêcheurs, là-haut, sur la dune, offerte aux vents des Amériques. Le solide toit d'ardoises lourdes, décoré de lichens dorés, aurait reflété, droit devant, l'horizon bleu, où flottent les îles Glénan, et au suet, l'île de Groix.

Une nourriture simple, comme son âme : surtout du poisson, celui qui nage sur les hauts fonds de roche à portée du regard, qui, pleinement argenté, saute directement de la mer dans les fumets qui frémissent, quelques pommes de terre du jardin cuites à l'eau dans leur robe, ou encore une botte de radis-pain beurre pour repas. Un morceau de lard salé piqué à l'ail, qu'on sépare en tranches au couteau, celui qui coupe bien, marié au vrai pétillant et doré pain de seigle déjà rassis, suffirait ainsi à son bonheur. Un pur jus de cidre de Fouesnant, confectionné avec le seul suc des pommes « Guilvic » pour arroser le tout… Une petite sieste dans le silence de la mer et du vent qui chante les lointains horizons…

Mon père, outre ses goûts modestes, avait peu de besoins… Heureux homme. La sagesse incarnée. Simple et tranquille aura été sa vie avec, à ses côtés, Madeleine, la bonne Madeleine, ma mère.

Jamais aucune des roches brunes de la côte ne lui aurait été inconnue, là où se pêchent les vives étrilles. Jamais les bleus maquereaux ne lui auraient paru plus savoureux…

Échec

L'expérience de ma déjà longue vie, me persuade que les progrès que l'homme devrait accomplir se situent, outre la conscience, dans la prise de conscience.

Dans la vie de tous les jours, cette dernière faculté apparaît rarement spontanée et profonde et reste superficielle. Essayer de l'y conduire, même en insistant, aboutit souvent à l'échec.

La force d'inertie de sa conscience en constitue la cause.

N'est pire sourd, celui qui ne veut pas entendre…

*
* *

Question sans réponse

J'éprouve souvent le besoin de formuler en clair, les pensées fugitives et récurrentes qui me trottent dans la tête. Voici.

La réalité logique des découvertes, même si elles s'avèrent être étonnement paradoxales, a toujours été expliquée, et n'a jamais échappé à la preuve apportée par le raisonnement mathématique, ou par les moyens de la physique classique ou quantique.

La démonstration de l'exactitude de ces systèmes, ne pouvant être réalisée et comprise que par de rares personnes, possédant une science particulièrement élevée.

Nous autres, les sans grade en ce domaine, qui nous passionnons, ou simplement, nous intéressons à ces problèmes, éprouvons une modeste satisfaction, d'abord à en assimiler, le moins mal possible le fond, puis, à en prendre simplement acte, et enfin, à en mémoriser l'esprit.

Ce n'est déjà pas si mal de pénétrer, même faiblement, les arcanes du savoir.

Aujourd'hui, de nouvelles réalités scientifiques seulement constatées, mais insoupçonnable de fantaisie, se révèlent fondamentales dans les progrès à accomplir au plan des connaissances des systèmes d'organisation, qui régissent les mécaniques du cosmos et des atomes.

Ces révélations étonnantes sont présentées à l'information de tous, dans des articles rédigés par d'éminents spécialistes, qui paraissent dans la presse de vulgarisation scientifique. Depuis des décennies, je m'intéresse à ces parutions et mes capacités d'étonnement n'ont jamais été prises en défaut. Mon enthousiasme et mon émerveillement non plus.

Désormais, les dernières découvertes inouïes demeurent indémontrables par la méthode d'un raisonnement pragmatique, mais semblent, à mon avis, devant le butoir de l'incompréhensible, ne posséder d'autres ressources que de faire naître, à l'esprit des scientifiques, une autre méthode d'analyse, située à l'opposé du dogme mathématique.

D'abord, dans le domaine de l'infiniment grand, la révélation d'un nouvel univers, jusque là inconnu, mais situé au-delà des limites supposées du notre, qui apporte le **constat irréfutable de sa cohérence d'organisation d'ensemble,** malgré son apparence chaotique et abstraite, avec notre propre univers perceptible.

Ensuite, dans celle de l'infiniment petit, composante, ne l'oublions pas, de l'infiniment grand, qui confirme bien et de plus en plus fréquemment, **que son comportement n'est paradoxal et irrationnel qu'à notre entendement humain, et que cet état n'est pas le fait exceptionnel d'une bizarrerie du hasard, mais constitue bien l'état permanent naturel et normal** – inexplicable pour nous – de la Matière dans ses manifestations et aspects.

La nature même de ces réalités extra-ordinaires, qui sont, comme je l'ai précisé tout à l'heure, indémontrables par les moyens de notre science actuelle, mais seulement constatables, semble devoir infléchir la méthode de raisonnement et d'accumulation des preuves utilisées par les savants, vers le seul raisonnement intuitif associé au pressentiment de la réalité, celle d'une puissance mécanique organisée, au sein de laquelle le Temps ne serait pas nécessairement unidirectionnel, l'Espace apparaîtrait à la fois fini et infini, et dans lequel la Matière basculerait toujours dans l'invisible, parfois dans un ailleurs indéfinissable et abstrait, comme par exemple les trous noirs.

Temporellement, l'Univers se situerait, alors, dans un cycle sans commencement ni fin. Ce qui pourrait bien constituer une non-réponse, somme toute assez satisfaisante, à la question de savoir ce qui pouvait bien exister juste avant le début de la première seconde du Bing-Bang.

Cette thèse abstraite du caractère cyclique de l'Univers, trouve un écho de plus en plus large dans les milieux scientifiques spécialisés. La notion abstraite du « ni commencement » me paraît plus difficilement imaginable intuitivement que celle du « ni fin » qui navigue dans une projection de Temps unidirectionnel, notion de laquelle on a des difficultés à se défaire.

De tout cela, naît le soupçon de la réalité, sans doute faussement paradoxale, d'un monde qui échappe à l'entendement humain, dont seule l'intuition permet d'en percevoir et d'en deviner faiblement la nature.

Le savant, à cette occasion, a-t-il trouvé ses limites d'analyses concrètement scientifiques, concrètement prouvables ?

On se demande véritablement, si l'intuition associée au pressentiment, ne sera pas le seul instrument mis à disposition du scientifique, non pas pour élaborer la preuve et pour « comprendre », car cela s'avère humainement incompréhensible, mais pour subodorer, sans doute mieux que les autres, la vérité et ses finalités philosophiques, et se satisfaire de la mystérieuse impuissance ressentie au plus profond de lui-même. Ou bien, l'homme devra-t-il, si sa race ne disparaisse avant, patienter des siècles et des siècles pour percevoir les lueurs brèves et fulgurantes des vérités, ou basculer à son tour dans un abstrait, dont il comprendrait, enfin, pleinement le langage.

Foudroyant constat de notre insignifiante petitesse humaine…

Inimaginable réalité de la Grandeur de Ce qui Est…

*
* *

Ah ! ce vieux rêve

Ah ! ce vieux rêve !.. Devenir invisible !.. N'aimeriez-vous pas, vous, être invisible ? Vous ne le savez peut-être pas, mais vous le serez, forcément, un jour. Vous ne le savez peut-être pas, mais chaque année qui passe vous rapproche un peu plus de l'invisibilité… Comment cela ? me direz vous… Vous le deviendrez aux yeux des plus jeunes que vous, aux yeux des futurs vieux encore jeunes.

Vous vous en êtes déjà aperçu ? Oui, c'est bien cela. Quand on vous invite, de moins en moins souvent d'ailleurs, ce n'est qu'en compagnie des « vieux » ? On s'intéresse moins à vous et on vous adresse plus rarement la parole ? Vous avez le sentiment qu'on vous évite un peu ? Vous avez le sentiment fugitif qu'on vous considère comme un mort qui bouge encore ? Oui, oui, vous avez bien compris...

Admettons le : les jeunes ne sont ni plus méchants ni plus indifférents que la moyenne, mais ils ont inconsciemment peur de la vieillesse, et des vieux, leurs représentants... Ils rejettent leurs propres images du futur...

Mais... Il n'y a pas de « mais », mon vieux !

Pardon ! ça m'a échappé !.. Oui, je sais bien que les pensées et les sentiments qui sont dans votre tête et dans votre cœur de « vieux », n'ont pas vieilli, qu'ils sont semblables à ceux qui vous habitaient quand vous aviez trente ans... oui mais, eux ne le savent pas... pas encore... Dites moi mon vieux, pardonnez moi encore... si vous les rencontrez, les jeunes, ceux qui sont persuadés, que leur jeunesse est définitive, rendez leur service, dites leur que le chien, qui, sans fatigue, ne cesse de courir après moi, est le même que celui qui court après eux. Ils n'entendent pas encore les aboiements, mais ça ne saurait tarder...

*
* *

Humour

* ... quand le gros est parti de la troupe...

* J'ai attendu une heure à faire le poivron...

* Le tuyau de descente était en fibrome.

* Généralement un parquet est posé sur des balourdes...

* A quelle heure est le dépouillage du vote ?

*
* *

Le mou

J'aime le chat. J'ai toujours aimé le chat. J'apprécie ce compagnon silencieux et discret, avec lequel il n'est pas besoin de parler pour se comprendre. Je n'ai jamais, de ma vie, en amour ou en amitié, été trahi, par un chat ou un chien.

Lorsque j'étais enfant, je recueillais, nourrissais et soignais tous ceux qui peuplaient le quartier : les galeux, les pelés, les beaux et les pas beaux, les biens portants, les malades, les jeunes, les vieux et les moribonds, les noirs et les blancs, les « de gouttières », les sacs à puces, tous les chats. J'avais beaucoup de visiteurs. Pas compliqué, ils s'appelaient tous Minet.

Ah ! à l'époque, dans les années 30, il n'y avait pas de ces conserves de luxe pour chats aisés, ou de croquettes « croque en bouche » pour minettes snobinettes.

Dans l'industrie alimentaire pour animaux, ils ont même aujourd'hui des « goûteurs » pour éviter les erreurs gustatives, ce qui ne les empêchent pas de sentir délicatement le contenu de leurs gamelles, et de tourner silencieusement le dos si la pâtée ne leur plaît pas, cela sans faire d'histoire. Dans les années 1930, c'était le mou, rien que le mou, toujours le mou. Enveloppé dans du papier journal. Gratuit chez le boucher.

Clac ! Clac ! Clac ! Faisaient mes ciseaux en guise de cloche d'appel au repas. Le mou est servi ! Ils arrivaient, à toute vitesse, sautant les murs des jardins.

Oui, j'aime les chats. Peu d'hommes avouent leur porter intérêt pour la raison, souvent inconsciente, que leur manifester de l'affection, ne fait pas mec. Ce que j'aime chez ces animaux, outre le délicat soyeux de leurs fourrures, c'est leur mystère, leur noblesse, leur regard, leur discrétion, leur silence.

Avez-vous soutenu le regard d'un chat ? Lucide, tirbouchonnant, interrogateur, psychanalyste, pénétrant, extraterrestre, mystérieux... Si l'examen par l'ordinateur qu'il a dans la tête, se révèle satisfaisant, l'œil reflète l'amitié, l'affection, la tendresse, la douceur, la complicité...

L'amour, l'affection que tu lui donneras, il te le rendra avec discrétion et pudeur. Si tu cohabites avec lui et pourvu que tu respectes son silence, son repos, sa méditation, il entretiendra pudiquement en permanence ses déclarations d'affection.

Ta sensibilité, seule, saura le discerner.

Je suis assez doué en langues vivantes et j'aime beaucoup leur parler en chat. Ils adorent. Ils écoutent. Ils traduisent le timbre de ma voix. Leur réponse s'exprime dans la lueur de leur regard. Ils « clignotent » des paupières.

Si d'aventure – ce qui est rare – j'ai du mal à trouver le sommeil, ma pensée s'égare vers un chat qui ronronne. Le calme renaît dans mon cœur, et je m'endors comme un bébé heureux…

Une visiteuse tigrée, propre, silencieuse et discrète, de temps en temps, me rend visite. Elle n'est pas gourmande du tout et ne se fait pas les griffes sur le canapé.

Quelquefois, elle reste dormir avec moi, sagement, très près de mon visage, de mon regard, qu'elle cherche. J'aime.

C'est vraiment ma copine.

On ne se dispute jamais.

Si elle est d'accord, je pense l'épouser bientôt…

N.B. : Ah ! ce que je voudrais être « de gauche » ou « écolo de gauche» pour devenir, à coup sûr, intelligent ou même « d'extrême gauche » pour l'être extrêmement. Ce qui me permettrait alors, concernant ma plaisanterie d'épouser ma chatte, de rendre sérieuse ma boutade et de proférer toutes les monstrueuses conneries sous prétextes de modernité et d'égalitarisme, comme celles du mariage entre homos du même sexe et d'adoption d'enfants par ces couples. Philippe Muray, écrivain, a parfaitement imagé ce délire relevant de soins psychiatriques dans un article de presse, résumé ci-après : « ces cinglés étayent leurs propositions sur la base du silence de l'article 144 du Code Civil, qui ne précise pas que le mariage est réservé entre deux personnes de sexe opposé. Ce qui n'est pas explicitement interdit est donc autorisé, disent ces malades. Cette manière de voir les choses rend donc possible l'union avec un bégonia, une onde hertzienne ou un œuf dur… (ou un chat…) ».

*
* *

L'idée

Aujourd'hui, le monde scientifique me paraît se trouver sensiblement dans la même position que celle des gens du Moyen Age, avant la redécouverte de la perspective.

Les scientifiques semblent évoluer vers l'**acceptation** de l'intuition, de l'Extraordinaire, comme bases fondamentales d'orientation des recherches de la compréhension des secrets paradoxaux de l'univers.

La manifestation de l'Idée par le levier de la physique quantique, me paraît constituer la seule voie qui mène à la découverte de la connaissance paradoxale.

C'est à nouveau l'invention du feu ou de la roue.

*

* *

L'Homme

L'Homme, non seulement « ça » bouge, mais « ça » pense… (parfois) ou bien « ça » essaye… la preuve…

*

* *

Blanquette de veau

Illogique et aberrant concept culinaire, crime contre la gastronomie, qui consiste à cuire d'abord la viande par ébullition, puis, pour conclure cette préparation, à la napper dans une sauce confectionnée à partir du bouillon de cuisson. Les professionnels qui pratiquent cette méthode, semblent satisfaits de leur manière d'opérer.

Mais devant un tel outrage culinaire, afin de ne pas la laisser tomber dans l'oubli, je vous prie de noter la vraie, l'unique recette transmise en tradition orale par un de mes aïeux Bigouden, il y a plus de 200 ans, utilisée par ma mère, qui l'avait recueillie de mon arrière grand-mère Henry-Le Saos.

Le principe de base obéit au simple bon sens : celui de faire mijoter la viande dans son suc, sans qu'elle en perde une parcelle.

Les ingrédients (4 à 6 personnes)

Cocotte en fonte ou similaire. Veau fermier : poitrine, rondin arrière, collet. 15 à 20 petits oignons. 5 gousses d'ail. Bouquet garni (persil, thym, laurier). 500 grammes de champignons de Paris.

Beurre. Crème fraîche fermière. Sel et poivre. Noix muscade ou Cayenne ou Paprika. Eventuellement un jaune d'œuf. Impérativement : beaucoup de vrai amour.

La préparation

Faire blanchir, quelques instants, le veau à l'eau bouillante. Réserver. Avec du beurre, faire un roux blanc plutôt épais (la viande va rendre son eau à la cuisson). Saler, poivrer. Y déposer viande, oignon, ail, bouquet garni. Amener doucement à bonne température. Feu moyen à doux. Surveiller constamment avec amour, jusqu'à la certitude que le fond n'attache pas, en jouant avec le feu, si j'ose dire. Couvrir et amener à feu doux. Mijoter au moins une heure. Surveiller de temps en temps. Cette préparation peut commencer la veille, mais en ce cas, arrêter au 3/4 la cuisson. Reprendre la cuisson. 15 minutes avant de servir vos impatients convives, rectifier le goût avec la moitié du reste de votre amour : ajouter champignons, crème fraîche, noix muscade et avec la deuxième moitié du reste de votre amour, faites mijoter à nouveau doucement et une ultime fois, rectifier le goût. Certains, hors du feu, avant de servir ajoutent un jaune d'œuf dilué à part avec la sauce. En ce cas, interdiction de bouillir à nouveau. Mon avis : l'œuf n'est pas indispensable. Si le roux a été insuffisamment épais, la sauce sera trop liquide : rattraper avec de la Maïzéna.

Régalez vous bien.

*
* *

Les Bretons et les Romains

Lorsqu'on a vécu plus de 70 ans, on perçoit mieux l'échelle du temps et la durée relative d'une vie.

Vers l'an 400 de notre ère, les Bretons et les Romains se sont ligués pour repousser les Barbares. L'an 400... On découvre que c'était hier... 1 600 ans à peine ... Une misère à l'échelle du temps cosmologique. Quel chemin parcouru depuis, dans les sciences et techniques. J'ai dit « chemin » et non progrès... Il reste à démontrer qu'il en ait eu... Ce ne sera pas facile... Tout, je crois, va trop vite. Les gens n'ont même pas le temps de réfléchir à ce que représente le bonheur, le vrai.

*
* *

Les amygdales

Histoire vraie : j'ai connu cet ORL, aujourd'hui en retraite, avec qui il valait mieux parler les dents serrées. Dès qu'il apercevait une bouche ouverte, il opérait les amygdales... Toute une vie professionnelle. Plus qu'une méprisante déconsidération, il méritait la prison... un sale con, quoi !

*
* *

Qui ?

Il semble prouvé que la planète terre a été ensemencée par des météorites, dont les chutes étaient infiniment plus nombreuses il y a des milliards d'années. Certaines contenaient des A.D.N. Cette révélation scientifiquement prouvée, n'apporte rien de plus au mystère de l'origine de la vie.

En pleine soupe originelle, il y a longtemps, un être encore plus élémentaire qu'un protozoaire, peut-être encore quasiment végétal, **bouge**...

Pourquoi, comment, par quel miracle est-il animé de vie ?

Qui, ou Quoi en a décidé ?...

*
* *

71

Humour

* Eh bien mon vieux si ça se passe bien, on fêtera ça avec une bouteille de Veuve Coquelicot.

* Pour maigrir vous n'avez qu'à prendre un anti-coupe faim

* La plaque immatriculogique est à peine visible…

* C'est pas du beau temps pour la saison ma pauv'dame ! J'ai pris la météo sur deux chaînes : toutes les deux disent qu'il va pleuvoir.

*Avec ses accidents répétés de voiture, il va finir par perdre son bonux…

*

* *

Féminisme

Les actions féministes auront sans doute pour résultat, d'équilibrer un peu mieux les rapports quotidiens et ménagers entre les deux sexes, mais elles ne pourront jamais changer la nature profonde du mâle qui reste parfois un inconscient égoïste, semeur irresponsable de graines, s'il n'existait pas un cadre d'organisation sociale, l'en empêchant.

Sauf exception, le comportement général de l'être humain – conscience en plus – demeurera avant tout animal, et celui de la femelle restera principalement lié à la perpétuation de l'espèce, au nid, à l'instinct maternel. Mon affirmation ne constitue pas pour elle, l'obligation naturelle exclusive de s'occuper du ménage et de la vaisselle. Sans ce « plus » que la nature lui a donné, il n'y aurait pas survie de notre espèce. Que les féministes s'insurgent, c'est pourtant dans la nature des choses.

C'est la raison pour laquelle le mâle devrait dans une normalité de comportement, profondément aimer et respecter sa femme. Cela devrait aussi être dans la nature des choses.

Malheureusement, pour l'avoir généralement constaté, le mâle naïvement et inconsciemment imbu d'un profond complexe de supériorité, ne manifeste pas souvent suffisamment de considération sincère pour la femme. Je vais faire bondir certains, mais je crois que cela est la vérité « vraie »

Cet état de fait est ressenti par la femme, qui en a pris son parti depuis la nuit des temps, mais qui en souffre un peu. La seule femme qui bénéficiera de sa parfaite considération est sa mère. Et pour cause ! Sans elle, qui est la chair de sa chair, il ne serait pas là !

Dans la plupart des domaines, la femme se montre plus forte que l'homme. La femme d'expérience, **celle qui aime et porte considération à l'homme tel qu'il est**, sait que ce dernier est fragile : il roule les mécaniques et reste la plupart du temps immature. Seule la pression de la vie quotidienne et le machisme induit qui l'habite, le caparaçonnent faussement.

Je sais, pour l'avoir constaté souvent, que mêmes ceux qui exercent d'importantes fonctions professionnelles ou intellectuelles, demeurent d'éternels enfants. Un de mes plus chers amis qui était stomatologue, qui nous a quitté à l'âge de 85 ans, en était la preuve vivante. Lui et moi, on pouvait s'avouer réciproquement nos fragilités, sans avoir honte…

*
* *

Dilemme

Croire plutôt au Divin qu'à Dieu ?

Interrogation fondamentale ou seulement une question de vocabulaire ?

*
* *

Noblesse

A 34 ans j'ai découvert le rugby que j'ai pratiqué pendant 6 ans. Ma condition physique qui était excellente m'a permis de disputer quelques matchs de division inférieure, la seule qui existait à Lorient. Celle de jouer, fût une des plus grandes joies que j'ai éprouvées.

Contrairement aux apparences, ce sport n'est pas violent ; dans le feu de l'action, on ne sent pas véritablement les contacts.

Il faut être initié à cette discipline pour l'aimer et en pénétrer les secrets. C'est je le crois, la Franc Maçonnerie du sport, et une véritable culture.

On dit que le rugby est au bridge ce que le football est à la belote. C'est en tout cas la synthèse entre le bridge, les échecs, et la fraternité.

Certes, des petits gnons de temps en temps, sans que persiste, après match, la rancune. Une réelle affection, une réelle communion de jeu, lient tous les joueurs, unis, chacun dans son camp, par la conquête du ballon. Ah ! le ballon de rugby !

Ce contact sensuel qu'il procure aux doigts ! Diego Rodriguez, cet Argentin, qui joue en championnat de France avec l'équipe de Paris et avec l'Italie en matchs internationaux, bien qu'étranger, exceptionnellement aimé de la France du rugby, a avoué que, quelquefois, il lui arrivait, comme un enfant avec son nounours, de s'endormir avec sa poupée ovale. Je comprends. Il faut aimer ce sport et l'objet de la conquête pour comprendre et avoir envie d'en faire autant. Je ne dis pas, qu'un jour prochain, j'aille en acheter un.

Le rugby c'est une philosophie de vie, une noblesse, un combat loyal dans lequel, techniquement, tricher est impossible. Dans le **pack d'avant, tu ne peux pas ne pas pousser de toutes tes forces.** Si tu ne pousses pas, tu es broyé. Dans les lignes arrières, si tu ne plaques pas, si tu ne fais pas ton devoir de sacrifice, la catastrophe, pour le groupe, est immédiate. C'est la solidarité, la fraternité, la reconnaissance et le respect de l'autre. **Marquer un essai est l'aboutissement unique du collectif.**

Une tape sur l'épaule marque le remerciement des 14 autres à celui qui a conclu.

Contrairement au foot, il n'y a pas de coït entre les joueurs sur le terrain. Ce serait mal compris…

*
* *

Comment apprécier…

Faute de l'avoir appris, ou d'avoir gravité dans le milieu de la peinture, la plupart des personnes ne possèdent pas la faculté d'apprécier la valeur qualitative d'une œuvre.

Ces gens ne sont ni plus ni moins intelligents et sensibles que ceux qui ont bénéficié de contacts fréquents au plan culturel. Ils n'ont jamais reçu la clé leur permettant d'émettre un jugement de valeur.

Pour certains, plus ça ressemble à la réalité, plus le tableau est considéré comme « **beau** ».

Souvent, « **plus** » il n'y a « **rien** », sinon quelques taches horizontales de couleur pastel dans les tons blancs, roses et bleus, avec une chiure de mouche plus ou moins grosse représentant au lointain, un bateau de pêche ou un pêcheur de palourdes « **plus** » c'est « **beau** » !

Plus c'est « **anecdotique** » et « **carte postale** » – le couillon de **pêcheur breton fumant sa pipe ou Bécassine bigoudène à la pêche dans la vasière** ou encore le con de pot de fleur posé sur un guéridon – plus c'est « **beau** ».

Après tout, je m'en moque… Les goûts et les couleurs… **Je râle.** C'est ma manière d'exprimer **ma rage, mes regrets, ma déception** de constater que ces gens « normaux » dans leur sensibilité, **échappent au plaisir jouissif** que procure l'examen d'une œuvre de qualité.

C'est à ce moment là, lorsque le regard est en **connexion avec le cœur**, qu'un peu de **paradis** leur est offert. Oui, ce que l'on voit **est mieux que beau…**

Ils recevront, si l'œuvre est figurative, bien davantage que la beauté du paysage : une impression **précieuse** créée par **l'alchimie des couleurs et du « moi » de l'auteur.**

Si l'œuvre n'est pas lisible, ils seront séduits par l'harmonie générale des coloris et des formes, et capteront en récompense de leur patience, de leur sensible perspicacité, le **message du peintre.**

*

* *

L'aspirateur

Il a déjà été noté que le mouvement de l'atome considéré unitairement est réglé principalement par l'électromagnétisme. **La méga dimension est seule soumise à la force de gravitation perceptible qui contrôle la mécanique de l'univers entier.** Je crois savoir que cette force est exponentielle à l'infini.

Déjà Einstein nous a prouvé qu'elle faisait infléchir le cheminement théoriquement rectiligne de la lumière, que, ce faisant, elle faussait l'observation optique des galaxies lointaines, et que même l'espace-temps en était affecté.

Pendant longtemps, les astrophysiciens, pour l'avoir comptabilisé, n'avaient inventorié qu'environ 5 % de la masse de matière que constitue l'univers.

Grâce au télescope spatial Hubble, ils savent que les 95 % manquants, outre les milliards de planètes qui demeurent invisibles, sauf celles de notre système solaire éclairées par notre étoile, sont constitués de masses de poussières, d'une incommensurable grandeur, qui flottent dans le cosmos. La masse de ces poussières représente donc une méga dimension, c'est la raison pour laquelle, bien que poussière, elle est soumise à la gravitation.

Les savants aujourd'hui savent comment naissent les étoiles : par la dynamique de la force gravitationnelle qui agit sur les poussières dont à l'origine elles sont composées.

Mais ce qu'ils ont découvert, concernant cette dynamique du vide, est qu'à un certain niveau de son développement exponentiel, la force gravitationnelle se mute en une sorte d'immense et puissant aspirateur, les fameux trous noirs, qui sont bien plus nombreux, qu'on ne pouvait l'imaginer, dans notre galaxie et dans l'univers.

Alors la gravitation, consciencieuse femme de ménage – je veux dire pour adopter un langage politiquement correct : respectable et consciencieuse technicienne de surface – aspire tout : les étoiles mortes, celles qui se meurent, les galaxies mourantes, le soleil qui s'éteint, tout, vous dis-je, mais aussi et surtout la lumière qu'elle escamote dans son trou noir, qui me paraît ressembler davantage à un gouffre dématérialisé, voire abstrait, qu'à celui de Padirac.

Même le savant le plus imaginatif demeure impuissant pour subodorer la nature et le devenir de cette lumière perdue. Certains pensent qu'il faut **orienter les recherches** dans le **déroulement de l'espace-temps** qui se situerait **aux frontières de l'inimaginable**, d'autres affirment **qu'au-delà du trou noir, le temps serait inversé**...

La gravitation cacherait-elle une partie du Grand Secret ?

*

* *

Couleur

Décidément, je ne suis pas d'accord, je suis même agacé. Pas d'accord avec certaines personnes qui s'auto attribuent l'autorité, dans l'habitat, de décider du choix d'une couleur ou d'une harmonie de couleur qui deviendra la vision collective, obligatoire et permanente du groupe.

En même temps que l'autorité, ils se parent d'un mauvais goût très sûr. Mon jugement à cet égard est honnête et dépourvu de subjectivité. Leurs choix n'expriment que du gris pisseux ou du marron merdique.

De plus, le doute de se tromper ne les effleure même pas, ils refusent non seulement d'écouter mais d'entendre physiquement parlant, l'avis des autres, sur l'air de « circulez, y-a rien à voir ! »

D'ailleurs, d'une manière générale ces gens savent tout, tout de suite, mieux que les autres, alors que je les perçois illogiques et brouillons.

*
* *

Le passage clouté

Un jour de marché, dans ma voiture, à l'arrêt au feu rouge, près des halles de Merville, j'ai vu traverser au passage piétons, une jeune et belle maman blonde, traînant par la main, sa jolie petite fille blonde, qui elle aussi, tenait par la main sa magnifique poupée blonde.

Intéressé et attendri, j'ai suivi des yeux ce charmant spectacle, jusqu'à ce qu'elles bifurquent à droite à ma hauteur.

L'intensité de mon intérêt devait être tellement forte, que la gamine, comme si je l'avais touchée à l'épaule, me chercha nerveusement du regard… et me trouva.

Le sourire et le petit bonjour de la main qu'elle m'a adressé, j'en garde le souvenir.

Sympa, non ?

*
* *

Humour

* Au fond de mon jardin, pour me cacher des voisins, je mettrai des canabisses…

* Mes freins faisaient du bruit, alors le garagiste m'a dit que les tompinambours étaient à changer.

* Plus les pots de peinture sont grands, plus ça revient moins cher ! C'est clair c'que j'dis non ?

* Leïla a recueilli un petit chat dans une rue de Tunis, elle lui a tellement donné à manger qu'il a été malade comme un chien…

* Les militaires ? Ce sont des types bien… Ils sont toujours recto-verso.

*
* *

Insaisissable

Il est des hommes de qualité, prisonniers de leur passé professionnel, de leur psychologie, de leur distance et de leur maîtrise de soi, qui ne savent plus, avec simplicité, ouvrir leur cœur.

Anciens Présidents de tout, couverts d'honneurs et d'hommages mérités, ils ont su pourtant, grâce à leur esprit et à leur authentique modestie, éviter le ridicule d'une outrecuidante vanité.

Mais, les pauvres, ils ne pourront jamais plus être naïfs…

*
* *

Inversion

J'allais noter une de mes réflexions sur le temps, à savoir que : « le temps n'est jamais immobile, son mouvement ne peut être projeté que vers le futur… ».

Cette énonciation me paraissait être d'une logique et d'une éviden-ce implacable jusqu'à hier 3 avril 2000.

Dans la revue *Sciences et vie* n° 990, j'ai lu avec passion un article sur le temps dont j'ai aimé l'esprit et l'orientation générale. Je savais déjà que, seules les lois de la physique quantique étaient capables de traiter les hypothèses liées à l'infiniment petit, que les agitations corpusculaires fai-saient souvent l'objet de paradoxes, mais lire que des thèses sérieuses avancées par des groupes de scientifiques de nationalités différentes, concluaient toutes à la certitude de l'inversion du temps dans l'antimatiè-re, et dans les trous noirs, me laissait surpris.

L'impression que m'a laissé la lecture de cet article, est que le lien qui existe entre **l'infinie grandeur de l'univers** et **la grandissime peti-tesse des éléments corpusculaires**, est celle **d'un même paradoxe d'or-ganisation, chaotique en apparence, merveilleusement logique en réalité**.

Ainsi le phénomène des trous noirs, lié au degré maximum de la puissance de la force gravitationnelle, subirait, en deçà ou au delà immé-diat de la vitesse de la lumière, l'inversion du temps. Les photons seraient irrésistiblement attirés vers le gouffre – pour nous – de l'Invisible.

Ce sont peut être les premiers pas de perception intuitive par l'homme d'un monde paradoxal, aujourd'hui déjà pressenti.

Qui sait ?

*
* *

Au marché

Par deux fois, j'ai été le témoin direct d'un phénomène de télépathie avec une dame âgée, d'au moins dix ans mon aînée, vive, gaie et dyna-mique, élève comme moi aux Beaux-Arts.

C'était jour de marché aux halles de Merville, ces deux mêmes fois, j'attendais dans ma voiture que les feux se mettent au vert. Impression indéfinissable. Sensitivement, l'appel, l'invitation à en chercher l'origine sont presque physiques. L'exploration est rapide. Guidé par je ne sais quel fil conducteur invisible, on trouve immédiatement la personne émettrice, noyée dans la foule. Un bonjour sympathique de la main…

La Guerre de 1914-1918

Souvent je pense à ces hommes, de France, d'Allemagne, d'Afrique ou d'Asie, à ces millions de jeunes hommes morts pour rien. A ce gâchis, à ces souffrances physiques et morales, à ces mutilations, à ces effroyables peurs, aux blessés abandonnés bouffés par les rats, au froid, à la boue, à la vermine… Aussi, aux chagrins des mères de tous les pays, à ceux des enfants, des familles…

Quel gâchis… Tuer des hommes qui ne vous ont rien fait.

Oui, je pense à ces morts, à tous ces gens tués dans des conditions atroces. Pour rien. Et mon cœur saigne… C'est la guerre la plus absurde, grande consommatrice de cadavres. L'arbitraire des petits chefs a dû conduire à la mort ceux qui ne plaisaient pas, ou qui ne plaisaient plus, ou qui étaient trop beaux, ou qui avaient les dents trop blanches, ou encore ceux que la gentillesse agaçait…

Trop d'incompétence, trop d'irresponsabilité, trop d'inhumanité des Etats Majors généreux du sang des autres.

Mon cœur saigne…

Mon père ressentait le même sentiment. Chaque 11 novembre, fête de l'Armistice, il sabrait le champagne. Fait du raisin qui est né et qui a mûri dans cette terre abreuvée de sang. En hommage à leur sacrifice inutile. A leur souvenir.

Je n'irai jamais visiter les champs de bataille de cette guerre. Je crains d'avoir peur. Trop peur d'avoir la gorge nouée. De mourir étouffé…

*

* *

Le pont

J'éprouve le sentiment qu'un pont existe entre le rationnel et le spirituel. Existe-t-il et sommes nous si éloignés de ce moment où le scientifique, qui a épuisé toutes les possibilités de raisonnements et de calculs que lui ont offertes la science cartésienne, se verra contraint de leur adjoindre un volet philosophique ?

Mon arrière grand-mère HENRY-LE SAOS, qu'enfant j'aimais beaucoup, née à Plomeur (Finistère) – 1852-1938.

Ma tante Odette – Sœur Odile Madeleine. Fille de la sagesse. Professeur d'Histoire - Géographie. Prématurément disparue à l'âge de 31 ans.

Ma grand-mère LE FLOCH-HENRY Honorine. Prématurément disparue à l'âge de 38 ans – 1879-1917.

Mon grand - père LE FLOCH Joseph. Entrepreneur. Prématurément disparu à l'âge de 36 ans – 1876-1912.

Une noce Bretonne. Région de Guémené-sur-Scorff. Pépère et Mémère LE NY marqués d'une croix.

Une partie de la famille LE NY.

Eté 1951 - Réfugiés de Lorient (détruit en 1943) à Concarneau (baraquement). Pépère Louis LE NY, né à Ploerdut et Mémère Julienne LE BON, née à Plouay.

Mon père Marcel Louis LE NY – 19 ans – né en 1907 à Languidic où son père était chef de gare du petit train de l'époque. Disparu en 1969.

Ma mère Madeleine Ancie LE FLOCH-LE NY – 21 ans – née à Lorient en 1905. Disparue en 1974.

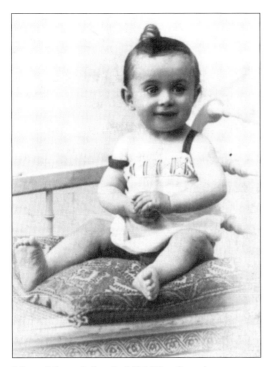

Marcel Joseph Louis LE NY – 3 mois.

Sur les bras de ma mère – Mai-Juin 1926.

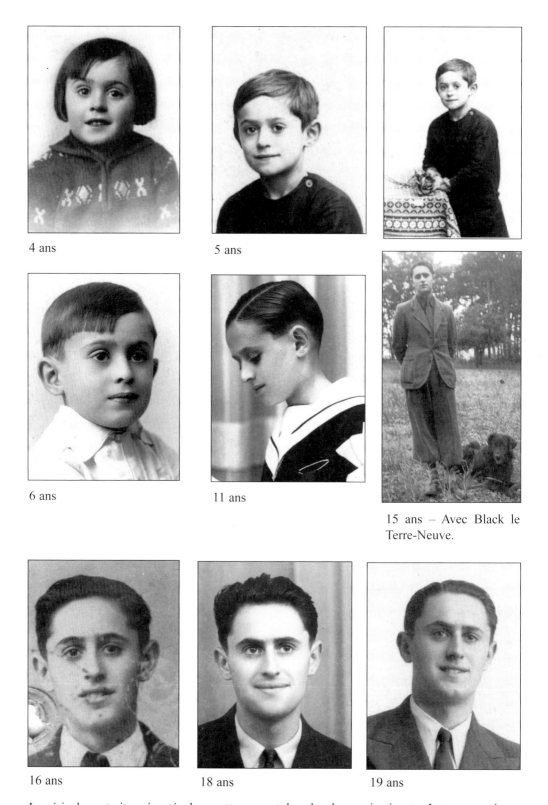

4 ans

5 ans

6 ans

11 ans

15 ans – Avec Black le Terre-Neuve.

16 ans

18 ans

19 ans

La série de portraits présentée dans cette page et dans les deux qui suivent, n'est pas représentative d'un symptôme narcissique qui m'habite, mais simplement le souci de révéler le vieillissement progressif et inexorable d'un visage.

20 ans

21 ans – Marrakech

27 ans – Toulhars

21 ans – Meknès

21 ans – Lorient-Plage

34 ans

61 ans

61 ans – Lorient centre-ville

64 ans

76 ans – En Irlande

76 ans

Claude et moi, dans mon bureau

Marcel LE NY, père, dans son bureau de vente sur plan des immeubles collectifs.

Marcel LE NY, fils, dans son bureau de direction. Tristan, le caniche de Fabienne. Adorable. A vécu 20 ans.

A la foire de Lorient – A droite, Raymond MAR-CELLIN, Ministre de l'Intérieur – 1965.

Claude ANDRÉ-LE NY – 1965.

Claude.

Claude.

Claude et Laurence, 1 an – 1968.

Claude et Laurence, 2 ans et demi, à Larmor-Plage.

Claude et Laurence, 4 ans.

Madeleine LE FLOCH, ma mère, 5 ans – 1910.

Madeleine, 63 ans – 1968.

Madeleine, 3 ans – 1908.

Marcel et Madeleine – Ecole d'Ingénieur de la Marine Nationale à Brest – 1930.

Grand-Père Marcel LE NY et Laurence, 3 mois.

Marcel LE NY, mon père, 11 ans – 1918.

Marcel LE NY – Avant centre FC Lorient – 19 ans – 1926.

Marcel LE NY – En costume d'Ingénieur de la DCAN – 41 ans.

Mes parents – Août 1969.

Marcel LE NY, mon père, 62 ans, quelques jours avant sa disparition.

Mon père, ma mère, ma cousine Monique et
moi – 1936 – une partie de pèche aux lieus à
Trévignon.

A Trévignon – 1936.

La deuxième erreur.

Pose de la première pierre, le 10 février 1962 de l'immeuble de la rue Waldeck Rousseau. De gauche à droite : Pierre Kerblat, entreprise de gros-œuvre, Marcel LE NY, promoteur de l'opération, Denise COURT, conseiller général, REGLAIN et BEAUVIR, architectes, Colonel BETTEMBOURG, associé au projet.

Soirée anniversaire de Remise de Charte au Lion's Club de Valinco – 12 avril 1969. De gauche à droite : " le gagne beaucoup ", Claude LE NY, de face : l'amie du " gagne beaucoup ", Marcel LE NY.

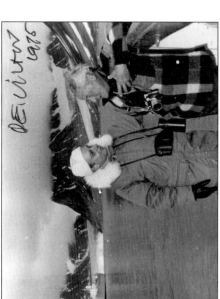

Sur le *Mermoz*.

Paul Emile Victor et un glaciologue à Magdalena Bay au Spitzberg. Au fond le *Mermoz* - 1975.

Faille de la dorsale atlantique en Islande.

14 Août 1975

Merci, cher Monsieur,
pour votre mot qui m'a fait très plaisir.
Et merci aussi pour votre lettre que j'ai trouvé trop et trop bien mais trop gentille -

Si vous me le permettez, je la publierai peut-être un jour, si l'occasion s'en présentait -

Cordialement

Paul E. VICTOR

Fac-similé de la lettre de remerciement de Paul Emile Victor.

La désolation.

1945 – Après la libération de la poche de Lorient d'août 1944 à mai 1945, relevé des ruines de chaque maison par moi-même et un aide.

Ruine du théâtre, cours de la Bôve, où le jour du bombardement on jouait " Histoire de rire ". À côté, le grand café le " Louis XIV ".

Les deux maisons de ma mère, rue Ratier à Lorient. A l'arrière, la troisième détruite.

La rue des Fontaines. Avant guerre, lieu de rencontre des jeunes gens.

La place Alsace Lorraine et son kiosque à musique.

Le cours de la Bôve, lieu de promenade des Lorientais, abrité des vents dominants d'ouest, par le théâtre. Le magasin " Le Petit Jacques " à l'angle de la rue du Port.

La rue du Maréchal Foch.

Le Crédit Lyonnais à l'angle de la rue Victor Massé et de la Place Alsace Lorraine.

La ferme de Coët Cado où nous étions réfugiés après les bombardements de Lorient (partie gauche). On aperçoit à gauche le tuyau d'évacuation de fumée qui passe par une des vitres sacrifiée de la fenêtre.

La tonnelle rustique en branche confectionnée par moi-même. Au milieu, Marcel LE NY, père.

Au premier plan : moi-même. Madame MORVAN, une amie de mes parents qui sont au deuxième plan. On distingue mieux le tuyau de poêle qui sort par la fenêtre. En juillet 1944, c'est au moment où j'étais

appuyé des coudes sur et sous les barreaux de cette échelle, qu'un commando d'une quinzaine d'Allemands le visage noirci, armés jusqu'aux dents et bardés de grenades, a investi les lieux.

Ma mère Madeleine sur l'échelle.

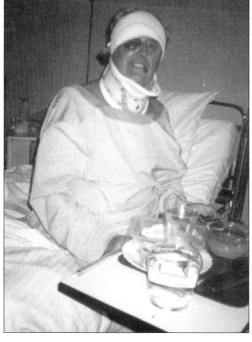

Passager d'une collision à 40 Km/h en centre ville – oublié de mettre ma ceinture – .

Boeing… ou la gifle de monsieur l'instituteur.

Rugby – 1963.

Match contre le VS Nantais, au stade Petit Breton – 1er octobre 61 Entorse au genou. Ma main gauche touche le ballon.

Un jour d'entraînement – 1961.

L'équipe du R.O.L. le 1er octobre 1961.

Eté 1987 : soirée à la base aéronavale de Lann - Bihoué près de Lorient, pour fêter l'élévation au grade d'Amiral du Capitaine de vaisseau Yves Lemercier, chef des bases Aéronavales de l'ouest de la France. Jacqueline, sa charmante épouse qui fut comme moi - même, plusieurs années, élève à l'école supérieure des Beaux - Arts de Lorient. Mon grand ami (veste blanche) Yves Poirier dit " Kik ", stomato, peintre, post-gouverneur du Lion's Club.

Fac-similé de poésies écrites à l'âge de 14 ou 15 ans éditées dans cet ouvrage.

1986 – Henry Joubioux, talentueux peintre, charismatique et humaniste. A séjourné de longues années en Indochine où il fut le peintre de personnalités gouvernementales. Ici, avec son élève Marcel LE NY.

Eté 1986 – Le ciel est noir, l'orage menace… Marcel LE NY, de dos.

Des artistes en quête de cadre(s)

Portrait de famille : H. Baron, M. Le Ny, Poirier et P. Laiter ont planté leurs chevalets sur l'île.

Groix n'échappe pas à la règle des îles qui ont toujours inspiré les artistes : c'est sans doute pour cette raison que des artistes peintres bien connus des Beaux Arts de Lorient sont venus rechercher à Groix les tons et couleurs si particuliers à l'île.

Les ports offrent un cadre privilégié parce que toujours très vivants, ainsi en fonction des luminosités, c'est Port-Tudy et Port-Lay qui ont été croqués, et au soleil couchant, Locmaria et Port Saint-Nicolas.

Septembre 1986 – quatre jours de peinture à Groix. De gauche à droite : Philippe LAITER, 70 ans, plein de vie et de charisme, excellent violoniste, bon cuisinier, épicurien. Henri BARON : douceur et gentillesse incarnée, talentueux peintre figuratif, Christiane TRISTAN, Yves POIRIER, Marcel LE NY.

Guidel

Galerie de Kerbrest

Vingt peintres à l'affiche

Pour la troisième saison, l'association culturelle « Galerie Kerbrest » ouvre ses portes, tout près de Guidel-Plages. A l'affiche cette année, une vingtaine de peintres.

Installée dans une très belle grange du XIXᵉ, la galerie s'est agrandie cette année d'un étage supplémentaire.

Huiles, acryliques, aquarelles, pastels, gouaches, etc., sont exposés dans de bonnes conditions. La galerie se veut représentative de la tendance actuelle, c'est-à-dire très diversifiée ; de l'abstrait au classique, paysages, marines, natures mortes, portraits... devraient combler les amateurs.

A l'affiche : Baron, Bonniec, Frio, Gefflot, Guennal, Guigue, Helin, Intes, Jappe, Lahaye, Laiter, Le Goff, Le Ny, Lessertisseur, Marchand, Mefort, Pennec, Prevost, Radal, Sombat.

La galerie est ouverte jusqu'à fin septembre, tous les jours, de 11 h à 19 h.

Rencontre avec une partie des artistes.

Marcel Le Ny à la BPBA

L'exposition est visible jusqu'à la fin du mois

Marcel Le Ny est venu tardivement à la peinture, ce qui explique la passion avec laquelle il s'y consacre depuis ses débuts qui remontent à cinq ans. « C'est devenu ma raison de vivre » explique cet ancien élève des cours du soir des Beaux-Arts, où il a eu pour professeur Henri Joubioux.

Agé de soixante et un ans, il avoue travailler beaucoup, avec pour seule exigence du respect absolu de l'authenticité.

Depuis ses débuts, il expose régulièrement à Lorient et dans la région. Principalement inspiré par les paysages, Marcel Le Ny travaille avec le même plaisir l'huile, l'aquarelle ou le pastel.

Jusqu'à la fin du mois il expose dans les locaux de la Banque Populaire, cours de la Bôve, près d'une quarantaine d'œuvres réalisées cette année.

Mais l'art pictural n'est pas la seule passion de cet éternel jeune homme. Prochainement il réalisera un recueil des poèmes qu'il écrit depuis des années.

Expositions — 10 Décembre 1985

Espace bureautique à Lorient

Aquarelles d'Y. Poirier et de Marcel Le Ny

Yves Poirier et Marcel Le Ny sont d'inséparables amis. Et ils exposent actuellement ensemble leurs aquarelles notamment, à l'Espace bureautique, 18, rue Carnot. Tous deux n'ont pas à aller loin pour trouver des sujets qui leur conviennent : le « pays » lorientais, dans sa diversité, suffit à leur bonheur.

Yves Poirier aime les bateaux et pour aller à leur rencontre il « navigue » de la rade de Lorient à Locmiquelic en passant par le Blavet, et de Kerroch à la rivière d'Etel. Sa sensibilité restitue sous des ciels au gris léger ou chargés de nuages épais l'atmosphère tranquille de paysages reposants. Il nuance avec douceur la limpide transparence de certains sites : « Kerner », en Riantec, ou cette « marée basse sur le Blavet ».

Mais Yves Poirier ne dédaigne pas la campagne et il tourne volontiers le dos à la citadelle de Port-Louis ou à la plage des Kaolins pour découvrir un village à Guidel, le lavoir du haras d'Hennebont et Saint Caradec, ou une chute d'eau sur l'Aven.

A cette production de 45 aquarelles, Yves Poirier ajoute quatre gouaches aux couleurs plus passées. Ainsi voyage-t-on encore agréablement de la Tour de la Découverte à Locmalo-Port-Louis, et du Poulx (Lann-Bihoué) à Saint-Nicodème, en Cléguer.

Marcel Le Ny, lui, présente 25 aquarelles, deux pastels et deux huiles. Ses aquarelles traduisent bien un tempérament poétique. Les paysages apparaissent comme à travers le flou d'une brume, une humidité qui module les plans et compose de tendres couleurs. Ainsi le vieux port du Bonhomme, mutilé, se dresse-t-il comme irréel, « suspendu » dans son décor effacé.

A la sobriété de son expression, Marcel Le Ny ajoute parfois la délicatesse de quelques traits qui précisent le dessin évaporé.

Nous retiendrons ses visions du Mas du Camp, son chemin forestier invitant au rêve, et sa plage de Plœmeur.

Aquarelles de Le Ny

Marcel Le Ny expose ses œuvres pour plusieurs semaines au restaurant Rêv' Antilles, boulevard Franchet d'Espérey.

Une trentaine d'œuvres qui témoignent de ses qualités d'artiste amateur, ne peignant ni pour exposer à outrance ni pour vendre, mais par plaisir personnel qu'il nous propose ainsi de partager.

Aquarelliste pur qui jamais ne précède les tâches de couleurs du moindre trait de crayon, il travaille à l'inspiration, ses paysages ne manquant pas de force. Cette qualité d'émotion et de suggestion ne l'empêche pas, ailleurs, de se consacrer à des toiles plus vives, aux couleurs plus voyantes où il rompt un peu avec ses habitudes qui pourtant enchantent le regard.

Je ne suis pas un fanatique des expos. Ma démarche demeure celle d'un amateur indifférent au jugement du public et ne s'oriente pas vers la recherche d'adéquations dans le but de vendre. Mes prochaines réalisations seront suggérées ou abstraites dont le graphisme et les harmonies de couleur, s'efforceront de contenir mon propre message.

Un nouveau chalutier de 30 mètres le « BONNE MADELEINE » sera mis à l'eau samedi

PAR LES CHANTIERS ET ATELIERS DE LA PERRIÈRE

Le « Bonne Madeleine », chalutier construit par les Chantiers et Ateliers de La Perrière pour l'armement Le Ny, sera lancé samedi 28 novembre, à 10 heures, au slipway du port de pêche. C'est un bateau de 30 mètres de long et 6 m 80 de large.

Cinquième chalutier de la série des 30 mètres, le « Bonne Madeleine », qui est le premier chalutier de l'armement Le Ny, sera géré par M. Goalabre, armateur estimé à Concarneau. Le « Bonne Madeleine » naviguera de conserve avec les bateaux de cet armement, en particulier les « Liparis », « Chamois », ses frères de chantier puisqu'ils ont été, eux aussi, construits à la Perrière.

actif trois bateaux de ce type : l'« Ile de Groix », l'« Enez Sun » et l'« Enez Eussa ».

L'Armement LE NY
Les Chantiers de la Perrière...

… vous prient de bien vouloir honorer de votre présence, la mise à l'eau du chalutier *Bonne Madeleine* le samedi 24 novembre 1964 à 10 h.

La bénédiction.

Vingt quatrième chalutier construit à Lorient par les Ateliers et Chantiers de La Perrière, à Lorient - Keroman, cinquième d'une série de « 30 mètres », le Bonne-Madeleine a été mis à l'eau samedi, suivant le cérémonial habituel.

Avant que le bateau ne descende vers son élément sur le slipway du port de pêche, M. l'abbé Lorho, aumônier des Gens de Mer, a procédé à son « baptême » en présence de la marraine, Mme Le Ny, épouse de l'armateur, qui a brisé sur la coque la traditionnelle bouteille de champagne.

Cette cérémonie s'est déroulée en présence de nombreux invités, parmi lesquels : MM. Jaquet, sous-préfet de Lorient ; Guyonvarch et le Montagner, conseillers généraux ; Vince, adjoint au maire le représentant ; le capitaine de frégate Fuzgat, sous-chef d'État-Major, représentant l'amiral ; l'administrateur de 1re classe Hurel, représentant M. Taillard, administrateur en chef du quartier de Lorient ; Piriou, directeur d'exploitation de la Société gestionnaire du port de pêche ; Le Gousse, président du Tribunal de Commerce ; Toullec, président-directeur général du chantier de La Perrière et Cabellic, chef des constructions neuves, etc.

Tous nos vœux de longue et fructueuse carrière au Bonne-Madeleine qui, pendant quelques semaines encore, va terminer son aménagement.

CARNAC

ASSEMBLÉE GÉNÉRALE DU COMITÉ DES FÊTES. — L'Assemblée générale du Comité des Fêtes se réunira, dans la Salle de l'Hôtel de La Marine, le mardi 1er décembre, à 20 h. 30.

Remise à Claude par le Directeur du chantier naval, des ciseaux pour couper le ruban.

Le baptême. Le ruban coupé, la bouteille de champagne traditionnelle va exploser sur la coque.

La marraine.

Le toast.

Madeleine LE NY-LE FLOCH et son fils.

La " Bonne Madeleine " en chair et en os.

… navigue sur les flots… Un autre chalutier de 34 mètres, *Le Grand Large* a suivi en 1965. Toujours subventionné. Construit par les chantiers de Saint-Malo, en pêche arrière, équipement congélation. Quirataire à 33 % en autofinancement.

Parmi les 500 maisons individuelles que j'ai conçues et construites, une des plus belle. Modèle exclusif dans son esthétique et sa conception. Implantée sur les hauteurs du merveilleux site de l'estuaire de la Laïta.

Style néo-Breton, construction en matériaux traditionnels.

Vue de plusieurs maisons édifiées dans un de mes lotissements, en groupements d'habitations.

Une de mes plus belles créations dans le style néo-Breton.

Groupements d'habitations styles variés.

Parmi les 5 000 logements collectifs construits de Nantes à Quimper, une belle réalisation proche du centre ville à Lorient. René Delayre – Architecte.

Petit immeuble collectif. Une de mes conceptions d'esthétique architecturale, réalisée par mon cabinet d'architecture intégrée.

A Kernével, face à la base des sous-marins à Lorient.

Petit immeuble de 25 logements très proche du centre ville.

Vue d'une partie d'un collectif de 280 logements en résidences secondaires.

Groupe de collectifs, en direction des plages.

Groupe de collectifs sur la Côte Sud.

Famille BARRES – LE NY : Laurence, Julie, Thierry.

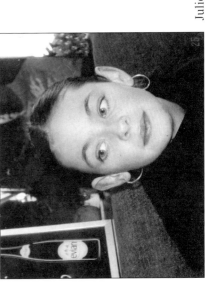

Julie – 2004.

Yvonne et Maxime ANDRE, géomètre du cadastre, mes beaux-parents avec leur petite fille Laurence LE NY. Des gens estimables à tous égards.

Laurence – 1986.

Une de ses œuvres.

Eric LE NY, mon fils, 52 ans – Sciences Eco, Sculpteur sur bois, philosophe.

Emeline, 12 ans et Yohan, 17 ans, mes petits-enfants et leur mère Claire, professeur de dessin et peintre dans le genre onirique, surréaliste, Eric.

Croiseur lance missiles *Suffren* commandé par le Capitaine de Vaisseau Philippe de Gaulle, à la table duquel j'ai eu l'honneur d'être reçu.

Les enfants LE NY (1969) – Fabienne 17 ans, Eric 16 ans, Laurence 2 ans, sur notre terrasse surplombant la plage.

Laurence (1969).

Fabienne (2004).

Fabienne, sur la côte lorientaise (2004).

Minette, monument de tendresse, assise sur mon bureau, elle regardait par la fenêtre… J'ai fait un rapide croquis, à contre-jour…

Notre appartement en bord de plage, à l'entrée de la rade de Lorient. Inconsolables d'avoir été contraints de nous en séparer.

L'hôtel-restaurant de l'Océan, à Quiberon, face à l'embarcadère de Belle-Ile, la bien nommée. Tenu par mon arrière grand-mère Henry, lieu gastronomique du homard au kari, au début du XXe siècle.

Vêtements pour hommes AMI – 1 rue des Fontaines à
Lorient. Magasin géré par un directeur compétent.

Ma première 4 CV Renault (1949)
gagnée à la sueur de mon front.

La maison de famille, rue Ratier à Lorient, qui a, partiellement,
échappé au désastre.

Dans son bureau à Nice.

2004 à Antibes.

Claude coiffée, modèle occasionnel, coiffé par un styliste de haute-coiffure à Lorient (1962).

Ensemble Vocal des Cévennes
Direction : André Paucot
Présidence : Alexandre Azamberti

en

Concert

Orchestre de chambre «Wallonia» (cordes, bois et cuivres).
Solistes et chœur.

LUNDI 9 JUILLET *à 21 h*
Eglise St Joseph à ALÈS

Programme : Mozart, Schütz, de Lassus.
Participation libre aux frais.

Le chœur, avec Claude debout, soprano, accompagné de l'orchestre de chambre, interprète des requiems de Mozart, Bach, etc.

En d'autre termes, quelle pourrait être la nature du premier lien qui serait susceptible d'exister, entre la limite la plus extrême du plus paradoxal raisonnement quantique, (ou celle du plus extrême inexplicable paradoxe quantique) et le début de ce qui devient spéculation philosophique ?

*
* *

Naissance d'une étoile

J'ai toujours éprouvé une passion, une curiosité émerveillée à découvrir les causes physiques qui règlent la mécanique de l'infiniment grand et de l'infiniment petit.

Pour ce dernier, outre d'autres forces secondaires, celle, principale, de l'électromagnétisme, régit, contrôle et équilibre les mouvements des atomes entre eux.

Mais pris unitairement, le corpuscule est virtuellement insensible aux forces de gravitation.

Par contre, les masses énormes que sont les planètes, étoiles, galaxies sont soumises aux forces gravitationnelles, qui régissent notre vie …. dans son ampleur quotidienne.

Le placement récent du télescope Hubble dans notre espace orbital, nous a permis de **visualiser et de photographier la naissance d'une étoile**. Rien que cela ! La naissance d'une étoile !

Papi, disaient Julie, Emeline et Yoann, prêts à s'endormir, raconte nous une histoire :

Il était une fois, dans le ciel, une énorme, une immense, une colossale, grande comme une maison, masse de poussières cosmiques qui flottait seule, parmi des milliards d'autres, entre les galaxies, comme une grande et belle jeune femme qu'elle était.

Aucun nuage jusque là ne l'avait demandée en mariage, ni proposé de lui donner un bébé. Pourtant la beauté de cette masse cosmique était évidente. Le temps ne comptait pas pour elle.

Elle ne se souvenait plus de sa naissance, mais savait qu'elle était immortelle. Elle attendait, mais le Dieu gravitationnel veillait. Très lentement, il allait ordonner aux poussières de se rapprocher les unes des autres. Toutes se serraient entre elles pour échapper à la froideur de l'espace. De plus en plus nombreuses à s'agglomérer, elles eurent de plus en plus chaud. Le Dieu gravitationnel les aidait de son mieux, si bien qu'elles devinrent encore plus belles.

Pour remercier Dieu gravitationnel de ses soins, elles se mirent à briller de tout leur éclat, devenant une seule étoile qui luit dans le ciel.

Vous voyez mes petits enfants, c'est de la même manière qu'est né le soleil qui nous éclaire et qui nous chauffe de ses rayons au bord de la plage.

C'est une histoire vraie. On a pu voir dans certaines revues, les preuves photographiques de cet événement cosmique.

Existe-t-il plus belle histoire ?

*
* *

La force

Chacun peut aisément comprendre, que la force d'attraction gravitationnelle est directement proportionnelle à la masse qui la produit.

Mais a-t-on **le début du commencement** d'un **morceau de réponse** à la **question** qui se pose du comment et du pourquoi de l'origine de cette force ?

*
* *

Humour

* L'autre jour à la télé, j'ai vu un cerf qui avait perdu ses hauts bois.

* Pleurer en épluchant les oignons, il paraît que c'est bon pour les glandes lacrymogènes.

* Laver sa voiture c'est bien, mais il faut la lustrer au poil de chameau.

* Je mange du chocolat, d'accord. Je ne fume pas, je ne bois pas, il faut bien que j'ai un exécutoire.

* Cette chatte, elle miaule bizarrement, elle doit avoir un chat dans la gorge.

Rencontre

Sans tomber dans le piège d'un romantisme de feuilleton, rien ne me paraît plus beau, plus grand, plus attendrissant, et disons le, divin, que l'attirance irrépressible, les prémices amoureuses des premiers contacts, des premiers émois ressentis, l'un pour l'autre, de l'homme et de la femme.

*
* *

Nouvelle logique

Le physicien dans ses recherches sur les étonnants et inattendus mystères de l'infiniment petit, adopte de nouveaux moyens de calculs et d'investigations que lui offrent la Nouvelle Physique. Il concède à cette dernière la place qui lui revient dans les nouveaux modes de raisonnement en y intégrant l'intuition, le paradoxal, l'inimaginable, acceptant en cela de se situer en marge de l'ancestrale physique classique.

La nouvelle dimension dans laquelle désormais son raisonnement va évoluer, possède donc sa propre logique, qui se situe à l'opposé du Cartésianisme.

Pour ma part, j'éprouve le sentiment que ce Nouveau Scientifique par ses récentes et étonnantes découvertes dans ce domaine, ressent aujourd'hui et pour le moins, la compréhension des phénomènes par la simple intuition, sinon proche de l'abstraction, du moins de la notion paradoxale liée à la pénétration dans ce nouveau monde, qui se positionne dans une autre dimension que celles que nous connaissons.

Alors dans ces conditions, comment et pourquoi – sinon y croire – rejeter l'idée d'une force naturelle, supérieure, intelligente et cohérente ?

*
* *

Le curry des Indes

Il m'est arrivé de vivre des situations parfois cocasses et assez étonnantes. Ma femme Claude et moi, avions été invités à dîner chez des vieils gens qui n'entraient pas dans le cercle de nos relations habituelles. Outre son fond de caractère méchant et passablement destructeur parce que volontairement intrigant, l'hôtesse concentrait le principal de son intelligence, dans le don qu'elle possédait de confectionner remarquablement bien le curry des Indes où elle avait vécu de nombreuses années.

Nous étions six invités autour de la table ovale, admirablement dressée sur une nappe ancienne brodée, d'une blancheur immaculée. Cette dame avait une réputation, jamais controversée, de boulimie en aliments solides et liquides, et pour habitude facile, de la même manière que chez les Romains, sauf peut être l'usage d'une plume, de restituer à la cuvette en blanche porcelaine des commodités, le trop plein absorbé, pour mieux tranquillement bâfrer par la suite. Rien que d'y penser, me dégoûtait beaucoup.

Ma place était située face à celle de l'hôtesse. Cette dernière continuait ainsi – boulimie oblige – à absorber interminablement la nourriture des plats qui demeuraient sur la table dans l'attente d'être desservis.

C'est ainsi, étant tous régalés et repus de ce délicieux curry des Indes, nous attendions sagement la suite. J'observais. Je guettais le moment où son bras allait se mouvoir, non pas de la manière habituellement rapide d'une personne qui est encore affamée, mais lentement, presque avec culpabilité, comme au ralenti, vers le plat en sauce déjà refroidi, pour, à nouveau, se servir.

J'ai déjà eu l'occasion de constater cette lenteur de mouvement chez le fils, notoirement alcoolique, d'un ami, lorsqu'il accomplissait à peu près le même geste en se servant un autre whisky. J'ignore si cette lenteur est spécifique à une pathologie déterminée, ou la manifestation d'une secrète et inconsciente intention de ne pas attirer l'attention des convives.

Au moment exact ou son bras s'avançait lentement vers la cuillère à ragoût posée dans le plat, la prémonition, la vision de ce qui allait s'accomplir, se déroulèrent avec précision dans mes pensées.

J'ai vu, je savais, que s'étant servie une nouvelle fois, elle allait, à mi-chemin du trajet de retour de sa main vers son assiette, d'une brève torsion de poignet, renverser le contenu de cette grosse cuillère, sur la nappe immaculée. Je ne mens, ni n'embellis cet incident. Mais qu'en penser ?

Cerveau

Qu'est-ce qui fait que l'homme tue sans raison ?

Quelle est la nature de son dérèglement cérébral ?

Koestler a envisagé une hypothèse selon laquelle le cerveau reptilien serait mal connecté au néocortex.

Il n'y a pas d'abonné au numéro que vous demandez…

*
* *

Les gagne petit et les gagne beaucoup

Dès que son cerveau a atteint la maturité nécessaire, permettant la prise de conscience que l'orientation d'une vie pouvait emprunter des chemins différents, cette adolescente, née vers 1910, a vraisemblablement dû décider, qu'un jour, elle deviendrait « riche ».

Ce genre de décision procède sans doute d'une prédisposition génétique qui s'enkiste dès l'âge adulte, et d'une volonté affirmée.

Tous ceux que j'ai rencontrés au cours de mes activités professionnelles et personnelles, qui avaient opéré ce choix de vie, étaient animés de cette même volonté inébranlable et discrète de gagner « des sous ».

Exceptés un ou deux cas, à la limite de la légalité, et d'une morale bien comprise, les moyens employés pour y parvenir paraissaient normalement honnêtes. Certains pouvaient se classer dans la catégorie des gagne petit, d'autres dans celle des gagne beaucoup.

Ces derniers ont su dès le départ s'entourer des meilleurs conseillers financiers et fiscaux.

Il n'est pas besoin de posséder la perspicacité de Sherlock Holmes, pour déterminer que ces gens étaient animés d'une volonté féroce, mais habilement et secrètement cachée, de défendre et de conserver, bec et ongles, leurs accumulations de biens.

Dans les années 1960-1970, ma famille et moi-même avons pu apprécier et partager une bonne amitié avec un de ces « gagne beaucoup ».

Originaire du pays Bigouden, mais résidant depuis 1945 à Paris, il possédait la capacité de gérer avec talent ses placements et investissements, et de protéger avec beaucoup de maîtrise sa fortune. La liste des biens immobiliers qu'il possédait en 1965 était déjà impressionnante, tant en quantité que dans le choix qualitatif de l'emplacement des immeubles.

La somptuosité et la valeur vénale de son appartement, situé sur une des avenues qui aboutissent à la place de l'Etoile Charles de Gaulle, dans lequel j'étais reçu par un maître d'hôtel et convié de temps en temps à partager son très frugal dîner – souvent une viande froide/haricots verts – le classait déjà à une année lumière de la catégorie fiscale de l'ISF.

Et encore, s'il m'était donné de connaître une partie des nombreux immeubles et hôtels particuliers du 16e dont il était propriétaire, et de ses bureaux situés Avenue des Champs Elysées, j'étais dans l'ignorance absolue des valeurs mobilières et boursières qu'il possédait.

Et croyez moi, tel que je le connaissais, ces valeurs devaient être nombreuses et judicieusement sélectionnées.

Bref il était multimillionnaire. Ecrire en l'an 1960, le chiffre de sa fortune avoisinerait les 100 000 000 d'euros.

Soumis aux lois exponentielles et dynamiques, asservi par sa constante et forte volonté masquée de poursuivre un objectif sans limite, le développement de sa fortune, doit atteindre aujourd'hui, 40 ans plus tard en cette année 2002, des sommets pharaoniques.

Il m'était facile de le suivre au plan pécuniaire, lors de nos tranquilles soirées à Paris, nos dépenses n'étant ni somptueuses ni somptuaires : cinéma, un pot à la terrasse d'un café des Champs Elysées, un premier ou un second prix de menu dans un restaurant de niveau seulement convenable. Sans être radin, il demeurait économe, ayant été élevé par ses parents en pays Bigouden, dans le cadre d'un contexte familial modeste.

Je l'ai perdu de vue en 1970 après avoir décliné son invitation de le rejoindre lui et ses amis, qui étaient d'ailleurs devenus les miens, au Lion's Club de Paris Neuilly.

Le hasard m'a fait le rencontrer en 1993 à Quimper. Plus âgé que moi-même d'une dizaine d'années, il paraissait en bonne forme.

Il était vêtu d'un jean d'un certain âge, d'un pull de marin qui avait beaucoup navigué et d'une paire de mocassins fatigués d'avoir rendu pendant des années de bons et loyaux services, dans lesquels, il devait, sans doute, se trouver à l'aise.

Honnêtement, je ne m'imaginais pas le trouver autrement vêtu. C'eut été un affreux anachronisme pour l'image que j'ai conservée de lui et pour les amicaux sentiments que je lui porte toujours, de le voir apparaître comme une sorte de bourgeois gentilhomme rutilant d'or et de tissus précieux…

Je l'aimais bien, nos formes d'intelligence – sauf sur un point – étaient proches l'une de l'autre et nos contacts amicaux, faciles.

Malgré son accoutrement, il n'était pas devenu, rassurez-vous, indigent.

Alors pourquoi accumuler tant de pognon me direz-vous ?

Demandez et vous recevrez, cherchez et vous trouverez, frappez et on vous ouvrira… Peut-être n'a-t-il jamais lu ce passage de la Bible ? Avait-il l'air heureux me demandez-vous encore ? Bof ! Ni heureux, ni malheureux, je crois qu'il a trouvé son équilibre et son plaisir en couvant secrètement son tas d'or, pour qu'éclosent encore et encore quelques œufs, afin d'atteindre, enfin, l'illusoire et inconsciente capacité de se rendre acquéreur de titres magiques à la Bourse de l'Immortalité.

Le caractère dérisoire d'avoir choisi ce chemin de vie, lui a, à tous les instants, échappé. Triste. Pour lui. Une vie, vide de spiritualité ; vide de générosité.

L'adolescente dont je vous ai parlé plus haut, devenue adulte, a suivi le même processus à la différence que proportionnellement son classement s'opérait dans la catégorie des gagne petit.

Néanmoins, à la fin de sa vie, sa fortune avoisinerait « seulement » 6 ou 8 000 000 d'euros.

Sa psychologie était de même nature que celle de mon copain de Bigoudenie.

Elle était riche de maisons, de maisons, d'appartements, d'appartements, de valeurs mobilières, de tableaux, d'or en barre, de diamants, de sous, de sous, cent loyers perçus d'un côté, cent loyers perçus de l'autre, des intérêts d'un côté, des intérêts de l'autre, le tout placé, replacé et re-replacé, compté et recompté…

J'ai été épisodiquement son homme de confiance à l'époque ou j'étais encore jeune et elle-même une déjà vieille et respectable dame. Je fus son conseil et son confident aussi. Gratuitement bien sûr. C'était le genre de personnalité marquante et honorable de la vie locale rayonnant dix lieues à la ronde dans tous les milieux.

Elle ne suscitait pas, je le crois, la jalousie pour la raison qu'elle était généreuse de cœur. Les gens en général l'aimaient bien.

Je pense à une autre commerçante du milieu de la pêche, aux mêmes qualités, vivante, truculente, intelligente et bonne, qui, elle, a quitté cette terre, sans beaucoup d'argent. Les Lorientais auront deviné. Mais la fortune de la première provoquait inévitablement des conflits larvés chez les héritiers potentiels dont certains ne possédaient ni le courage ni le cœur de masquer leur impatience de récupérer le magot.

Elle s'en est ouverte fréquemment à moi. Elle en était modérément chagrinée, moins par l'attitude de ses proches, car elle était depuis longtemps sans illusion, et suffisamment lucide et forte pour surmonter avec philosophie cet inévitable comportement, que par ses effets pervers.

Un jour, elle m'a donc prié de lui rendre visite pour me parler de ses problèmes. Cela la soulageait de raconter ses malheurs familiaux. J'écoutais sagement et essayais de la rasséréner. En réalité, l'impatience de ses héritiers lui avait fait prendre cruellement conscience de sa prochaine, inéluctable et naturelle disparition. Ce n'est pas tant mourir qui l'embêtait que de quitter – nous y voilà – son tas d'or…

Ah ! qu'il était triste et troublant l'instant du dernier rendez-vous. J'ai été, je crois, dans son inconscient, celui de l'Espoir. Espoir en moi qui lui avait délivré souvent des conseils éclairés.

Espoir inconscient que je lui indiquerai, peut-être, la solution miraculeuse pour transporter avec elle, dans son futur « **ailleurs** » ses biens accumulés. Bien sûr, elle ne me l'a pas formulé clairement, mais j'ai senti son déchirement profond.

Confidentiellement, ne le répétez pas, je lui ai donné gratuitement la combine. Que ceux qui souhaitent la connaître m'écrivent. Mais je vous avertis ça va être cher, très cher. La leçon a porté, vous l'aurez compris : je suis devenu en fin de parcours, un gagne beaucoup…

*
* *

De Gaulle

Carton d'invitation au courrier : « Le Capitaine de Vaisseau Philippe de Gaulle, Commandant de la frégate lance-missiles SUFFREN, convie à déjeuner à bord, Monsieur Marcel LE NY, le mercredi 10 mai 1967 ».

A l'heure dite, à la porte principale de l'arsenal de Lorient, m'attendait un planton pour me conduire au bas de la passerelle de coupée du navire, amarré aux quais du port de guerre.

Formalités réglementaires, demande d'autorisation de monter à bord : deux officiers de pont m'accueillent par la modulation stridente du sifflet traditionnel et me présentent à Philippe de Gaulle.

Visite de la frégate sous la conduite de ce dernier : la salle de commandement stratégique, vaste champ clos obscur seulement éclairé par les multiples écrans radar, appareils électroniques, ordinateurs, etc…

Puis déjeuner au carré des officiers avec ses seconds. Très intimidé évidemment. Pas de Gaulle. Moi. Impressionnante ressemblance. Très cordial. Visiblement soucieux de me mettre à l'aise. Sujets de conversation variés : la Bretagne, Lorient d'aujourd'hui et d'avant guerre, mon parcours professionnel et personnel, ma famille, le rugby sur lequel j'expose mon concept philosophique, puis l'Homme et la Femme.

L'être humain, m'a-t-il dit, se divise en deux parties : la moitié pour la femme, l'autre moitié pour l'homme. La réunion des deux moitiés constitue son unicité, précisant ainsi son allusion à la mythologie d'Eros ou pulsion de vie, cette force qui tend à refaire l'unité de deux individus.

A l'origine du monde, poursuivit-il, selon ce mythe, l'humanité était composée d'une seule sorte d'être, l'androgyne porteur, comme en indique l'étymologie, des deux sexes, mâle et femelle.

Platon, dans son « Banquet » développe le mythe d'Aristophane qui porte sur ce sujet. Cet être fut par la suite tranché en deux individus distincts porteurs chacun d'un sexe différent.

*

* *

Les trois vertèbres

Je déteste les fautes commises contre l'esprit. Il y a quelques années, j'ai connu un chiropracteur qui avait tendance à se prendre pour un professeur de médecine. Il affirmait à son patient atteint d'une banale contracture musculaire du dos, qu'au moins trois de ses vertèbres étaient déplacées. En cinq minutes, affaire réglée. Un petit « crac » et un gros « croc » de 50 euros pour le cocu qui a payé pour se faire passer pour un con. Ce comportement se situe à l'opposé de mon éthique morale.

Humour

* Avec ce froid, je sens un petit chatouillis dans la gorge. Demain c'est la crève générale.

* J'ai bien le droit de manger quelque chose à 5 heures non !? Et puis ça me fait mon 4 heures…

* Les chats sont capables de prévoir les tremblements de terre… Ils ont des ouïes très fines…

* Mon père est toujours mal foutu. Ca fait plusieurs fois que je lui dis de faire un ketchup.

* Lui ? Faut pas s'y fier, c'est un bras de fer dans un gant de velours…

*
* *

Question

Philosopher, est-ce seulement poser des questions ?

Est-ce essayer d'y répondre ?

Sans beaucoup d'espoir de réponses précises…

*
* *

Un coin de paradis

Si vous avez le sentiment de posséder la fibre artistique, vous représentez un dès rares privilégiés que la grâce de sentir a touché. La contemplation de l'œuvre d'Art transcende votre sensibilité, et vous ouvre les portes de l'émotion, celle de l'ineffable sentiment de percevoir les subtils et délicats messages, qui en émanent.

La récurrence de cet état magique traduit bien, chez vous, à chaque vision d'une œuvre de qualité, la réalité authentique du bonheur intimement ressenti. Vous mesurez alors, dans toute sa plénitude, la surnaturelle génialité de l'auteur.

*
* *

L'inconscient est-il structuré ?

Le conscient régit notre vie. Chaque action entreprise est réfléchie, mesurée, analysée, anticipée, coordonnée.

Le conscient est donc structuré. Mais l'inconscient l'est-il ?

L'analyse à laquelle je vais me livrer ne sera pas magistrale, car je ne suis pas psychanalyste.

Seule une réflexion personnelle et une impression générale constitueront mes limites. Je ne crois pas à la structure de l'inconscient. Il m'apparaît que l'être humain n'en a pas la maîtrise mais en subit seulement les effets.

Pour ma part, j'ai l'impression que l'inconscient est constitué de l'héritage des expériences des êtres vivants qui nous ont précédé, qui se sont accumulées et inscrites dans nos gènes.

Arthur Koestler divise le cerveau de l'homme en trois parties anatomiquement vérifiables : le reptilien, celui des mammifères et le néocortex. Le téléphone est très souvent en panne entre le reptilien et le néocortex. Le reptilien n'obéit pas aux ordres raisonnables du néocortex. C'est sans doute là une des sources de l'agressivité de l'homme, qu'il ne parvient pas, ou mal, à maîtriser. Comment, sinon, expliquer son comportement, je ne dirai pas bestial pour ne pas offenser les animaux qui ne tuent que pour se nourrir, mais inhumain ?

Dans mon esprit, ce n'est pas l'adjectif qui convient, car il signifie « le contraire d'humain ». Or, ce dernier adjectif a été inventé et attribué par l'homme à lui-même, comme s'il représentait l'étalon de la vertu sur terre.

Pardonnez moi, mais il m'arrive très souvent de considérer que mon chat et mon chien sont beaucoup plus « humains » que l'homme.

Cette connotation de justice et de bonté ne me paraît pas justifiée si elle est attribuée à l'homme, dans la mesure du constat des exactions sanguinaires perpétrées par lui sur toute la surface de cette terre. Mais peut être encore, pire que les crimes dont il est l'auteur, **est l'absence de conscience du geste qu'il accomplit, de sa gratuité, de la banalité qui s'institue et de l'indifférence pré et post existante.**

L'homme, hélas, dans certaines circonstances me paraît posséder un cerveau psychologiquement identique à celui du dinosaure, avec comme résultante le même état d'âme que ce dernier devait éprouver lorsqu'il dévorait sa proie.

Je ne pense pas être sévère. S'il n'y avait pas le gendarme beaucoup de personnes seraient assassinées chaque jour.

Alors, inconscient structuré ? Je crois que non. L'inconscient doit représenter dans nos gènes les expériences, les peurs vécues lorsque nous étions dinosaures et mammifères inférieurs puis « homo erectus ». Leur poids génétiquement assimilé et cumulé est pulsionnel et modulé sans que nous le ressentions dans notre conscient et notre comportement quotidien.

Dans le cadre de l'évolution des espèces, je reste persuadé que l'homme va se transformer.

Des millions d'années seront nécessaires pour que le néocortex assimile une morale faite de bonté et de vertu pour qu'il ne se fasse plus influencer par le cerveau reptilien.

Acceptons en l'augure…

Pour le constater prenons-nous rendez-vous maintenant ou plus tard ?

*
* *

Le mystificateur

Bien élevé, très British, courtois à souhait, dégustant avec délectation et amour la parole de l'autre, pratiquant avec aisance le baise main, l'œil brillant d'affectueuse sincérité, on l'adore ! Jamais ou rarement il ne parle de lui. Pourvu que ça ne lui coûte rien, volontiers il donne au moins deux choses : l'heure et son avis.

De la même manière qu'on mémorise le code bancaire de sa carte bleue, lorsqu'on a découvert, grâce à une particulièrement grande perspicacité, celui de son comportement, on découvre et on s'en amuse – si on peut dire – qu'il représente, davantage qu'un simple illusionniste, l'Oudino de la mystification. Janus incarné. **Tout, absolument tout est calculé, rien, absolument rien, n'est gratuit.** Les apparentes amabilités qui sont exprimées avec talent sont la patiente préparation à la captation de confiance d'une proie potentielle susceptible de servir ses intérêts, gros larcins ou petite monnaie, ou encore deux ou trois billets de dix ou vingt euros subtilisés grâce à une magouille minable à l'occasion de l'établissement de comptes entre amis. Il adore voler. C'est l'homme aux boutons de culotte ou à la pièce jaune de un cent déposés dans le plateau du denier du culte. Sordidement radin mais résolu et habile profiteur. Il est tellement malin, que le bon peuple et ses amis les plus proches ne se rendent compte de rien. Les femmes généralement plus fines que les gros nounours de mecs, l'ont senti. Dix balles ou nécessairement 20 000 euros pèsent pour lui beaucoup plus lourds qu'une amitié de trente ans.

Dans le canton et ailleurs, de nombreuses casseroles moralement pénales résultant de ses turpitudes et de ses mensonges par omission sont accrochées à ses basques. Intelligent, il a l'esprit de ne jamais s'attaquer à celles de ses relations qu'il considère appartenir à son milieu social. Irréprochable. Trop dangereux de susciter par des soupçons, le risque d'altérer une fausse amitié virginale. Ses proches prétendent qu'il n'a jamais aimé, ni d'amitié, ni d'amour, ni estimé personne. Est-ce par perversité pathologiquement innée, ou par aboutissement d'un processus psychologique, qu'il a atteint ce degré, devenu naturel, de duplicité ?

Dans le genre, c'est un personnage hors du commun : un grand artiste, un grand mystificateur. Même pas digne du mépris, mais de l'oubli.

*
* *

Gloup !... Glap !... Glop !...

Diiing !.. Dongg !..

Kicé ?
C'est petitebrioche qui vient te saluer...

Ah ! Bonjour Petitebrioche... Entre...

Smac ! Smac ! Smac !

Salut Brozeroine! Content de te voir...

Moi aussi Petitebrioche, content de te voir... Oh ! Me permets-tu, très estimable Petitebrioche, d'aimablement m'accorder l'honneur d'essuyer l'ineffablement bizarre larme que, poindre je vois, au bord de ton étincelant œil de miel, avant qu'elle ne tombasse et s'écrasasse sur ma godasse, ou ne souillasse et perçasse ma virginale moket ?

Schlass !... Voilà qui est fait !...

Tu prendras bien un Viski, Petitebrioche ?

Booooh ! Ben voui, padrefu Brozeroine...

Je t'approche la bouteille Petitebrioche, tu te sers kantuveu !..

Flouk, Flak, Flouk, Flak !
Glop, gloup, glap, glop !

.... Mais le con ! Il va la finir !..

Bon ! Cépaltou ! Je te laisse, Brozeroine...

Drink ! Drink ! Drink ! (tout le monde ilapa lamêm zônet...)

Cékiii ?

C'est Petitebrioche qui vient te saluer...

Ah ! Bonjour Petitebrioche !

Entre…

Smac ! Smac ! Smac !..

Salut Brozertouelve ! content de te voir…

Moi aussi Petitebrioche, content de te voir… Oh ! Me permets-tu, très estimable Petitebrioche, d'aimablement m'accorder l'honneur d'essuyer l'ineffablement bizarre larme que, poindre je vois, au bord de ton étincelant œil de miel, avant qu'elle ne tombasse et s'écrasasse sur ma godasse ou ne souillasse et perçasse ma virginale moket ?

Schlass !.. Voilà qui est fait !..

Tu prendras bien un Viski Petitebrioche ?..
Booooh ! Ben voui, padrefu Brozertouelve…

Je t'approche la bouteille Petitebrioche, tu te sers kantuveu !..

Flouk, Flak, Flouk, Flak !..
Glop, gloup, glap, glop !

………… Mais le con ! Il va la finir !..

Bon ! Cépaltou ! Je te laisse, Brozertouelve…

Drelin ! Drelin ! Drelin !.. (tout le monde ilapala menzonet…)

Voix de femme à travers la porte de la maison de Brozerfiftitri :
Kikecééé ??

C'est Petitebrioche qui vient saluer Brozerfiftitri…

LEPALA ! rugit la même voix

TAKAPAPREND'LAIMEKPOURDEKON répond-elle en grec, et puis ajoute-t-elle en Polonais : YAPUDWISKI !… YAK DU THE !..

*
* *

95

La vieille dame

C'était il y a treize ans. J'avais 64 ans. La très vieille dame trottinant qui passait devant la porte d'entrée de ma maison au moment où je sortais, s'arrêta et me dit : « Vous êtes Monsieur LE NY ?... » Oui, lui répondis-je. « Ah ! Me dit-elle, j'ai bien connu votre maman... Je vous ai même porté dans mes bras quand vous étiez petit..., j'avais 18 ans... », ajouta-t-elle. Emouvant, étonnant...

*

* *

Désagrégation

Au lycée Dupuy de Lôme, un professeur de français de 6ᵉ et 5ᵉ nous répétait souvent : « Allez contre nature, elle se vengera toujours ». Cela m'a marqué. Le long de ma vie, j'ai eu l'occasion souvent d'en vérifier le bien fondé.

La civilisation occidentale, celle des pays riches me paraît bien malade. Je crois bien qu'en cent ou deux cents ans, elle sera morte Les prémices de sa dégradation sont déjà perceptibles.

Permissivité sexuelle : la nature se venge toujours : SIDA.

Banalisation de l'homosexualité : je comprends, j'accepte cette différence, je ne la condamne pas. Mais à vouloir, chez certains, par des manifestations médiatisées, la hisser au niveau d'une norme prédominante, il y a un fossé que je ne franchirai jamais. Nous n'allons quand même pas accepter que naissent chez les autres, le complexe d'être hétéro !

La drogue : il faudrait lui déclarer une guerre mondiale, implacable, tous azimuts. Cela aussi constitue un signal.

Rejet de l'autorité : Il est interdit d'interdire. Bravo Mai 68. Ouvrez les portes, faites tomber les barrières, les « vraies » et les « morales ». Faites l'amour pas la guerre. Démission des parents. De l'ombre à la lumière... Utopie généralisée...

Rejet de la morale : l'esprit civique n'a jamais été aussi bas. La délinquance se porte bien et l'autorité celle de l'état aussi mal, en cette année 2000.

Déséquilibre accentué des richesses nord/sud et des pays riches/pays pauvres : migration accélérée et inéluctable des populations pauvres vers les pays d'abondance.

De surcroît notre planète se trouve confrontée pour la première fois de son existence aux problèmes multiples posés par la gestion de 6 et bientôt 15 milliards d'habitants. La faim. L'eau.

Chute de la spiritualité et des croyances : l'homme n'a plus de repère… L'homme reste seul face à ses angoisses… Les sectes.

11 septembre 2001 : les twins du World Trade Center

*

* *

Jean-Pierre Rudin

« Le jeudi soir, Dieu créa l'homme en se disant :

— Ce sera mon chef-d'œuvre.

Le vendredi dans la journée, il revit l'homme qu'il avait créé la veille, et il se dit :

— Ce n'est pas tout à fait ça. Et il créa la femme.

Le vendredi soir, Dieu se coucha et il dormit, le samedi, pendant toute la journée.

Le dimanche matin, Dieu s'éveilla en pleine forme et se dit joyeusement :

— Voyons un peu le travail de la semaine dernière !

Il vit le ciel, la terre… Bon. Il vit les plantes… Bien. Les animaux… Pas mal. Puis il vit l'homme, et fit la grimace !

Ensuite il vit la femme :

— Oh là là ! On voit bien que je l'ai faite à la fin de la semaine ! J'étais fatigué !

Alors, ce matin-là, en pleine aurore de ses forces, Dieu décida de faire, tout de bon, son chef-d'œuvre.

Et il créa le chat. »

Jean-Pierre RUDIN

Humour

* Le chat ? Dès qu'il me regarde il clignote des yeux.

* Si on donnait aussi peu de frites aux élèves, il y aurait une meute à la cantine ! C'est Français ce que j'ai parlé, non ? Alors là tu chipotes… on n'est pas à un « e » près…

* C'est bien, c'est bien mais ce n'est pas le panaché…

* Pour monter en haut de la montagne il y a sûrement un funéraire…

* Je suis allé en vacances en Italie du Sud… j'ai failli me perdre. On aurait dit : disparu dans le candélabre.

*
* *

Art

Il n'est d'Art que d'émotion, mais il n'est pas d'Emotion que dans l'Art…

*
* *

Le trou noir

Extraordinaire photo en couleur, de notre fantastique voie lactée, parue dans *Sciences et Vie* n° 1022 de novembre 2002.

Poétique description du rédacteur de l'article sur les trous noirs. Jugez en :

« Vue d'ici, la Voie lactée paraît si paisible… Longue bande laiteuse constellée d'étoiles, on dirait une rivière de lumière s'écoulant sans fin dans la nuit de l'espace, calme et éternelle ».

L'effet de la gravitation serait-il, le seul, l'unique secret de l'Univers ?

Dépassé notre raisonnement humain, construit en trois dimensions...

Dépassées notre pauvre notion et outrecuidante certitude du caractère absolu, du déroulement linéaire du Temps...

Dépassés les instruments scientifiques mis à disposition de certains élus du savoir et de l'intelligence, pour, sans espoir, tenter de « comprendre » l'incompréhensible.

Non seulement la gravitation elle-même, mais surtout ses effets, déjà perceptibles, de sa puissance exponentielle, constitueraient-ils la base du Grand Secret ?

Les indices constitués par ce que nous supposons savoir des effets de la mécanique engendrée par les trous noirs, en représentent-ils une faible partie ?

Oui, je suis philosophiquement fasciné par tout ce qui touche au Cosmos, à l'Espace, au Temps et à la Matière...

Serions-nous insérés dans un Immense Cycle temporel, sans relation aucune avec la mesure de notre temps humain ?

Au terme de ce Temps cosmologique, de ce cycle universel, les « petits » trous noirs seraient-ils, eux-mêmes, absorbés, digérés par le Méga Trou Noir, dégageant, in fine, une inimaginable puissance d'attraction gravitationnelle ?

Le secret de l'avant Bing Bang se trouverait-il dans cette thèse d'imagination que j'ose développer ?

Le secret serait-il contenu dans l'explosion de cet ultime, dernier, et colossal trou noir, intervenue au terme d'un cycle temporel achevé, constituant le début d'un autre, éternellement renouvelé ?

Les raisonnements philosophiques, y compris ceux de l'intuition, auront-ils désormais une place, avec la Science, dans l'exploration du Grand Mystère ?

*
* *

Les radins

On entre en radinisme comme en religion. La vocation se révèle par petites touches qui deviennent parfois insupportables à l'entourage.

Quand la ladrerie explose, c'est tout azimut, elle indispose tout le monde.

Volontiers, on pardonne à ceux qui demeurent radins sans profiter des autres...

*
* *

Certitude

En toutes choses, on ne progresse que dans l'épreuve.

*
* *

Lu, il y a longtemps...

« J'aime les gens de mon pays, car ils ne sont pas assez savants pour raisonner de travers... ».

*
* *

L'inerte et le mouvant

Le rocher sur lequel je suis assis, la mer que je contemple, l'air que je respire, le lichen que je caresse du bout du doigt, l'enfant qui joue sur le sable avec son chien...

Tout ce que je viens de décrire est composé d'atomes, des mêmes atomes organisés différemment.

La matière pour les uns est invisible (l'air) pour les autres visibles, apparemment inerte ou incontestablement mouvante.

Certains sont vivants et conscients d'être. D'autres non.

Qui, quoi, fait cette différence ?

Nous qui, aujourd'hui, sommes vivants et conscients, deviendrons demain poussière du chemin.

Nous deviendrons sable de la plage ou rocher sur lequel un autre va s'asseoir.

Cette roche serait-elle déjà un peu notre sœur ?

Humour

* Quand j'étais jeune, j'aimais bien flirter avec les garçons, mais pas question de toucher à la pomme d'Adam (croquer la pomme).

* Sa femme, elle, c'est une romantique. Lui, il est plutôt pied à terre.

* Une vieille dame sur une plage Lorientaise : Tiens ! un sous marin qui rentre… Est-ce qu'il nous voit avec son stéthoscope ?

* Eh bien ! il m'a doublé à toute vitesse et il m'a fait une tête de poisson.

* Moi j'adore les pâtes ! Les spaghettis, les raviolis, les calédonies…

*
* *

Voltaire

Singulière providence qui ne s'est pas souciée de donner le bien-être en même temps que l'être.

*
* *

Le livre aux pages blanches

Parmi ceux que je possède, il en existe un, semblable extérieurement aux autres volumes de la série, dont toutes les pages sont blanches.

Contrairement à ce que vous croyez il n'est pas destiné à ceux qui ne savent pas lire mais à annoter toutes les pensées qui vous traversent l'esprit.

Ainsi, une de mes réflexions, datée du 21 mai 1987, concerne l'impression que m'a laissée à cette époque, l'état d'esprit de bon nombre d'artistes peintres. Je croyais cette catégorie sociale empreinte – en théorie – d'amour de l'Art très au-dessus des contingences, souvent mesquines, de l'être humain. Je vous livre, en même temps que ma naïveté, ma déception.

Peu de peintres parmi les amateurs ou les professionnels, ne possèdent l'humilité, la sensibilité, l'honnêteté intellectuelle, la générosité de cœur, la lucidité ou, peut-on dire, le courage, ne serait-ce que de temps en temps, qui leur permettent, avec joie et enthousiasme, d'exprimer tout le plaisir sincère qu'ils peuvent éprouver à l'examen, dans sa globalité ou dans certains de ses aspects, de la peinture des autres.

Beaucoup, presque tous devrais-je dire, parmi ceux dont c'est la profession d'enseigner l'Art, ou qui ont acquis une petite notoriété microcosmique petitement localisée, opposent un silence volontairement insultant à l'examen de l'œuvre d'un autre, quelle qu'en soit la qualité et dans la mesure – autre insulte – où ils condescendent à lui jeter un regard.

Il en va ainsi, de la même manière, pour bon nombre de ces gens dont l'absence de gentillesse et de générosité est inversement proportionnelle à leur intelligence de cœur, et pour ceux qui apprécient d'émettre des pets : **ils n'aiment véritablement que leurs odeurs.**

*
* *

Calcul

Si je m'avise de calculer d'une manière arithmétiquement exponentielle le nombre de mes ancêtres, et seulement de cette manière, j'aboutis très vite à un chiffre rapidement infini, absurdement infini.

Si « je » mais « je » n'est pas seul sur terre. Il y a des milliards de « je » qui peuvent entreprendre le même calcul.

Il y a sûrement un truc… Et chacun de nous ne peut prétendre posséder dans sa lignée génétique des milliards d'ancêtres le concernant lui et lui seul.

Le chiffre atteint prouve l'absurdité de ce calcul exponentiel. Alors ? Des milliards d'ancêtres multipliés par les milliards d'individus actuellement vivants sur notre terre, ce sont des milliards de fois plus que notre planète ait jamais supportés. De quoi, comme dans les Shadocks, la faire tomber tout droit en bas, sauf si, à cause du poids, l'autre hémisphère aussi peuplé, l'entraîne vers son bas à lui et équilibre le tout. Si on écarte de notre raisonnement ces élucubrations parfaitement stupides, nous sommes bien obligés d'admettre que tous les gènes du monde se sont mélangés depuis longtemps.

La couleur de peau ? J'ouvre les paris : prenez une famille de blonds-blonds, déplacez les là où le soleil à midi est vertical, faîtes les se reproduire 100 ou 1 000 fois en les maintenant au même endroit. Il n'y aura plus de blonds-blonds mais que des noirs-noirs. Maintenant inversez : pendant des millénaires, faîtes habiter à Oslo des noirs-noirs. Le blond-blond, sous les tropiques, va sécréter de la mélanine pour se protéger la peau, et le noir-noir d'Oslo va en perdre pour devenir un beau blond-blond.

Et le nez épaté des noirs-noirs ne direz-vous ? Des générations à humer avec délices les fragrances Africaines... Chacun sait que la fonction crée l'organe.

*
*   *

La Galère

Les séquelles du traumatisme moral consécutives au drame que j'ai affronté pendant 29 ans, sont à peine atténuées.

Ses natures différentes et les nombreux aspects, qui interféraient et se nourrissaient les uns les autres pour composer l'horreur de ces moments, m'ont, par le caractère rétrospectivement douloureux des souvenirs, rendu difficile et pénible la rédaction de ce chapitre.

Une alternative s'est présentée à mon esprit : décider de ne **rien** dire ou de **tout** raconter. J'ai choisi le deuxième terme. D'abord, je ne suis pas un être secret : je ne crains pas, au propre et au figuré, de me laisser « lire », car j'ai conscience que le « Mal » ne m'habite pas. Ensuite, persuadé que ce que certains expliquent par ma relative naïveté, ne pouvait être la cause de l'absence de prévision aux brutales et inattendues turpitudes de ces gens, je ne me suis jamais senti, ni moralement, ni intellectuellement responsable de ce qui m'est arrivé.

Ah oui !... SI je n'avais pas commis UNE erreur !...

Bien sûr, quelques uns, les congénitalement sceptiques, les pathologiquement méfiants, les pisse-vinaigre, les gros malins qui ne font jamais d'erreur et pensent posséder la science infuse, et ceux qui éprouvent toujours le besoin de se démarquer de l'avis des autres ou de distiller leurs traits d'esprit approximatifs, trouveront, en me lisant, matière à critiquer, à persifler... Que faire ?... Que dire ?... Les chiens aboient...

Alors, conservant toute ma pudeur, j'ai abandonné très naturellement tout « orgueil » de cacher certains aspects désagréables, conscient d'avoir, en toutes circonstances, agi loyalement dans l'Honneur et la Dignité.

Avertissement aux lecteurs

Afin d'aider la compréhension de ce texte, m'est apparue la nécessité d'expliquer les bases et les articulations générales de ce métier, difficile et à hauts risques financiers, de promoteur en constructions.

Quelques passages, assez « techniques » ne sont pas très drôles à lire.

Sauf exception, je ne produirai aucun chiffre.

Ma naïve sincérité vous décrira les sentiments et les états d'âme de l'honnête homme que je prétends être, ouvrira mon cœur et mes pensées, ne cachera pas mes erreurs et mes faiblesses, avec pudeur fera sentir combien fut rude et traumatisant cet évènement. Non plus, je ne passerai pas sous silence le fait accessoire que ces gens m'ont, à un certain moment, ruiné, non plus que sincèrement je trouve cela négligeable et sans importance. Je dirai aussi ce que furent mon combat, ma lutte, mes espoirs pour opérer mon redressement ; ma légitime fierté aussi d'avoir réussi à triompher au terme de vingt-neuf années, émaillées de moments d'angoisses intenses.

Dès lors que Dieu, afin de préparer et réussir dans les meilleures conditions, votre entrée dans le monde des humains, a choisi de confier votre corps et votre âme à un père et à une mère équilibrés et empreints de tranquille bonté, il apparaît évident que les dispositions du caractère reçu, ne peuvent beaucoup différer de celles des parents.

Dès lors que Dieu, par sa volonté et par leur entremise s'est efforcé d'occulter, à votre regard et dans votre pensée, le Mal, forcément, demain, plus tard, un jour, vous risquez d'être, vous serez – c'est un euphémisme – grandement déçu. Ce fut mon cas.

C'est ainsi, qu'après avoir connu les affres de la guerre, j'ai subi, aussitôt après, et cela pendant huit ans (le temps passe si vite…) l'horreur d'être « fonctionnaire », réussissant, toutefois, à éviter la sclérose nerveuse, mentale et psychologique, voire l'étouffement. Cédant à ma dynamique vitalité, à mes pulsions de créativité, de fil en aiguille, sans presque m'en rendre compte, je me suis surpris revêtu des habits de promoteur en construction.

Se limiter à construire dix logements chaque année n'est déjà pas une mince affaire. En réaliser bon an mal an, cent cinquante ou trois cent cinquante, implique la mise en place d'une logistique performante : secrétariat, service de comptabilité, cadres spécialisés aux plans administratif, juridique, fiscal, comptable, financier, technique, architectural, commercial. **S'interdire l'erreur**, sentir, flairer, étudier, décider du choix de la solution, des types d'appartements, de leurs surfaces, de leurs distributions, de leurs équipements, de l'esthétique de l'immeuble, de leurs meilleurs prix de vente, sont les attributs, les responsabilités dévolues au chef d'orchestre, et à lui seul : le promoteur.

Métier exaltant, mais à hauts risques. Passionnément, j'ai aimé posséder ce pouvoir de créer et de faire aboutir un projet. Mais possédais-je réellement toutes les qualités humaines, l'intelligence et les compétences indispensables au bon fonctionnement de cette mécanique ? Etais-je sûr d'avoir la capacité de pérenniser ce que j'avais entrepris ? Malgré l'absence, au départ, de fortune personnelle, sans posséder ce matelas financier de sécurité, sans liens bancaires participatifs, sans associés capitalistes, **seul**, mais suscitant la confiance de plusieurs groupes financiers nationaux, près de cent fois j'ai conduit le navire à bon port.

S'il vous plaît, ne m'infligez pas le désagréable sentiment de percevoir dans votre pensée, le soupçon de l'existence chez moi d'un stupide comportement narcissique qui aurait pu naître pendant ces quinze années bénéficiaires. Au contraire, dès le début de cette période une prise de conscience lucide et objective m'a pénétré l'esprit et provoqué une réflexion, mêlée d'inquiétude. Nourrissant le sincère espoir de posséder le niveau intellectuel suffisant et les capacités de gestion, m'autorisant la résolution des multiples problèmes qui se présentaient chaque jour, je demeurais circonspect, prudent et attentif.

J'ai méconnu la règle de base, impérative, que me rappelait encore il n'y a pas si longtemps, l'épouse, lucide et pragmatique, d'un ami industriel, qui impose que, pour réussir dans une entreprise de niveau assez élevé, il est obligatoire d'être un TUEUR. Or, je n'ai jamais été, ne suis pas, et ne serai jamais, Dieu m'en préserve, un tueur.

J'étais conscient que le Malin ne m'habitait pas et que personne ne m'avait appris à discerner le Mal. Pour autant n'allez pas imaginer que j'étais béat de naïveté. Mon Moi profond, cet état affectif contre lequel il m'était difficile de lutter, était si fort qu'il m'empêchait même de faire une remarque à un employé qui se présentait régulièrement en retard à son travail. Timidité ? Oui sans doute, mais surtout espoir que sa propre intelligence, aurait dû, à un certain moment, être suffisante pour normaliser son comportement. Selon le principe de Peter dont j'appréciais la théorie, je me posais, avec crainte et lucidité, la question de savoir si, à cause de ma surdose de sensibilité – je n'ai pas dit sensiblerie – j'étais proche ou je n'avais pas déjà atteint mon niveau d'incompétence.

N'étais-je suffisamment attentif à la conservation des acquis financiers ? N'étais-je pas trop désintéressé ? Ce manquement ne comportait-il pas en germe des graines de dangerosité ? L'argent représentait et représente toujours, à un certain degré dans mon esprit, une notion, sinon abstraite, du moins, peu essentielle à la recherche d'une bonne qualité de vie. Surtout, je refuse de mortels combats pour en posséder beaucoup, ou encore davantage. Je n'étais pas à ce point désintéressé que je ne sache point compter et établir avec compétence et rigueur les nombreux bilans financiers et prévisions budgétaires des programmes engagés. Mais laconiquement parlant, le problème majeur se trouvait dans le fait que je n'aimais pas suffisamment compter « mes sous ».

– Simple d'esprit, je suis un simple d'esprit. Pas malin pour un rond. Sur le coup, les situations bidouillées m'embrouillent. N'étais-je pas assez méfiant ?
– Honnête. Viscéralement, totalement, lucidement, définitivement, mais heureux de l'être. Trop, m'a-t-on souvent reproché.
– Moralement généreux. Trop con pour tout dire.

Pour nous résumer, ma faiblesse affective constituait à mes yeux, un handicap sérieux. J'en avais tout à fait conscience. Mais que suis-je allé me fourvoyer dans cette passionnante galère ? Me désengager ? Trop tard. **Promotion piège à cons**. Cercle vicieux.

Structure salariale **obligatoirement importante**. Honoraires et plus-values en proportion mais aléatoires. Faire du fric pour faire face. Une seule solution : la fuite en avant. Investir dans d'autres programmes. Décélérer ? Trois ou quatre ans sont nécessaires, en conservant le personnel. Piège à cons vous dis-je : investir, contraint d'investir. 80 heures de travail par semaine. Travail intensif, comme les soins pour ne pas périr. Garantie décennale : piégé pour dix ans, mais peu d'inquiétude, les immeubles construits étant de bonne qualité.

C'est ainsi que pendant **ces deux décennies**, dans une zone située de Quimper à Nantes via Rosporden, Concarneau, Pontivy, Locminé, Ploemeur, Larmor-Plage, Lorient, Vannes et Quiberon, **j'ai entrepris et réalisé la construction et mené à bonne fin une cinquantaine de programmes représentant environ 5 000 logements**, tant en immeubles collectifs qu'en maisons individuelles, sans compter celles, au nombre de 500, réalisées en secteur diffus, soit au total, 5 500 habitations.

Je pense posséder le droit légitime d'être fier de cette œuvre globale. De la même manière que je me trouve souvent honoré par la cordialité du regard, des propos et des salutations d'anciens acquéreurs qui m'ont fait confiance, qu'il m'arrive régulièrement de croiser dans la rue. J'aimais cette passionnante profession d'essence créative durant laquelle j'ai toujours fait de mon mieux.

J'ai été qualifié par certains de monstre de réussite. Cette éclatante et trop rapide situation a suscité à mon égard et à celui de mon épouse Claude, ce pêché capital : L'ENVIE. Silencieusement contenue, mais féroce. D'abord, dans le cercle de nos relations « amicales » mais stériles et dépourvues de capacité réelle de nuisance sinon aux plans affectifs ou relationnels. Ensuite et surtout chez les professionnels du Bâtiment, auxquels j'ai procuré par mes initiatives – j'en ai fait le calcul – près de vingt cinq millions d'heures de travail et des centaines d'emplois, concernant toutes les branches d'activités directes ou induites. Ces entrepreneurs acteurs directs et quotidiens de mes activités, étaient parfois même minoritairement associés aux sociétés de construction qui en constituaient les bases juridiques.

Généralement, en considération du prix de revient global de l'immeuble à construire, dans lequel figurait pour la plus grande part le montant des travaux, et dans la mesure où j'estimais qu'ils ne présentaient pas un obstacle à caractère rédhibitoire aux perspectives de réussite de la commercialisation, j'acceptais leurs propositions de prix unitaires.

Tout allait, et tout a été pour le mieux pendant une quinzaine d'années. Nos rapports étaient confiants et amicaux.

Une entreprise en bonne santé

Un professionnel seulement assisté d'une secrétaire employée à mi-temps, peut concevoir et réaliser **tous les trois ou quatre ans**, un immeuble collectif de 10 ou 15 appartements.

A un degré supérieur d'activité, soit 100 ou 350 logements **par an**, leur réalisation nécessitent la collaboration d'un personnel nombreux, spécialisé et compétent.

Le chef **d'une entreprise privée et indépendante** qui décide d'atteindre ce niveau de production, met le doigt dans l'engrenage de frais de fonctionnement élevés et incompressibles, auxquels il est impossible, à court terme, de se soustraire, à cause du contexte particulier de cette profession, constitué d'engagements légaux, financiers, multiples et de longue durée.

Seuls les organismes de promotion immobilière créés et contrôlés par les banques, disposent, évidemment, des capitaux nécessaires pour amener, sans difficulté, l'ouvrage entrepris à sa bonne fin.

Lorsque j'ai débuté dans cette profession à risques, je ne bénéficiais d'aucune fortune personnelle.

Ce n'est que quelques années plus tard, après la réussite des premiers programmes, que ma société et moi-même avons pu nous constituer une trésorerie, certes insuffisante dans sa globalité, mais capable d'amorcer le financement des opérations immobilières.

La politique qu'il m'apparaissait judicieux de suivre était d'autofinancer au maximum les programmes par une bonne commercialisation. Mais pour atteindre cet objectif, je devais rechercher et asseoir ma notoriété, conforter la confiance de tous les acteurs : banquiers, administrations, acquéreurs potentiels, entreprises, architectes, notaires, etc...

Les appartements livrés devaient répondre à des critères de qualités irréprochables : matériaux, fonctionnalité, esthétisme, prix, suivi après livraison. Tel fut le cas pour 5 500 d'entre eux.

Solliciter un crédit bancaire à hauteur de 80% du prix de revient de la construction et du terrain, ne pouvait être accepté que si le promoteur apportait sa part d'effort financier à l'opération envisagée.

Je possédais la confiance des 3 ou 4 banques locales, qui m'accordaient sans formalités particulières, de larges découverts sur mes comptes personnels. Cette disposition m'aidait à compléter ma trésorerie professionnelle, et ainsi à couvrir, ce qu'on appelait le « tour de table » exigé par les organismes financiers.

Cette masse de capitaux était donc, **logiquement et sainement investie** en permanence pour apporter, sans cesse, la masse d'oxygène nécessaire à la vie de l'entreprise.

Les mises de départ, les honoraires et plus values, et le solde de frais financiers non absorbés, se recouvraient au fur et à mesure du déroulement du chantier et de la commercialisation.

En cette année 1969, les prêts en cours dont j'étais – personne physique ou morale – le garant responsable, représentait une masse de 10 000 000 d'euros inscrits en **actifs sains et intacts** dans la comptabilité des sociétés de construction.

Dans 350 m² de bureaux, 42 personnes dont plusieurs cadres, chefs des différents services, y déployaient leurs multiples activités :

• agence : transactions immobilières, locations, gestion d'immeubles, syndic de copropriété. Ces activités assumaient leurs dépenses et vivaient de leurs recettes.

• promotion de collectifs et de groupement d'habitations : maîtrise par moi-même de tous les choix et décisions y compris techniques et esthétiques architecturales avec les cabinets d'architectes. Cette activité assumait ses dépenses et vivait de ses recettes constituées d'honoraires de montage, de réalisation, et des plus-values.

• promotion de petits immeubles collectifs et maisons individuelles : maîtrise par moi-même de tous les choix et décisions notamment de l'esthétique architecturale avec le concours de notre cabinet d'architecture intégré. Gestion et administration séparée de la précédente, pour les maisons individuelles.

Retenez bien que, en cette année 1969, 300 logements en 5 programmes étaient en chantier, certains à un an de leur achèvement.

Les prêts accordés par les banques s'amortissaient suivant le plan souscrit, par la seule réponse des 300 acquéreurs à nos appels de fonds. Ces engagements, couverts à 100%, permettaient d'honorer normalement les mémoires de travaux présentés par les entrepreneurs.

Tout allait donc pour le mieux, en ce 2ᵉ semestre 1969.

Rien ne laissait prévoir le drame secret qui se tramait dans les coulisses, initié par la collusion des entreprises dont, jusque là, aucune raison ne m'était apparue de douter de leur loyauté.

Permettez moi, avec une certaine insistance de vous inviter à lire ces quelques lignes d'explication que je sais austères, mais qui me paraissent essentielles à la bonne compréhension de l'ensemble.

Un délai de 6 ans est nécessaire pour mener à bonne fin, **chacune** des opérations de promotion, qu'elle soit constituée de 10 ou 200 appartements.

Montage du dossier

- Mille études et analyses à réaliser : valeur de la situation géographique, nature et qualité du terrain.
- Choix et réalisations administratifs, juridiques, fiscaux, notariaux, techniques, conceptuels, esthétiques, financiers, commerciaux, etc…
- Mise en place de toutes les autorisations jusqu'à mise à disposition des actes, pièces et documents, et obtention du permis de construire.
- En un mot, faire fonctionner une équipe dans le but de rendre « **opérationnel** » un projet.

Durée : 3 ans.

Réalisation du dossier

- commercialisation, plan publicitaire
- ouverture du chantier
- gestion financière, comptable, juridique, fiscale, technique, des entreprises, des acquéreurs
- réunions de chantier
- livraison technique, juridique et financière
- assurance maître d'ouvrage

Durée : 2 ans

Suivi du dossier et garanties décennales

- mise au point et clôture technique, juridique, financière, entreprises, acquéreurs et banques, mainlevées.

Durée : 1 an

Durée totale : 6 ans

Pendant cette période, mille choix éclairés, mille décisions judicieuses doivent être effectués afin qu'à terme, le programme réussisse.

Veuillez également prendre conscience que cet important volume de travail ne vaut que pour un seul projet. **Pour huit, vous devez démultiplier vos efforts.**

1er semestre 1966

Une entreprise en expansion

Au constat de l'essor qu'avait pris mon entreprise, et pour répondre au niveau, désormais important, de mes dépenses de gestion, je devais **impérativement investir**. Investir oui, mais pas dans n'importe quoi, pas n'importe comment et pas n'importe où. Investir pour gagner encore plus d'argent n'entrait pas dans mes options philosophiques. Mais, tout à fait conscient de la progression de mes dépenses, il devenait **impératif de les couvrir, de consolider ma gestion** et prendre toutes les dispositions nécessaires. Ainsi :

• m'assurer pleinement des conseils de mon expert comptable, peu efficace jusque là, ou en changer.

• poursuivre les réunions hebdomadaires avec mes cadres au cours desquelles tous les problèmes seraient abordés et analysés.

• commander un audit pour m'assurer de la bonne marche de mon entreprise.

• m'adjoindre les services d'un chef-comptable.

Le peu de passion pour les chiffres, la comptabilité et l'argent, constituait, j'en avais conscience, mon point faible. De la même manière, je n'ignorais pas la relative dangerosité de cet état d'esprit et cherchais à y remédier, en consolidant et contrôlant ma gestion.

Mais je revendique l'équilibre et l'exactitude des bilans financiers que j'ai établis à l'occasion de la centaine de programmes réalisés, aussi le plaisir que j'ai éprouvé et la maîtrise dont j'ai fait preuve, à les établir.

D'ailleurs, **pendant une vingtaine d'années, je n'ai subi aucun échec**, de quelque ordre que ce soit dans mes entreprises.

Ainsi, j'avais conscience d'avoir atteint **l'équilibre** entre les dépenses minima mais importantes et le **niveau d'activité** correspondant.

Obligation vitale d'investir (580 logements en 8 programmes).

Désormais, **ma politique n'était pas de poursuivre une expansion infinie**, mais de me maintenir au palier atteint.

C'est ainsi que dès le 1er semestre 1966, par courtes étapes, j'engageais mes trésoreries disponibles, complétant des prêts bancaires, dans l'acquisition de huit terrains permettant, au total, la construction de 580 logements.

La situation géographique de premier choix – à proximité du centre-ville de Lorient et de Vannes et aux abords du Golf du Morbihan – leur conférait les meilleures chances de réussite commerciale.

Par cet investissement majeur, la sécurité et la pérennité de mon entreprise **étaient assurées**. Mais ma trésorerie immédiatement disponible, sauf diverses recettes en cours qui couvraient mes dépenses, était à sec.

Il est vrai que je possédais désormais un actif intact et important dans ces huit nouvelles sociétés, et l'espoir, que dis-je, la certitude d'en commencer le recouvrement dans des délais assez courts.

Une entreprise en réussite

En effet, ce 1er septembre 1969 avait déjà vu un début de commercialisation et d'ouvertures de chantier.

L'avenir était on ne peut plus souriant.

Outre le recouvrement, dans quelques mois, des sommes investies figurant dans les actifs « terrains » et dans les apports lors des ouvertures des crédits, ma société allait percevoir les huit premiers honoraires de gestion inscrits aux bilans financiers des programmes.

Oui, l'avenir s'annonçait radieux.

Trois ans plus tard, après clôture juridique et financière de ces réalisations, interviendrait la perception des plus-values, la réussite des ces investissements de grande qualité, étant assurée.

Ma trésorerie de fonctionnement allait se réalimenter. Celle des investissements serait d'autant plus à l'aise, que ces derniers s'orientaient vers la stabilité et non vers une expansion infinie et déraisonnable.

Les deux erreurs

La **première** fut, dans la forme et dans le fond, une négligence comptable.

Pendant ces douze premières années de mon activité, soit jusqu'en 1966, 36 sociétés civiles immobilières créées à mon initiative, dans lesquelles je figurais en qualité de gérant majoritaire, avaient réalisé et amené à bonne fin de livraisons technique, juridique et financière, environ 4 000 logements d'excellente qualité.

A l'époque, l'activité dans le bâtiment était soutenue, et un programme achevé était vite remplacé par un autre.

Adolescence...

J'ai dans mon cœur
Une momie,
Un très vieux
Chagrin d'amour...

Je l'ai nourri
De
Souvenirs
Et de miettes de
Rêves...

Il est content.

Je l'aime.
J'y tiens.

Kik's cat

Volupté enveloppée,
Bandeau noir de pirate,
Kik's blanc minou
Sur son radiateur
Favori
Repose...
Léthargiquement
Bien.

L'iris tamisé
Observe...
Interrogatif...
Prudent...

Et mon verbe
Soyeux,
Vole
Cherche
Transmet
Attend...

Intrigué
L'œil s'arrondit ;
D'interrogatif
Se transforme,
Devient
Doux, puis
Tendre,
Cligne lentement
Deux fois.

Télépathiquement reçu
Cinq sur cinq.
Réponse
Deux fois :
T'aime moi aussi
Homme...

Volupté
Sur son radiateur
Favori
Repose
Léthargiquement
Bien.

Non et non

Ah bon !.. c'est décidé ?..
Je comprends... Il faut partir...
J'accepte, mais c'est décidé, ne veux
Surtout pas quitter
La vie...

Mon Dieu... On est bien ici...
Quelle idée !..
D'abord, j'aime Mozart et le ciel et la terre,
Et la mer qui bouge...
Et les Miens, et mes frères et mes sœurs,
Et les mille couleurs, et les chats
Qui ronronnent,
Et le pain qui sent bon
Qui croustille,
Et la robe du vin...
Les odeurs et les sons

Mais
Quelle idée vous prend ?

C'est décidé.
N'insistez pas
Mon vieux,
N'insistez pas...

Permets...

Permets une question,
Mammifère supérieur.
Supérieur ?
Admettons...

Une question, une seule :
Libéreras-tu jamais
Ton cœur,
Ton cœur ?
Admettons...

Une question, une seule
Mammifère :
Délivreras-tu
Jamais
Ton cœur, des
Monstres qui
L'habitent ?

Tendres et
Délicates courbes
De l'adolescence...

Emouvant
Sein de
Vierge,
Symbole de
Pérennité des
Mondes...

Minéralité

Minéralité
Puissante...

Schistes
Mauves
Et
Blancs
Calcaires.

Silences
Cosmiques...

Figement
Temporel

Cévennes
Eternelles...

Dodelinante est
La vie
Sans toi...

Entends !...
Mon cœur balbutie
L'émoi
D'un amour grand
Tout neuf...

Plus que soleil,
Tu es
Miel doré,
Et à jamais
Lumière...

Plaise à toi...
Ne tarde pas...

En 2002, concours de poésies d'amour
d'Ouest-France.
Le règlement imposait 15 vers maximum
et l'intégration de 5 mots : Amour, Soleil,
Lumière, Cœur et Grand.

Noir

Quel visage, Désespoir,
Noir désespoir
Mouillé,
Nourri
De soupe
Fangeuse
Quelle visage as-tu pris ?...

Bas fonds
Moisis
De blêmes
Réminiscences,

Et plates images
Noires et blanches
D'un dérisoire
Kaléidoscope...

Tragique visage sans ombre...

Et les bulles
D'espérance
Qui crèvent
Une à une...

Qu'es-tu
Noir désespoir,
Noir désespoir
Mouillé
Pour tant faire
Mal ?...

Quand bien même
Tu ne m'aimes
Ou ne sais bien toi même
Si tu ne m'aimes
Encore...

Quand bien même...
Ou ne sais bien moi même
Si je t'aime
Toujours

Quand bien même...

Il suffit.

Le p'tit mec

J'suis un p'tit mec
Et un paumé
Mon pote ami
Au fil du rêve...

J'suis un p'tit mec
Vous n'voyez pas
Messieurs, mesdames
Regardez-moi...

J'suis un p'tit mec
Qui coule d'angoisse
Jamais d'ennui
Qui fond d'amour...

J'suis un paumé
Qui rit le jour
Qui pleure la nuit
Qui cache ses larmes
Qui gagne son pain...

J'suis un p'tit mec
Et un paumé
Mon pauvre ami

J'suis un p'tit mec
Qui flotte
Seul
Au fil de vie.

Cœur métallique

Monstre !...

Monstre de l'Erèbe
Tu as peur,
Peur de la
Vérité...

Terrifiante...

Tu es chimère
Mauvaise et spasme de
Malheur

Tu incarnes le

Mal

Mais tu as peur.
Peur de la vérité,

Terrifiante

Qui coule entre
Tes doigts de
Pierre...

Ta cervelle est liquide
Et ton cœur momifié...

Aigres vomissures
Des turpitudes glacées...

Tu tueras encore,
Tu tueras un jour
De tes doigts de
Pierre

Le fœtus d'acier,

Terré dans ton ventre...

O vide vertigineux
D'une inconscience tordue...

Tu as peur
Chimère mauvaise
Peur de ton subconscient,
Rouge de sang
Vieilli.

Je do, je ré, je mi, je fa, je sol, je si, je do, je vois,
J'imagine, je regarde, je ciel, je mer, je couleur,
J'apprécie, je campagne, je lune, je soleil, je étoile,
Je m'étonne, je lis, je critique, je pense, j'écris,
Je joue, je cuisine, je vaque, j'épluche, je poubelle,
J'écoute, je rêve, je délice, je respire, je conscience,
J'observe, je compare, je comparse, je convivialise,
Je sieste, je marche, je délecte, je goûte, je télé,
Je course, je râle, je ris, j'hume, je pleure, je dors,
J'émotionne, je dubitative, je peste, j'analyse,
Je mal, j'organise, je synthétise, je peins, j'huile,
J'aquarelle, je poétise, j'histoire de l'artise,
Je prise de conscience, j'admire, je vaisselle,
Je mange, je range, je pain qui croustille,
Je philosophe, je silence, je questionne, je réponse,
Je cosmos, j'indigo, je bleu, je vert, je jaune,
J'orangé, je rouge, j'irise, je serein, je bien, je bonheur,
Je content, je cherche, j'heureux, je paie, j'aime...

M'ennuie jamais moi...

Mai

Ciels bleuâtres des orages
Indécis...

Symphonie des silences...

Verts tendres des feuillus
Etonnés d'être,
Déjà...

Etonnés des lumières
Des ors jaillissants
Des genêts,
Des ajoncs,
Ordonnés
En bouquets...

Et rayons rougeoyants
Qui câlinent...

Chant
Que seul
L'initié
Entend...

Le miracle

Recroquevillée dans son cocon d'hiver,
Terne et anonyme et silencieuse
Encore,
Comme un brouillard diffus,
Comme la roche grise
De Groix
Dans la pluie,
Elle attend
Le printemps...
Ou le printemps
L'attend.
C'est selon
Le miracle du soleil
Au printemps.

Ni les entrepreneurs, ni moi-même n'avaient le loisir de s'attarder à ce qu'on croyait être des détails, en l'occurrence, ceux d'arrêter, dans la forme, les 360 comptes d'entreprises qui dormaient aux archives comptables.

Pendant ces années, tacitement, aucune d'entre elles, dont tous les mémoires de travaux étaient honorés à hauteur de 98 ou 100%, n'avait revendiqué le moindre règlement d'un solde quelconque restant dû. D'ailleurs, si telle avait été notre volonté commune d'arrêter la comptabilité dans les formes, en tenant compte, stricto sensu, des travaux réellement exécutés et des conventions contractuelles, le solde qui serait apparu – les entreprises le savaient bien – leur aurait été défavorable. C'est bien pour cette raison, qu'à l'époque, ils sont restés silencieux !

Comprenez bien :

Dans toutes les constructions réalisées, les mémoires des travaux exécutés **sont rarement identiques** aux devis descriptifs et quantitatifs d'origine.

Apparaissent toujours, lors de l'exécution des travaux, des modifications **en moins** que les entreprises « oublient » **toujours** de signaler et que l'architecte doit déceler. C'est la règle, non écrite, dans le bâtiment.

Apparaissent toujours, lors de l'exécution des travaux des modifications en plus, que les entreprises « n'oublient » jamais de réclamer.

Jamais ou rarement un ouvrage n'est livré dans le strict délai contractuellement prévu. Le dépassement, s'il n'est que de quelques semaines fait tacitement l'objet d'un consensus amiable dans l'absence d'application de pénalités de retard.

Alors, permettez-moi sincèrement d'affirmer que, si à l'époque nous avions contradictoirement procédé à l'arrêté de chaque compte avec la rigueur des engagements contractuels, le solde aurait été inversé à mon profit, ou pour le moins, dans le contexte amical de l'époque, considéré équilibré.

Ma **deuxième** erreur fut humaine, et, par la réaction d'envie qu'elle suscitât, sans doute à l'origine d'une des décisions de me détruire professionnellement. Je vous en reparlerai plus loin.

Le complot

En 1966, c'était l'époque du plein emploi et les meilleurs employés étaient déjà en place.

Beaucoup de candidats médiocres ont répondu à mes offres d'emploi de chef comptable. J'ai embauché le « moins pire » d'entre eux.

A l'instar des pièces de théâtre de boulevards, je fus – comme les cocus – averti le dernier de ses dangereuses turpitudes. Cet individu pathologiquement pervers, avait déjà semé partout où il passait, son virus mortel dans l'organisation des entreprises.

Remarquable illusionniste, il était en réalité remarquablement incapable. Naïf, confiant dans l'être humain, affolé de travail, ne pouvant tout contrôler, il lui était facile d'abuser de ma confiance. Fomenté, de main de maître, Méphistophélès avait concocté un chef d'œuvre de machination cynique visant à me détruire.

Accédant aux archives comptables, il avait bien sûr découvert l'erreur de base que j'avais commise les années précédentes.

Son plan était clair :

● organiser des réunions secrètes avec les entreprises, afin de leur révéler mes carences, et les inciter à les exploiter.

● les convaincre de m'assigner en paiement d'une somme importante représentant ma « dette ».

● m'amener à négocier l'abandon des poursuites, par mon acceptation de céder gratuitement les parts sociales majoritaires que je possédais dans la S.A. dont j'étais le P.D.G.

● faire fonctionner le siège éjectable et prendre ma place.

En toute simplicité…

Pendant ces quatre années passées dans mes services de comptabilité, ses fonctions l'amenaient à opérer des contacts téléphoniques fréquents avec les responsables des groupes financiers spécialisés dans les prêts immobiliers, principalement dans le bon déroulement des processus d'amortissement.

Beau parleur, ses manœuvres consistaient à se construire l'image d'un homme de premier plan indispensable à la bonne marche de mon entreprise.

On verra tout à l'heure que cette information va prendre une importance capitale.

Les pisse-vinaigre et les petits malins me diront que je n'avais KAPA tant entreprendre… Ces mêmes persifleront que je n'avais KAPA faire d'erreur…

Les « YAKA », je connais… YAKA être fonctionnaire ou profession libérale, où chaque jour on réitère le même devoir, dans lesquelles, sauf de jouer au con, il n'y a pas de risques, excepté ceux que les autres prennent…

Qui peut se targuer de n'avoir jamais fait d'erreur ?...

L'exécution (novembre et décembre 1969) et le chantage

Vous imaginez vous ce que peut représenter cette masse de capitaux résultant de l'addition de 360 soldes de comptes, mêmes relativement minimes, arbitrairement assortis d'intérêts moratoires capitalisés pendant 12 ans ?

Au bas mot : 600 000 Euros.

Les entreprises devenues folles comme des requins sentant leur proie, **m'assignèrent au paiement, sous quinzaine,** de cette somme que j'étais, ils le savaient parfaitement bien, **incapable d'honorer.**

Ces gens avaient imaginé de négocier l'abandon des poursuites par mon acceptation de leur céder les 8 programmes, dont certains étaient déjà en cours de travaux.

Comme moyen de pression, en cas de refus de ma part, ils avaient pris la décision d'arrêter les travaux des cinq chantiers représentant 300 logements en cours, dont ils étaient les seules entreprises concernées.

Existe-t-il un mot pour désigner ce genre de comportement ?

Vous imaginez vous ce que peut représenter pour les 300 acquéreurs qui m'avaient fait confiance, l'arrêt de leur chantier ?

Ces gens n'étaient pas des poètes. Je savais que ce n'était pas du bluff.

Je ne mis pas longtemps à comprendre que j'étais irrémédiablement coincé.

La panique aurait été générale : acquéreurs, dont la décision d'engagement d'une procédure judiciaire aurait été immédiate et certaine, fournisseurs, banques locales, administrations fiscales et sociales, ensemble du personnel, médias.

La source de financement d'un programme de construction est constituée de l'apport des promoteurs, des prêts des banques, libérés au fur et à mesure de l'avancement des travaux et dans la même mesure, des réponses aux appels de fonds des acquéreurs.

L'assèchement automatique de ces financements m'aurait asphyxié, contraint au dépôt de bilan, non seulement des cinq sociétés, mais de celles qui m'étaient personnelles, entraînant en chaîne, outre l'écroulement de l'ensemble des mes activités, la mise en liquidation de l'ensemble des biens, y compris ceux qui m'étaient propres.

Accéder à leurs exigences, c'était **sauver les cinq programmes** et leurs financements, mais définitivement abandonner le bénéfice, certes aléatoire mais probable, de l'investissement, générateur d'honoraires et de plus-values, des huit programmes, soient, répartis sur une période de six ans, 8 000 000 d'euros en couverture des dépenses d'environ 6 000 000 d'euros.

J'ignorais que, simultanément, Méphistophélès en chef avait déjà averti les groupes financiers de la menace d'arrêt des travaux des cinq programmes, en cours.

Le lendemain, deux secrétaires, qui gravitaient souvent dans le service comptable, avaient deviné les magouilles du personnage et estimé sa dangerosité. Sachant que je ne pouvais m'en apercevoir, elles sont alors intervenues pour m'en aviser. Si elles me lisent, un jour, qu'elles en soient, ici, grandement remerciées.

Je procédai immédiatement au licenciement de cette personne, pour faute grave, après accomplissement de la procédure d'usage.

Le jour suivant, j'avisai les groupes financiers de ma décision de licenciement de mon chef comptable et de la menace d'arrêt des travaux.

Déjà avertis, ils jugèrent que la situation, devenue très grave par cette menace, prenait désormais un caractère insupportable par le licenciement de ce collaborateur de grande qualité selon eux, qui constituait un facteur essentiel à la bonne marche actuelle de mon entreprise, donc une sécurité pour eux-mêmes.

Ces organismes bancaires furent pris de panique. Diverses dispositions coercitives furent prises immédiatement à mon encontre, dont les principales étaient l'arrêt des financements et le remboursement, sans délai, des prêts en cours.

Moralement, matériellement, j'étais foudroyé.

Ainsi fut conclu et signé le 31 décembre 1969, un protocole d'accord établissant les comptes et transférant, à leurs profits, les huit programmes.

Cet accord prévoyait :

- le remboursement des actifs que je possédais dans ces huit sociétés, constitués des apports que j'avais réalisés lors de la mise en place des crédits, assortis d'un intérêt de 12.50 % soit plusieurs centaines de milliers d'euros.

- la prise en compte et le remboursement des dépenses engagées pour réaliser le montage des huit programmes de 580 logements, déjà inscrites à mes bilans financiers pour 3 % du prix de revient. Cette somme arbitrairement réduite par les cessionnaires fut assortie d'un intérêt de 12.50 % l'an, représentait, valeur 2003, plus d'un million d'euros.

Retenez bien que ce n'était pas un cadeau qui m'était fait mais le recouvrement d'une partie de mes dépenses antérieures et de mes propres capitaux investis dans les huit sociétés.

Certes, j'avais pour le moment perdu la confiance des groupements financiers, bien qu'à aucun moment je ne fusse en dépôt de bilan dans aucune de mes sociétés, mais grâce à ces recouvrements prévus dans un délai maximum de quatre ans, je pouvais conserver l'espoir, sinon de rebondir, au moins de maîtriser l'avenir.

Foutue panade

En ces premiers mois de 1970, anéanti, j'étais dans une impasse.

Progressivement, au cours du 1er trimestre, une vingtaine de collaborateurs attachés à l'activité de promotion, désormais au point mort, reprirent leur liberté.

Seuls les emplois de l'agence, gestion, syndic et ceux indispensables à l'achèvement des 300 logements, étaient conservés, alimentés par les revenus qui leur étaient propres.

Mais, déjà négatifs par les investissements réalisés antérieurement, le déficit de mes comptes allait inévitablement s'agrandir par la charge des frais fixes à supporter et par les salaires, préavis et indemnité de licenciements qui allaient devoir être versés.

L'amortissement du solde des 10 000 000 d'euros d'emprunt relatifs aux 300 logements était couvert par les actifs, progressivement réalisables et heureusement tous intacts.

Exceptés les 580 logements investis qui m'échappaient, j'avais, au cours de ces douze dernières années, livré à bonne fin, des milliers de logements, d'une qualité technique et esthétique irréprochable, dans le strict respect des dispositions légales et financières.

La boucle était bouclée. Mais l'hydre, malgré la perspective de recouvrement dans les trois ans, de mon capital investi, avait pénétré le système.

Les effets de cette abominable conjuration n'allaient pas m'aider à vivre et même à survivre.

Le personnel de l'agence demeurait en place mais restait touché par le découragement et la peur du lendemain. Le moral n'y était plus et ces treize prochaines années, les résultats allèrent forcément se dégrader.

J'avais tout à fait conscience que désormais, plus rien ne serait pareil. D'innombrables, d'inextricables difficultés allaient survenir, se multiplier et interférer les unes les autres.

L'indéfinissable et tacite consensus de la société civile dans laquelle je baignais, constitué de faisceaux multiples, qui expriment, à l'égard de mes actes, une neutralité bienveillante était-il déjà entamé et même détruit ?

Je ne peux m'empêcher de penser à Henri Ducassou, que j'ai connu et estimé, industriel du bâtiment aux plans national et international, à l'intelligence de cœur, à l'indéniable charisme, exécuté, ruiné en un instant par une inique décision bancaire prise au niveau le plus élevé, pillé, trahi, abandonné partout et par tous. Devenu très malade, n'ayant pu, lui, résister à l'horreur, il a fini ses jours, sans aucune ressource, dans un fauteuil roulant. Hommage mérité, plusieurs rues de Lorient et des communes environnantes portent son nom.

Incompréhensible

Je me posais la question de savoir quelle mouche avait bien pu piquer ces chefs d'entreprises pour agir de la sorte. Je savais que le monde du bâtiment est dur, que leur appréciation philosophique de la vie était rudimentaire. Je reconnaissais que leur intelligence pratique, courte et unidirectionnelle, axée sur la conduite et les intérêts de leur entreprise, était, dans le genre, de « bonne qualité ».

De leurs personnes n'émanaient, ni romantisme, ni poésie. Pourquoi brusquement ce comportement malsain, jamais à ma connaissance, pratiqué en Bretagne ? Pourquoi avoir rompu les excellents rapports professionnels et amicaux que nous entretenions depuis une quinzaine d'années ?

Mais quelle mouche les avait donc piqués ?

Péché d'envie ? Réaction à l'ampleur et à la rapidité de ma réussite ?

La révélation de certains détails de notre vie matérielle aurait-elle exacerbé leurs sentiments ? Ainsi cette erreur dont je vous révèle la teneur.

En 1965, sans intention d'acquérir un véhicule, je me suis pourtant fait piéger au Salon de l'Auto.

Mais veuillez me croire, je ne me suis jamais senti à l'aise, ni ma vanité ne fut jamais flattée, au volant de ce splendide et prestigieux coupé Mercedes 230 SL, couleur bronze clair métallisé.

Beaucoup trop belle pour Lorient… Déjà, à Cannes ou à Nice, elle ne serait pas passée inaperçue… Alors ? Alors, vous imaginez, dans les rues de Lorient !…

Cet achat fut la goutte d'eau qui a fait déborder l'océan d'envie, dont je ne soupçonnais pas l'existence, que ma rapide réussite suscitait ces années-là.

Une personne n'était pas jalouse. C'est Yves Allainmat dont le stade du Moustoir porte aujourd'hui le nom, à l'époque Député-Maire socialiste de Lorient, Vice-Président de l'Assemblée Nationale, avec lequel, j'entretenais d'épisodiques contacts d'estime et d'amitié, dont la base était la probité naturelle qui nous habitait et que nous ressentions l'un, vis-à-vis de l'autre, pour nous l'avoir, réciproquement exprimée.

Sans être activement engagé à droite, mes opinions politiques, divergeaient des siennes, mais nous savions l'un et l'autre que l'on peut être « social » sans être « socialiste ».

C'est ainsi que, quelques jours plus tard, après lui avoir communiqué les renseignements qu'il me demandait sur ce coupé, il fit l'acquisition du même modèle.

Devenu méfiant après cet achat, et pour se défendre d'éventuels soupçons de se servir en essence aux pompes des services techniques de la ville, il m'a fait la confidence qu'il conservait soigneusement toutes les factures des stations services où il se servait.

Il m'a plu d'évoquer ces souvenirs…

Mais il me déplait d'avoir suscité des sentiments d'envie. Serait-ce encore l'élégance et le raffinement de la décoration de notre appartement – œuvre exclusive de Claude – dont les matériaux utilisés n'étaient pourtant pas – j'insiste – somptuaires, ni leur présentation ostentatoire et tapageuse ?

Les excellents rapports commerciaux, de tous ordres, principalement financiers, l'acceptation, sans chipoter, de leurs devis, les paiements des mémoires de travaux, rubis sur l'ongle, pendant quinze ans, n'étaient-ils pas un gage de sécurité et de développement de leur entreprise ?

Ont-ils eu et ont-ils encore conscience d'avoir tué la poule aux œufs d'or ?

L'inimaginable s'est pourtant produit.

Le cauchemar

Pourquoi, oui pourquoi cette incompréhensible folie criminelle qui, professionnellement m'a détruit, qui personnellement m'a en partie ruiné, qui aurait pu me faire mourir, me conduire au suicide ?

Ma poésie intitulée « noir » reflète bien mon état d'âme de l'époque. Beaucoup de ces gens sont-ils morts, peut-être grâce à moi, un peu plus riches ? D'autres, m'a-t-on dit, sont plus ou moins séniles. Vis-à-vis d'eux je n'éprouve ni ressentiment, ni haine. J'ai bien essayé de sortir de cette anormalité, mais je n'y arrive pas. Je rencontre parfois quand je fais mes courses quelques uns de ces braves couillons sans grade, qui, à l'époque, avaient suivi le mouvement. Mon regard reste, à leur égard, amical comme il l'était avant : ils n'ont jamais réalisé avoir contribué au mal qu'ils m'ont fait.

Un cauchemar récurrent hante quelques fois mes nuits, et se matérialise en un vilain petit bonhomme sans visage, un chafouin personnage, une sorte d'escobar à l'odeur putride. Celle de son âme sans doute ? Dans mon rêve, j'ai pitié de ce monstre qui n'a jamais compris la Vie… Ce que sont les rêves, tout de même. Cette âme damnée, qui fut à l'origine de cette horreur, vit toujours…

Les trois premières (1970-1971-1972) furent les plus atroces des 29 longues années de galère que j'allais devoir affronter, face à la jubilation, à peine voilée de certains, à l'humiliant mépris des uns, au rejet ostensiblement affiché des autres, désespérément seul, mais assisté de Claude, qui sans jamais se plaindre, m'a toujours soutenu.

Comment identifier les multiples difficultés que j'allais devoir vaincre ? Quelles mesures devais-je prendre pour les résoudre ? Quel visage allait prendre mon combat ?

Inventaire des difficultés

Je pouvais en identifier six facettes.

La première, fut notre incapacité matérielle, par manque de collaborateurs, presque tous licenciés de leur emploi, et malgré l'aide partielle, nuit et jour, de Claude déjà occupée à plein temps dans la gestion de biens, d'accomplir en temps voulu la remise des formalités et déclarations diverses. Par l'interruption brutale de nos rentrées financières, nous étions, de toute façon, incapables d'honorer les paiements correspondants. L'accumulation et l'absence de dépôt de ces pièces étaient telles, que nous entrions dans le créneau fiscal « absence de déclaration » générant ainsi, aveuglement, outre des intérêts de retard, des pénalités démentielles atteignant 100, 200, 300 % du principal.

Passé un certain stade de pressions, on se trouve comme anesthésié, rien ne fait plus rien. Outre ce poids fiscal aggravé, **les cinq autres facettes** constituaient l'énormité des obligations financières :

1 – Ne perdons pas de vue que depuis 1966 et jusqu'en cette année 1969, mon entreprise était devenue une grosse machine qui générait d'importants bénéfices, mais en contre partie, des frais généraux et impositions correspondants. Restaient donc à purger en 1970 les charges des années passées.

2 – Paiement des trois mois de salaires, charges, indemnités de licenciement des 20 salariés, dont quatre cadres (1er trimestre 1970).

3 – Nouvelles charges d'impôts et taxes diverses professionnelles et personnelles, résultant de ma nouvelle activité de substitution, aggravées, elles aussi, de pénalités et d'intérêts de retard.

4 – Poursuite du paiement des frais généraux, salaires et charges relatifs aux quelques personnes dont l'emploi avait été nécessairement conservé.

5 – Intérêts des comptes débiteurs, qui, **désormais sans amortissement programmé et mouvement régulier, s'alourdissaient.**

Ainsi se dressait le panorama des problèmes financiers et humains **inextricables** que j'allais devoir affronter au début des années 1970.

1970 – Annus Horribilis (1970-1971-1972)

Pendant quelques semaines, éprouvant au plus haut point, un sentiment de déréliction, moralement effondré, anéanti, psychologiquement déstabilisé, incapable d'apprécier dans tous ses aspects l'ampleur du désastre, de cette même façon qu'on ne ressent pas pleinement, à l'instant, la perte d'un être cher, celui qui fut qualifié de « monstre de réussite » reste abattu. Un temps seulement. Comment désormais se comporter ? Que faire ? Que décider ?

Lâchement mettre la clé sous la porte et fuir ?

La situation au 1ᵉʳ janvier 1970 que je n'avais plus le pouvoir de contrôler, m'avait fait prendre conscience qu'à tout prix, je devais éviter le dépôt de bilan dont les conséquences auraient été une liquidation générale de biens. Ses conséquences, inévitables, auraient abouti à un désastre financier et humain, tant pour les 300 acquéreurs que pour ma famille et moi-même.

D'autres que moi-même, apparemment solides dans leur tête et leur corps, n'ont pas résisté.

Dans ce contexte terrible, ce cauchemar éveillé où le sol se dérobe sous vos pieds, le pire – somatisation en dépression nerveuse grave ou en une quelconque maladie à issue implacable et brutale – pouvait survenir et m'atteindre. Le suicide ? J'aimais et je respectais philosophiquement trop la vie, pour y songer. Mais l'idée de perdre son Honneur et sa Dignité m'était intolérable, celle aussi de permettre aux charognards de tous acabits qui m'entouraient déjà, de se délecter de mes tripes et de mon cœur ? Insupportable idée !...

Emergeants de mon Moi profond – **reflets enfouis de mon véritable caractère**, héritage secret que m'a transmis la douce Madeleine, ma mère bien aimée – **et** le courage, **et** la volonté m'ont lucidement commandé, de faire face, **quoique cette décision puisse**, demain, ou dans les mois ou **les années à venir, me coûter de travail, de souffrances et de sacrifices de tous ordres.**

Pendant quelques semaines, traumatisé, le « monstre » reste abattu, seul, abandonné par beaucoup, aidé seulement par Claude, admirable de courage et de discrète abnégation. Que le plus grand, le plus sincère hommage lui soit rendu. Un immense travail dont on imagine mal l'ampleur, attend d'être accompli. Tard dans la nuit, nous préparons les nombreuses obligations qui doivent être faites le lendemain. Impérativement. Mais seules deux ou trois, peuvent être réalisées. Et chaque jour, d'autres se révèlent. L'enfer. **Faute de temps – il faut bien en consacrer un peu au sommeil – par manque de personnel, les résolutions de beaucoup de problèmes importants sont abandonnées.**

Monde cruel et injuste, dans lequel il vaut mieux ne pas être faible ou subir d'échec sous peine d'être écrasé.

Pendant trois ans, nuit et jour, dimanches et jours fériés, pauvres désormais d'argent mais riches de courage et de volonté, malheureux comme il est difficile de l'être davantage, seuls, humiliés, abandonnés dans notre barque qui prend l'eau, sans cesser un instant d'écoper, de ramer, d'avancer, attentif à garder le cap, d'éviter les déferlantes, de rester stoïques sous les embruns, sourds à l'ironie, aux muettes insultes, aux coups d'avirons sur la tête, ramer, écoper, ramer, écoper pour ne pas sombrer, diriger bout au vent, écoper toujours. L'enfer. Courage, volonté, courage. Dur, dur, dur. Forcément, un jour, ça cassera de partout.

J'avais fait le choix de ne pas déposer mon bilan et d'échapper ainsi au déshonneur et à la liquidation – qui me paraissait inévitable – de tous mes biens qui auraient été bradés.

J'avais fait le sacrifice d'en accepter la vente, mais je conservais la liberté d'en choisir le moment et le prix.

Ainsi fut fait par étape jusqu'en 1984.

Activités de substitution

Le sacrifice décidé de la vente volontaire, donc maîtrisée, de tout ou partie de mes patrimoines, aux prix de réalisation et dans les délais que j'aurais choisis, n'était pas suffisant pour régler ma situation.

Pendant ces quatorze ans, nous avons connu une misère plus ou moins noire.

Pendant cette période, j'ai orienté, puisque désormais empêché de promouvoir du collectif, mes nouvelles activités vers celles qui ne nécessitaient plus le concours de groupes financiers, qui par nature, pouvaient s'autofinancer : construction au coup par coup de maisons individuelles dont le concept architectural m'était personnel, les lotissements, les rénovations d'immeubles anciens, etc… **Je générais ainsi de nouvelles recettes, mais aussi de nouvelles obligations fiscales, auxquelles sous une pression permanente, je pouvais difficilement faire face. Ainsi de 1970 à 1983, les rémunérations, honoraires et bénéfices divers ont contribué, avec les ventes progressives de mes patrimoines, à m'en sortir.**

La vente volontaire et progressive de mes patrimoines

Ce sacrifice me paru être la solution la « moins pire ». Ainsi cette grave décision fut-elle exécutée, sans gémissement et sans larmes, pendant quatorze ans. Tout fut apuré, sauf un débit bancaire dont nous reparlerons.

Mon patrimoine familial fût entièrement vendu, excepté la maison de famille construite par mon grand-père en 1904, au trois quart conservée, dans laquelle je demeure actuellement.

La plupart des biens que j'avais acquis ou construits à titre personnel, ont subi le même sort. En voici les principaux :
- la maison neuve de mes parents, d'une grande valeur.
- le nouvel appartement de ma mère après sa disparition.
- un appartement de 150 m² au dernier étage d'un immeuble que j'avais construit, rue Amiral Courbet, que nous occupions les six mois d'hiver, dont la décoration conçue et réalisée entièrement par Claude, révélait une exceptionnelle harmonie et un goût parfait.
- les six autres meilleurs mois, nous résidions dans un logement de quatre pièces situé à Larmor-Plage, quai Bellevue, dans un petit immeuble de trois appartements. Construite vers 1900, les murs avaient été conservés et l'intérieur rénové à mon initiative. Edifiée, à l'époque, sur des rochers, son embase renforcée, était durant l'été, caressée par la mer, où, à la moins bonne saison, secouée par les tempêtes. La terrasse de 60 m² surplombait directement la plage. Ce fut, pour nous tous, un grand déchirement de nous séparer de cette dernière demeure.

Plusieurs autres biens familiaux et d'autres acquis à titre personnel, mais pour certains à destination professionnelle, tous exempts d'hypothèque, composaient l'ensemble de mon patrimoine.

L'espoir

Replongeons nous au début de l'année 1973, après ces trois années horribles, au cours desquelles, j'ai eu le courage de faire front.

L'espoir m'habitait : celui de recouvrer rapidement mes propres capitaux inscrits dans nos accords du 31/12/69.

Vous imaginez-vous ce que peut représenter la masse de salaires et charges d'une vingtaine de personnes, dont quatre cadres, et les frais généraux correspondants que ma société a dû supporter pendant les 42 mois nécessaires au montage des huit programmes de 580 logements investis, afin de les rendre « opérationnels ». Vous faites-vous une idée des apports directs de trésorerie que les organismes financiers prêteurs exigeaient lors de la mise en place des crédits de financement des opérations ?

Ces investissements financiers considérables, ne me furent reconnus qu'à hauteur d'environ 30 % de leur coût réel, ce qui représentait quand même, avec les intérêts reconnus, 4 ou 500 000 euros, auxquels s'ajoutaient les apports directs en capital que j'avais engagés dans les huit programmes cédés.

Ces sommes seraient disponibles en 1973. Dès cette époque, j'avais la possibilité d'en solliciter le recouvrement près de ceux, qui désormais étaient mes créanciers.

L'horrible déception

Les premières réticences à me régler se firent jour et devinrent de mois en mois, d'année en année, de plus en plus précises. Je savais que les huit programmes cédés étaient tous achevés, les comptes clôturés et les finances disponibles.

J'engageais alors une interminable procédure. La mauvaise foi et le refus de mes adversaires d'honorer leurs engagements écrits devenaient de plus en plus évidents. Procédures abusives et dilatoires, arguments fallacieux, perspectives d'expertises, tout devenait, d'année en année, inextricable. Le hold-up avait réussi. Fatigué, désespéré, j'ai tout abandonné dix ans plus tard. Plusieurs des crocodiles qui évoluaient à l'aise dans ce cloaque sont aujourd'hui morts. Que Dieu, qui pardonne, accueille leur âme.

L'absence de recouvrement des mes capitaux, allait constituer dans le règlement de mes problèmes et de mes activités futures, un formidable et double handicap.

L'honnête homme égaré

Un seul parmi ces individus, aujourd'hui disparu, m'a demandé pardon. En voici l'histoire :

Le directeur et propriétaire d'une des principales entreprises de plâtrerie avec lesquelles je travaillais, était un homme de confiance, courtois et honnête.

Espagnol de naissance, établi à Lorient depuis longtemps, il parlait et entendait bien sûr couramment le Français, mais n'avait jamais pu se débarrasser de l'accent, terriblement prononcé, de son pays natal.

Son comportement était resté espagnol : l'Amour et la Haine.

Je n'ai d'ailleurs toujours pas compris pourquoi il m'en voulait, ne lui ayant jamais occasionné de tort. C'est comme ça.

Un jour, au cours d'une réunion de chantier, il me marquait son animosité par des regards de haine. S'approchant de moi, il me pinçait plusieurs fois l'arrière bras avec violence. Son humeur s'arrêta là.

Un an ou deux après cet incident, je me suis rendu chez un notaire de Lorient. Dans le hall, debout, il patientait. Puis il s'approcha de moi. Lentement. Je m'attendais à un autre esclandre, mais son regard était doux et amical.

Il posa doucement sa main sur mon avant bras, et me dit, les yeux dans les yeux, avec son accent inimitable : « Yé régrette cé qué jé t'ai fait. Yé té démande pardon. Tou né méritais pas… ».

Tu as été l'un des douze ignobles individus, qui m'ont injustement infligé 29 ans de détresse, mais mon cœur ne t'en veut pas. J'irai me recueillir sur ta tombe et te dirai ma considération, mon respect, mon amitié.

Les années passent et les ennuis demeurent

Les années de galère s'ajoutaient les unes aux autres.

L'agence immobilière juridiquement séparée des autres activités, générait ses propres honoraires et assumait ses importants frais généraux.

Les revenus des portefeuilles de syndic de copropriétés et de gestion d'immeubles – locations étaient stables et constants. Ceux, par contre, de la « transaction » qui supportaient une partie importante des dépenses de fonctionnement, étaient très aléatoires, soumis à la conjoncture du moment et à l'efficacité de l'activité des négociateurs.

Compte tenu de ce qui s'était passé, le personnel qui y était attaché n'avait plus le moral et la « transaction » ne produisait que peu d'honoraires. Débordé de travail, incapable matériellement de prendre les mesures nécessaires au redressement, j'assistais impuissant, à la croissance du déficit, avec l'espoir déçu que demain ça irait mieux.

Tout se détériorait ; seule la galère était en bonne santé.

Nous avions pourtant fait l'effort de faire ce qu'il fallait. Le prélèvement mensuel d'une très petite partie du salaire de Claude qui travaillait à plein temps, nous permettait de vivre chichement. C'était notre seul revenu.

La misère

Les portefeuilles de syndic et de gérance d'immeuble furent cédés à un cabinet Lorientais au printemps 1982. Désormais incapables de prélever un centime sur le compte syndic ou agence, nous n'avions plus, alors, rien pour vivre ou pour survivre. Même plus la possibilité de prélever quelques centaines de francs à la banque pour couvrir les dépenses ménagères courantes. A un point tel, qu'une fin d'après-midi, nous n'avions plus ni l'un, ni l'autre de quoi acheter le nécessaire pour dîner.

Je garantis l'authenticité de cette anecdote.

Le 1er octobre 1982, une opportunité d'offre d'emploi dans la même spécialité, à Nice, où résidait son frère Bernard, s'est présentée à Claude. Nous n'avions plus le choix.

La fin de l'agence

En décembre de cette même année, le bilan de l'agence fut déposé. Elle cessa définitivement ses activités à partir de cette date.

Les obligations concordataires

Un concordat de 10 ans lui fut accordé en 1988, soit jusqu'en 1998, pour apurer le passif qui était devenu très lourd.

Respectant ces délais, j'ai parfaitement rempli ces obligations, donc couvert le passif au prix de 10 ans de galère et de sacrifices de tous ordres.

J'étais désormais seul à Lorient.

Si on veut aujourd'hui calculer en un seul chiffre ces 29 ans de malheur, celui de l'actif global qui me fut nécessaire pour couvrir l'ensemble de mon passif, atteint en valeur 2003 environ 5 000 000 d'euros.

La misère noire

Pendant les années 1984-1985-1986, accueilli dans un bureau d'affaires où je rendais bénévolement quelques services, tout en gérant ma situation, je n'avais plus la moindre ressource.

Logé, certes, dans la maison où j'habite actuellement, mais eau, gaz, électricité, téléphone en pointillé. Comment aurais-je pu faire autrement ? Un billet de 100 francs (de l'époque) m'était « prêté » jamais « donné », quelquefois. Une manne de 3 000 ou 4 000 francs (450 ou 600 euros), tombant du ciel de temps en temps me permettait d'éclaircir provisoirement ma situation.

Je ne suis ni mégalomane, ni affabulateur, tout ce que j'expose, y compris les chiffres dans leur énorme estimation sont authentiques et réels.

Pendant trois longues années, j'ai traîné ma misère.

Un homme de cœur

Je ne voudrais pas passer sous silence ma rencontre en 1984 avec Yves Guyomarch, homme d'affaires avisé et prudent, ancien avocat, directeur, à une certaine époque de la chambre de commerce, époux d'un médecin généraliste à Lanester.

Yves m'a dit un jour : « Marcel, j'ai été heureux de te rencontrer... ». Je lui répondis que la réciproque était vraie. Connaissant le détail des malheurs qui s'étaient abattus sur moi, il poursuivit : « si nous nous étions rencontrés plus tôt, j'ai le sentiment qu'une association aurait réussi. En effet, nous sommes l'un et l'autre complémentaires... » ; et concluant : « nous serions aujourd'hui "milliardaires" ...».

Son état de santé était très mauvais. Quelques semaines avant sa disparition, j'ai eu l'heureuse surprise de sa visite à mon domicile dont j'ignorais qu'il connaissait l'adresse. Mais je savais que son passage était fait d'amitié. Merci cher Yves, j'ai été sensible à ta réconfortante sollicitude. En ta compagnie, je me sentais « bien ».

Un homme sans valeur

C'était pendant cette période d'indigence, pendant laquelle j'étais libre d'activité professionnelle, excepté celle de gérer mes malheurs.

Christian, directeur d'une entreprise florissante, que je rencontrais peu souvent, connaissait mon désastre. Se réservant la possibilité de me le confirmer, il m'avait spontanément offert un emploi commercial rémunéré au smic plus commissionnements, qui aurait permis ma survie.

A mon désespoir, cette offre n'a jamais abouti.

Un semestre plus tard, nos chemins se sont croisés. Il m'a révélé qu'il avait chargé un « ami » commun qu'il rencontrait souvent, de la confirmation de son offre d'emploi, mais il fut très étonné de mon refus. A sa stupéfaction, je lui précisai que cette réitération d'offre que j'attendais avec beaucoup d'espoir, ne m'était jamais parvenue.

Le pot aux roses fut découvert.

C'est « l'ami » intermédiaire, résolument « faux frère » qui, pour des raisons obscures d'intérêts, l'a averti faussement que « ça ne m'intéressait pas… ».

Parmi tant et tant d'autres, une casserole de plus accrochée aux basques de ce minable personnage…

Le commencement de la fin

Les derniers mois de 1985, le syndic avait accepté de me verser un « secours » (ce fut le terme officiellement utilisé) de 3 000 francs de l'époque (actualisé valeur 2003 : 760 euros) qui correspondait au loyer mensuel de mes anciens locaux de la rue Maréchal Foch, désormais loués. Ce fut le paradis.

Situation paradoxale

Si vous souhaitez savoir comment faire le marché de la semaine avec 100 balles (20 euros en 2003), contactez moi ! Moi, je sais.

Le côté paradoxal de ma situation de pauvreté se situait dans l'existence de deux biens immobiliers, l'un personnel mais à vocation de lotissement, l'autre à destination professionnelle. Les évènements de 1970 en avaient figé la réalisation. Mes spoliers en avaient sous estimé la valeur et négligé de me les voler.

S'ajoutant aux huit programmes investis, dont la réalisation était commencée en 1969, ces deux autres programmes étaient en cette même année, immédiatement « opérationnels ». Cela signifie que les opérations de « montage » avaient toutes été accomplies.

Je me suis « amusé », s'il m'avait été permis d'en réaliser l'exécution dans les conditions normales qui furent celles de mon passé professionnel, à procéder à l'estimation des résultats qui auraient été obtenus.

En premier, j'aurais automatiquement recouvré la valeur des terrains, ensuite, mes sociétés auraient perçu les honoraires de montage et de gestion prévus dans les deux bilans financiers, enfin les plus-values seraient apparues à la clôture comptable des programmes réalisés.

Bien sûr, mes sociétés auraient supporté pendant trois ans les frais généraux considérables dont je vous ai déjà dévoilé la nature, mais le net de ces derniers frais, avant impôts, aurait représenté, je n'ose pas vous l'annoncer, « plusieurs » millions d'euros.

Si à votre tour, cela vous « amuse », ajoutez la masse de même nature recouvrée à l'occasion de la réalisation des huit programmes volés.

Incroyable paradoxe en effet, de traîner ainsi sa misère près d'une fortune qui dort...

Fin de l'épreuve

En ces années 1983-1984, par le produit des ventes partielles de mes patrimoines auquel s'ajoutait le net des revenus de mon activité de substitution, je ne devais plus rien à personne.

Excepté, le passif de l'agence immobilière, qui de 1988 à 1998 allait partiellement s'auto rembourser, d'une part et d'autre part un important débit bancaire, qu'en vain je m'étais épuisé à réduire et à annuler.

Le tonneau des Danaïdes

Sans formalité particulière, ni prises juridiques de garanties, la Banque de Bretagne m'avait ouvert en 1965, un crédit personnel dit « revolving ». La confiance régnait. La libre disposition des 200 000 euros m'avait permis, en complément de la trésorerie propre de mes sociétés, de réaliser les indispensables investissements, notamment les 580 logements en 8 programmes.

Les intérêts étaient programmés dans les frais financiers de l'important budget des opérations projetées. Leur résorption lors des réalisations, était donc assurée. Ainsi qu'on peut le constater, ce n'était pas de « l'argent foutu par les fenêtres ».

L'année 1970 et son cortège d'évènements sont arrivés. Le plan que j'avais mis en place s'écroulait et le débit du compte subsistait, désormais, **sans perspective programmée de résorption.**

Le débit du compte se gonflait plus vite que les versements ponctuels importants que j'effectuais à l'occasion de la vente de mon patrimoine. Un compte yoyo en quelque sorte…

Cette situation ne pouvait plus durer. J'ai pris la décision qui convenait.

L'opération chirurgicale

C'est ainsi que pour arrêter cette hémorragie qui allait inévitablement me « faire mourir », j'ai décidé en accord avec le syndic, préalablement consulté, de déposer en Août 1984, mon bilan personnel.

Le règlement de ce problème était bien le dernier acte de cette inhumaine comédie.

Le Rocher Royal

Comment ai-je résolu cette ultime difficulté ?

Quelques biens de mon patrimoine familial et professionnel avaient échappé au désastre.

Parmi ceux-ci, celui précisément à propos duquel je me suis « amusé » à établir une simulation en valeur actuelle : un terrain de 30 hectares dont 15 inondables aux grandes marées, acquis en 1965, bordant la rivière Laïta, était situé sur la commune de Guidel, dans le Morbihan, à la limite du Finistère. Très beau site, comme il en existe des centaines au bord des rivières de Bretagne, sans mériter toutefois d'être classé.

Stratégique à l'époque de l'occupation Romaine, un camp, sans grande valeur archéologique, entouré d'une douve asséchée, positionné sur les hauteurs surplombant la rivière, bordait la propriété.

Dans le projet d'aménagement, j'avais bien sûr, réservé autour de ces vestiges, un large périmètre, accessible à tous, le protégeant pleinement.

Plusieurs kilomètres en aval se trouve le domaine du Prince de Polignac et en remontant le cours d'eau, plusieurs autres prestigieuses propriétés.

Situé très en amont, la zone que je souhaitais aménager vierge de construction et abandonnée aux chasseurs était située au nord du modeste village de Locmaria.

L'autorisation de lotir 30 lots de 5000 m² chacun m'avait été accordée. Le géomètre avait en partie achevé son travail, et des travaux de voirie et d'évacuations d'eaux pluviales exécutés. Le contexte du secteur m'imposait de réaliser un ensemble résidentiel de qualité, respectueux d'une esthétique architecturale variée, au libre choix des acquéreurs des lots, mais liée à une harmonie d'ensemble contrôlée par le prestigieux architecte Guilloux de Vannes, concepteur, entre autres réalisations remarquables, de l'église de Caudan. La commercialisation de ce programme était entamée et tout se présentait sous les meilleurs auspices.

Vous constatez que mes intentions n'étaient pas d'implanter en catimini une centrale nucléaire, ni une usine de traitement des déchets radioactifs, ni encore un élevage de porcs qui auraient pollué la rivière…

Fomentée par des pseudos écolos-chasseurs-riverains, orchestrée par un quotidien régional, reprise par d'autres importants journaux, une violente campagne de presse a eu pour effet rapide et visible de saboter la réussite de la commercialisation en cours. Après une telle contre publicité, la réalisation devenait impossible.

Le conservatoire du littoral, organisme officiel, a pour vocation la constitution de réserves foncières, par préemption, de terrains situés dans les zones dites sensibles, afin d'empêcher l'édification de constructions.

Cette institution m'a proposé l'achat de ma propriété pour un prix intéressant de 450 000 € (valeur 2003). **Une partie de cette somme importante a servi à combler immédiatement le tonneau des Danaïdes.** Le confortable solde me fut restitué par le syndic quelques mois plus tard.

Le Conseil d'État pour Quiberon

En décembre 1986, la perception de mes retraites et rentes viagères, mit un terme définitif à cette longue période d'indigence.

Dès 1985, l'ensemble de mon passif apuré, il me restait à faire le ménage, concernant un terrain qu'une de mes sociétés possédait à Quiberon.

En 1965, sur un terrain de 1,5 hectares, situé près de l'Institut de Thalassothérapie et des tennis municipaux, j'avais obtenu un permis de construire 280 logements à vocation de résidences secondaires. Le plan masse et l'aspect architectural m'avaient été imposés.

En 1967-1968, j'ai livré à bonne fin 120 de ces 280 logements autorisés. Il restait donc 160 logements à construire.

Les codes et règlements régissant, à l'époque, la construction, permettaient aux municipalités de décider l'annulation d'un permis de construire, si les travaux étaient interrompus pendant une période excédant 12 mois.

Je connaissais évidemment ces dispositions réglementaires et, malgré les difficultés financières qui étaient déjà les miennes en 1970, faisais en sorte, par la poursuite des travaux, de me mettre en position d'échapper à la péremption.

La municipalité de Quiberon qui ne l'entendait pas ainsi, promulgua un arrêté municipal m'ordonnant l'arrêt des travaux en cours, dressant procès-verbal et annulant le permis de construire.

Je n'ai évidemment pas obtempéré, faisant, au contraire, constater par huissier, la réalité de leur exécution. Une procédure fut engagée près du Tribunal Administratif de Rennes, dont le jugement ne me fut pas favorable.

Après constitution, par moi-même, d'un dossier administratif et technique d'une exceptionnelle précision, j'ai, par l'intermédiaire de mon avocat spécialisé Parisien, déposé un recours au Conseil d'Etat.

Dix huit mois plus tard, la Juridiction Suprême, considérant que le permis de construire n'était pas atteint de péremption, m'a rétabli dans mes droits à construire 160 logements.

Ce fut donc un plein succès.

En 1987, la commune de Quiberon fut condamnée à me verser d'importants dommages et intérêts. Simultanément, je négociais la vente du terrain à un groupe de promoteurs Parisiens.

Ainsi se termine 29 ans de galère.

Je sais aujourd'hui que cet échec professionnel n'a été ni total, ni définitif. Mais 29 ans de galère, c'est long…

Les vicissitudes de cette dramatique situation, m'ont obligé pendant les premières années de cette longue période, à adopter chaque minute, chaque heure, chaque jour, un profil bas, à accepter en silence les plus grandes humiliations, à subir, sans me révolter, les insultes polies de ceux qui, banquiers ou autres possédants du **Pouvoir et de l'Autorité, du fond** de leur inhumain irrespect, signifiaient, en se levant les premiers, à celui, assis face à eux dans leur bureau qu'ils jugeaient être désormais un sous homme, dont ils ignoraient la désespérance, la fin de l'entretien. Sauront-ils jamais ceux-là, à quel point, à ce moment je plaignais la froideur et l'obscurité de leur âme, à quel point je les méprisais ?

Mais, sauront-ils jamais combien il est difficile de digérer les pires injustices lorsqu'on sait n'avoir jamais accompli, durant sa vie professionnelle ou privée, la moindre malhonnêteté ? Sauront-ils jamais à quel niveau se situa mon sentiment de déréliction ?

Sauront-ils jamais à quel degré s'éleva l'apprentissage de mon combat intérieur, afin de ne pas laisser paraître sur mon visage, les stigmates de ma détresse, de mes larmes contenues ?

Désabusé, meurtri, j'ai dû, j'ai pu, avec courage et amertume mais sans beaucoup de rancune, affronter, accepter, ingurgiter, les plus amères ingratitudes, les plus cruelles humiliations, les honteuses trahisons, le mépris ostensiblement et dédaigneusement affiché, les agissements moralement délictueux, à la limite, pour leurs auteurs, du pénal.

J'ai dû faire face aux affronts méprisants et aveugles, au retrait de l'affection de mes anciens « amis », pour certains habités **d'une duplicité pur sucre, à la médisance organisée et méchamment orchestrée, aiguisée par cette vieille jalousie depuis longtemps contenue**, de presque toutes nos relations dites amicales, j'ai dû combattre, affronter les **Peurs**, celles du téléphone, du coup de sonnette du facteur, de ceux qui ont le Pouvoir, du visiteur, du regard…

J'ai été mille fois volé, moralement violé, j'ai fait l'objet de la curée organisée par d'honorables bandits Lorientais, terroristes occasionnels, dont un exécuteur édenté qui puait du bec.

Mais cet échec n'a été ni total, ni définitif. Seule une volonté de fer, une détermination sans faille, qu'aucun ou presque aucun de mes véritables amis d'aujourd'hui n'ont encore véritablement perçues, **confortées par mon sentiment profond de n'être jamais tombé, ni dans le déshonneur, ni dans un comportement délictuel, m'a permis de surmonter cette rude épreuve. Sans elle, les portes du monde merveilleux de l'Art, du dessin, de la peinture, de la poésie, de l'Histoire des Arts, d'une nouvelle vision du monde, se seraient-elles jamais ouvertes ?**

Mais certains, assez nombreux habités d'une intelligence de cœur, ont perçu que j'étais surtout – ils me l'ont dit – coupable de trop de gentillesse, d'être, comme on dit, trop bon trop con.

L'homme qu'on a voulu abattre, est toujours vivant, volontaire, vieilli, lucide, amélioré, plus que jamais mentalement puissant, enfin maître de son affectif, désormais fortement et intuitivement perspicace et prudent. Il sent au fond de lui une indestructible force vitale.

Il n'a pas renoncé à sa curiosité, à sa jeunesse de cœur, à sa gaieté, à son optimisme, à sa gentillesse naturelle, à sa fraîcheur d'esprit, à sa naïve perception du monde, ni à son dynamisme, à son intuition, à sa créativité, encore moins au constat toujours étonné de l'éblouissante lumière des étoiles, à l'amitié, à la fraternité, à la sincérité, à la croyance en l'homme. Il est, plus que jamais, amoureux de la Vie, amoureux de l'Amour.

Ce qui ne détruit pas, renforce…

Séchez vos larmes. Quelques rayons de soleil vinrent quand même illuminer un peu cette désolation.

Le premier coup de baguette magique fut, en 1982, mon inscription aux cours, du soir et du samedi, de dessin et de peinture, dispensés par l'Ecole Supérieure des Beaux-Arts de Lorient.

Bien que ce ne me fût pas autorisé, j'y assistais tous les soirs. Ma pugnacité et mon désir de pénétrer les secrets de cet Art, furent pendant ces cinq années, sans faille. Ce fut ma première lumière.

La seconde fut mon inscription en 1993 pendant 7 ans aux cours d'Histoire de l'Art.

Le troisième coup de baguette magique fut donné en février 1984, au plus fort de la tempête. Je fus invité, sans la moindre sollicitation de ma part, à déposer une demande d'admission au sein d'une organisation philosophique.

Les membres de ce cercle très fermé, qui exercent diverses professions libérales, industrielles, judiciaires, militaires ou universitaires, avaient donc souhaité à l'unanimité, m'accueillir parmi eux.

Par ce grand et inattendu honneur qui m'était fait, je redevenais, à nouveau, à mes yeux, un petit peu quelque chose…

Je ne passerai pas sous silence, le chaleureux témoignage collectif d'estime et d'affection – qui a mis à rude épreuve mon humilité – qui me fut rendu récemment, en février 2004, à l'occasion de ma 20e année de présence au sein de cet ordre philosophique.

Une inexprimable et curieuse sensation fleurit en moi à ce moment là, comme un rêve surréaliste éveillé dans lequel ma pudeur était remplie d'un trouble profond, où mes pensées, anesthésiées, affolées, égarées ne cessaient de rebondir sur tout et partout, à l'instant des longs applaudissements, de cette ovation scandée de mon prénom, qui me furent adressées par mes pairs. Instants fabuleux d'amicales tendresses…

....

Aucun des 5 500 logements dont j'ai entrepris la construction, ne fut réalisé ni dans un but, ni même dans un esprit spéculatif. Pour 80 % d'entre eux, il s'agissait d'accession à l'habitation principale, à caractère dit « social » cadrés, aidés et contrôlés par l'Etat au plan des prix de vente, des honoraires et des marges financières (voir fac-similé de la lettre de Valérie Giscard d'Estaing, à l'époque Ministre des Finances). Les 20 % restants étaient destinés à la résidence secondaire ou à l'investissement locatif.

Concernant les matériaux utilisés, tous, sans exception, bénéficiaient de la même structure de base, c'est dire d'un excellent niveau de qualité.

J'adresse aux milliers de personnes, ma gratitude et mes remerciements pour m'avoir témoigné leur confiance lors de leur décision d'engagement de construire, et du déroulement technique et financier, de leur logement. Mon émotion s'adresse particulièrement à ceux dont je croise le chemin, qui m'honorant de la cordialité de leurs saluts, me réchauffent le cœur.

Mon pardon s'adressera à ceux, encore vivants ou disparus, qui m'ont partiellement ruiné, qui restent incidemment responsables de l'altération de mon état de santé, en me condamnant à 29 ans de misère, non pas par leur méchanceté, mais par l'absence de discernement (c'est une litote…) dont ils ont fait preuve. Mon pardon et surtout ma pitié au meneur, à l'âme chafouine et desséchée, qui, de sa vie n'a jamais ri, ni souri à ses semblables. Mais Dieu, lui pardonnera-t-il ?

Dans les pages précédentes, je m'étais posé la question de savoir quelle mouche avait bien pu piquer ces gens qui m'avaient occasionné tant de tourments.

Ce n'est que longtemps après avoir terminé la rédaction de ce chapitre, que la mouche m'a fait ses confidences.

Elle m'a affirmé que le processus de pensées de ces personnes ne correspondait, ni au fond, ni dans la forme, au mien et que ce hiatus me rendait inapte à comprendre. Moins que le péché d'envie, fut la primarité abêtissante de leurs sentiments, au constat de ma réussite, m'a-t-elle précisé, surtout après le choc qu'ils éprouvèrent dans leur orgueil, à la vue de votre coupé Mercedes et de votre appartement, à leurs yeux, somptueux.

Ils étaient, ajouta cette mouche, quasiment furieux à l'idée que les immeubles construits par eux (mais dont ils furent largement payés) aient constitué l'instrument de mon enrichissement.

De leur raisonnement étriqué est donc né le stupide sentiment d'avoir été floués et le vif regret de n'avoir pu conserver le beurre et l'argent du beurre, a-t-elle conclu.

L'ange noir de ces turpitudes est, à ce jour, toujours en vie. Il fut, pendant sa carrière professionnelle, et demeure encore aujourd'hui, méprisé de ses anciens confrères tous corps d'état confondus et porte plus que jamais sur son visage, les stigmates de l'odieux et hypocrite personnage qu'il fut toute son existence.

....

La force de décision de rendre public, et le courage immense qu'il m'a fallu déployer, pour extirper de mes pensées le détail des empreintes traumatisantes subies et plus ou moins refoulées, n'ont-ils pas constitué, cette décharge émotionnelle libératrice que l'on nomme, en psychanalyse, catharsis ?

« Corollairement » pour la seule raison que j'ai pu survivre, physiquement et mentalement, à ce drame ne suis-je pas en quelque sorte l'incarnation de la théorie Nietzschéenne selon laquelle « tout ce qui ne tue pas, rend plus fort » ?...

*

*   *

MRU (Ministère Reconstruction et Urbanisme)

A l'âge de 21 ans, juste après la guerre, j'étais employé en qualité d'« expert » au MRU. Je partageais un bureau avec un autre employé, avec lequel nous avions quelques relations, nous-mêmes et nos épouses respectives.

Un jour, j'ai remarqué que mon collègue de travail était pensif. En un instant, m'est apparue clairement la nature de ses pensées.

153

Dis moi, lui dis-je, je sais à quoi tu penses… Ah oui ? Alors raconte… — Tu penses à ta femme qui est navrée de la jalousie dont tu fais preuve au plan de la situation matérielles des autres… — Exact, m'a-t-il répondu honnêtement.

*
* *

Message à mes petits enfants

Mon père aimait, savait jouer avec les enfants. J'entends encore leurs rires qui éclatent. Ma mère ne savait pas. Moi non plus, je ne sais pas jouer et communiquer avec eux.

Au fond, je crois qu'ils m'intimident. Toujours cette même pudeur qui existait entre ma mère et moi, que je retrouve en leur présence.

Pudeur dans le but de contenir, de cacher le côté visible, de mon affection, de la tendresse, de l'amour qui est en moi, pour eux.

*
* *

Mes grands-parents maternels

Ma mère était orpheline de ses deux parents à l'âge de onze ans. Lorsque, inéluctablement, les années nous rattrapent, on se rapproche, par la pensée, de ceux qui furent, on découvre et on s'accroche davantage à ses racines. L'état provisoire de jeunesse ne permet pas de comprendre, ni bien, ni beaucoup, le véritable sens de la vie. On n'y peut rien. Mais, plus les années s'écoulent, plus et mieux, on aime sa famille.

C'est ainsi que depuis deux ou trois décennies, s'est progressivement avivé mon regret de n'avoir jamais connu mes grands-parents, ni possédé quelques détails de leurs courtes vies.

Par de vieilles gens du quartier de Merville, j'ai pourtant été informé, dans les années passées, de certains détails les concernant, qui mis bout à bout ont constitué quelques révélations de ce qu'était leur existence.

En 1905, à la naissance de ma mère, ils étaient, vers l'âge de 25 ans, à la tête d'une florissante entreprise. Avant la lettre, mes grands-parents –

curieux signe du destin me concernant – exerçaient en quelque sorte la profession de promoteur de construction : mon grand-père établissait lui-même les plans des maisons à édifier et participait avec ses ouvriers à leurs réalisations. Ma grand-mère s'occupait des finances et des salaires, qui étaient versés aux ouvriers par le guichet ouvert dans la porte de l'ancienne cuisine du rez-de-chaussée de ma maison

L'Entreprise Générale du Bâtiment Le Floch, se situait donc à l'endroit où je demeure aujourd'hui. L'entrepôt, édifié en dur, situé à l'arrière de la maison sur rue, était accessible aux voitures à cheval par un passage qui fut supprimé en 1970 et aménagé en habitation. Ils y entreposaient les matériaux et matériels les plus divers, nécessaires à la construction. L'écurie des chevaux se trouvait aux rez-de-chaussée du n° 4 bis, les réserves de plâtre étant au-dessus. Ce bâtiment arrière fut, quelques années plus tard, à l'initiative de ma grand-mère, devenue veuve, aménagé en six modestes logements de deux pièces, qui subirent les bombardements de janvier 1943 et furent détruits.

Bon nombre de constructions, dont toutes existent encore, ont été réalisées par eux : l'école de la rue du Couvent, celle de Lanveur, du même style, près des feux, beaucoup de maisons individuelles à Merville, à la Nouvelle ville et bien entendu la maison où j'habite actuellement.

C'est ainsi que morceau par morceau, j'ai reconstitué une petite partie du puzzle de leur activité professionnelle.

Las !… Le destin…

Mon grand-père, Joseph, qui était, m'a-t-on dit, d'une grande bonté, tranquille, grand travailleur, fût atteint d'une insolation sur le toit d'une maison et mourut en 1912, à l'âge de 32 ans.

Par transmission orale, j'ai appris que ma grand-mère Honorine, née HENRY, était bonne mais vive de caractère, organisée et dynamique, que sont port était altier et que les gens la considéraient comme étant « la plus belle femme de Lorient ».

Dans la famille LE FLOCH-HENRY, j'en conclus que c'était elle qui devait porter la culotte.

Las ! Encore le destin…

Fut grand, sans doute, le chagrin de ma grand-mère, à la mort de son mari. Certainement plus encore, fut sa détresse à l'annonce de la maladie (tuberculose pulmonaire) inguérissable à l'époque, qui devait l'emporter à 34 ans, malgré le sacrifice de toutes ses disponibilités financières pour se soigner dans une clinique privée du 16e à Paris, où des soins innovants tels des injections de sang de taureau, lui furent prodigués. Rien n'y fit.

M'apparaît aujourd'hui avec acuité, ce que dut être l'ampleur de sa souffrance morale, à l'inéluctable perspective, d'abord d'affronter sa propre mort, ensuite celle d'abandonner ses deux petites, la douce Madeleine, ma mère, 11 ans, et sa sœur Odette, 4 ans.

*

*   *

Humour

* Monsieur le Directeur, par erreur vous avez débité mon compte, et bien ! rebitez le maintenant.

* Sais-tu calculer la surface d'un cercle ? Ben Ouais ! c'est pas un truc de Pie XIV là ? Non Pie XII ! tu te trompes de pape.

* Mon père achète ses carottes sur la côte ! Et les oignons ! Même les petits sont énormes.

* Florence Artaut... Pfff... A l'entendre parler on voit bien qu'elle n'a rien dans la cigarette.

*

*   *

Nietzsche

Ce n'est pas dans les prisons qu'il faut rechercher les pires gredins, écrivait Nietzsche.

Les véritable sont réellement ceux qui ne font « rien ».

De nos jours, les gredins font mieux encore... Ils empêchent de « faire » ...

*

*   *

A 50 ans

A 50 ans, on a la gueule qu'on mérite… disait Henry Joubioux mon professeur de peinture. Les muscles du visage, qui sont au nombre de plusieurs dizaines, s'activent de la même manière que ceux du corps. Lorsque pendant 50 ans vous avez été, en général, souriant, la musculation du rire et du sourire s'est maintenue. Votre visage reste apaisé. Il en est de même pour les muscles des personnes méchantes ou du type « cul serré » qui se sont davantage développés. Ainsi on peut, sans crainte de se tromper, affirmer que quelqu'un à l'air bon ou méchant : c'est marqué sur son visage… il suffit de lire.

*
* *

La sardine

En ces temps là, la vie était plutôt calme. Au milieu du 19e siècle, les populations de pêcheurs du Sud Finistère vivaient en bonne harmonie avec les sardines, qui, joyeusement, crawlaient dans les courants de l'Aber-Wrach et des courreaux de Groix. Ils ne se disputaient jamais. L'entente était parfaite, et celles-ci adoraient se faire mettre en boite et nager dans l'huile, ce qui disaient-elles, variait le plaisir.

Tout allait bien, de Loctudy à Concarneau et les usines réservées pour la joie de ces demoiselles se multipliaient et prospéraient dans tous les ports de la côte. Jusqu'au jour ou un pêcheur qui avait bu un coup de trop, et dont le vin était particulièrement mauvais, fit une réflexion, très désagréable il est vrai, à l'une d'entre elles. Vous comprendrez que la bienséance m'interdit de vous en révéler la teneur. Si bien que ces argentées personnes fières et scintillantes, très syndiquées, quittèrent, si j'ose dire comme un seul homme, les eaux Finistériennes, pour aller goûter celles de Quiberon et de Belle-Ile la bien nommée, et même, pour celles qui étaient les plus pécuniairement à l'aise, et sans l'aide de la Sécu qui n'existait pas à l'époque, se faire prodiguer des soins de thalassothérapie, notamment des massages en piscine d'eau de mer. Pour celles qui étaient, bien qu'argentées, mais néanmoins moins riches, l'avantage résidait dans la qualité des eaux, qui autour de l'île était bien meilleure.

157

La science affirme que ces migrations vers le Sud, ont pour origine la modification des courants marins, celle des températures de l'eau et la dégradation de la densité du plancton.

Je ne crois pas beaucoup à cette thèse scientifique. Même pas du tout à vrai dire. Quand on connaît la solidarité qui existe entre les gens de mer et l'honneur chatouilleux de la susceptible sardine, on se persuade que la vraie raison est bien celle décrite plus haut.

Mais l'histoire révèle que ces deux groupes de populations s'aimaient trop pour se quitter, comme ça, bêtement. C'est ainsi, qu'avec armes et bagages, bateaux et filets, friteuses et bidons d'huile, habits du dimanche et coiffes bigoudènes, le monde désespéré de la pêche prit la décision de s'installer à Quiberon, de préférence là bas, mais si, vous savez bien à droite, vers la côte sauvage…

Mais ces récents émigrés n'eurent pas l'heur de plaire aux quasi-insulaires Quiberonnais. Ces indigènes vomirent rapidement leur mépris, en les affublant de l'insultant sobriquet de « Chtou », sans doute pure onomatopée, mot sans support étymologique.

C'est ainsi, que mon arrière grand-mère Henry, née Le Saos (en français : le saxon) vers 1850, a suivi cet exode vers le sud.

Je conserve – c'est bien le cas de le dire – le souvenir, qu'elle tenait Hôtel-Restaurant à l'enseigne de « l'Océan » à Quiberon, face à l'embarcadère du bateau de Belle-Ile. Grand-mère Henry avait finalement fermé son établissement, par suite de la disparition progressive de sa clientèle. Prospères, étaient pourtant à l'époque, les affaires. La consommation du homard à l'Armoricaine, attirait le chaland chic, la bourgeoisie choc et paraît-il la noblesse chuc de la région (1).

Grand-mère Magdeleine s'est avisée un jour – erreur stratégiquement suicidaire – d'accepter de servir ce même homard aux manants locaux. Le mélange des genres fut explosif. Comme les sardines de l'histoire, tous ont déserté le site gastronomique.

Le climat s'étant détendu, et la paix progressivement recouvrée dans le courant du siècle suivant, on pouvait apercevoir, encore il n'y a pas si longtemps, de vieilles bigoudènes et leurs coiffes, faisant leurs courses dans le centre-ville de Quiberon.

L'histoire dit que ce même pêcheur intempérant, figurait lui aussi, parmi les exilés du siècle précédent. Lui-même ou peut être un de ses fils

---

(1) Ne cherchez pas ça ne veut rien dire. Mais chic, choc, chuc, ça me plaisait.

a tenu les mêmes propos désobligeants aux arrières petites filles de la première sardine, et ce faisant, les mêmes causes produisant les mêmes effets, ces dernières se passant le mot, émigrèrent, là-bas, vers Biarritz. Une faible partie des pêcheurs les suivirent, les autres regagnèrent leur pays natal en Bigoudenie. Voici, sérieusement contée, quelques tristes pages d'histoire de la sardine à l'huile et du pêcheur Bigouden.

*

* *

Le temps qui court

Si on réfléchit bien, le temps est un phénomène curieux : impalpable, insaisissable, incontrôlable, sourd à vos prières, cruel même. Linéairement programmé vers l'avenir... Ô temps suspend ton vol...

Essayons de le dompter, un peu, par la pensée.

D'abord que signifie le temps terrestre ? C'est une convention établie par l'homme qui l'a divisé en 24 parties, le laps de temps qui court entre deux levers de soleil, le tour complet de la terre sur son axe.

Cet arrangement nous permet d'organiser nos journées. Facile ! Avec notre montre au poignet...

Nos ancêtres avaient le mogmon, puis le cadran solaire et la clepsydre. Ce n'était pas terrible mais ils faisaient avec.

Tout cela pour mesurer le temps terrestre, mais se sont-ils posé la question de savoir s'il existait un temps étalon, celui de la nature ou du Bon Dieu, différent du nôtre ?

Déjà notre ami Einstein a prouvé qu'il existait un temps relatif, lié à la vitesse du mobile qui se déplace et qui diffère, du même, immobile, sur terre.

J'ai « prouvé » tout à l'heure la subjectivité du temps présent. Là, maintenant, tout de suite, je vais essayer de vous « prouver » que le **temps présent absolu** n'existe pas.

D'abord, si on veut cerner le temps présent on peut considérer qu'il est constitué de l'espace qui existe entre le temps **passé** et le temps **futur**. D'accord ? Comment pourrait-il en être autrement ?

Ensuite si on essaye de déterminer cet espace, on se heurte à une difficulté. Cela impliquerait une distance entre le temps présent et le temps futur, non seulement **infinitésimalement petite, mais impérativement immatérielle.**

De plus, il faudrait que cet espace soit **immobilisé**, ce qui est **impossible**, le temps n'étant **jamais** dans cet état.

Le temps présent absolu est donc un **curseur immatériel** qui se déplace, **coincé** entre les temps **passé** et **futur**. Je dirais même que **le temps présent absolu est une chimère.**

On n'arrive même pas à le matérialiser par le raisonnement. C'est, soit **la fin du temps passé**, soit **le début du temps futur**, mais il ne **peut pas** se positionner entre les deux.

*
* *

Cogitation

L'espace ne peut se concevoir et s'imaginer que par l'existence de la Matière, et la caractéristique de visibilité de cette dernière ne vaut qu'à travers la réalité du Temps.

Ôter le Temps à l'unité constituée de la Matière et de l'Espace qui en découle, c'est-à-dire son support de référence, a pour effet logique d'annihiler, **non pas sa réalité matérielle qui demeure**, mais sa manifestation de visibilité, pour la raison simple que la rétine, faute du « Temps nécessaire », ne reçoit plus d'ondes photoniques. Cette hypothèse a pour conséquence de lui ôter jusqu'à la référence de son souvenir : ni passé, ni présent, ni espoir d'un futur. C'est l'amener à se situer dans un néant abstrait et absolu.

Suis-je un individu bizarrement original ? Le jeu de décorticage et de construction sémantique de cette pensée sur le sujet, a occupé en pointillé mon esprit, toute la journée du 1er juin 2002. La passion de sa remise en ordre, réalisée en clair, le 2 juin à 6 H du matin, m'a procuré beaucoup de plaisir…

Merci d'avoir eu la patience de me lire.

*
* *

L'accident

J'appartiens depuis 1984 à un groupement philosophique et littéraire. Il est d'usage que nous dînions ensemble sur place après nos séances

160

de travail. En septembre 1988, concluant nos fructueux débats, nous nous apprêtions, après avoir bu la traditionnelle coupe de champagne, à passer à table, lorsque les responsables du repas, ce soir là, s'aperçurent – horreur – qu'ils avaient oublié le pain. Qu'importe dis-je, fier comme « un petit banc », j'en ai à la maison suffisamment pour tous.

Il faut vous dire et vous pourrez le constater vous-même quand vous viendrez à la maison, que j'ai toujours plein de trucs à manger : tout ce qui constitue un volume dans la cuisine est plein. Je n'aime pas manquer, j'ai toujours été comme cela. C'est vrai quoi ! c'est triste une maison où il n'y a rien à bouffer. Tu ouvres un frigidaire : c'est vide, le congélateur : juste un truc au fond ; tu explores les rangements : le désert. Donc j'avais du pain au congélateur. Du vrai. Du bon. Pas cette espèce de … Bon ! Pardon, j'allais être vulgaire.

« Je vais avec toi », me dit mon copain Alain. En route ! Avec sa voiture, moi à la place du mort. Décontractés. Heureux.

Angle rue de Clisson et du Couëdic, une Merdécès venant de notre gauche. Boum ! Alain ne l'avait pas vue nous couper la route. Moi, si.

Cela doit être vrai, ce qu'on raconte à propos du film de sa vie, qui se déroule dans sa tête à toute vitesse, en cas de danger mortel. Je n'ai pas ressenti exactement cela, mais j'ai eu la perception d'un autre phénomène. Contrairement à mon habitude, j'avais oublié de boucler ma ceinture de sécurité, alors que je faisais ce geste bien avant qu'il fût obligatoire. J'ai donc heurté, tête la première, le pare-brise et le rétroviseur. Le rétroviseur parce que l'axe de ma vitesse d'inertie est resté constant pendant le choc. Mais celui de notre voiture, qui était évidemment le même que celui de mon corps, s'est déplacé vers la droite en une fraction de seconde, au moment de l'impact. C'est pour cela que je me suis payé, en même temps que le pare brise, le rétroviseur qui aurait pu m'arracher un oeil !

Choc violent, immédiat. Ce n'est pas l'impression que j'en ai gardée. Au contraire, j'aurais pu avoir la sensation de réaliser le rêve de ma vie, celui de participer avec l'équipe de France de rugby, à un match contre les All Black, comme pilier. L'effet de choc m'a paru long, lent, sans aucune douleur. C'est comme si j'avais posé mon front doucement sur le pare brise et que mes partenaires du pack de rugby de l'équipe de France avec ses 900 kgs, entraient en mêlée et augmentaient progressivement leur pression au maximum.

Lente aussi, l'entrée dans mes champs visuels de la Mercedes qui nous coupait la route. Souvenir de la couleur vert clair de la carrosserie éclairée par nos phares. Interminable avancée des deux mètres qui nous séparaient du point d'impact avec l'autre voiture.

Me voici donc abasourdi, choqué, mais tout à fait conscient, assis sagement sur mon siège.

Alain protégé par le volant et la sacoche qu'il portait autour du cou n'avait aucun mal. Il était déjà sorti de sa voiture autour de laquelle il tournait comme une guêpe. J'ai vu rouge. Non pas de colère, mais de la couleur de mon sang qui ruisselait sur mes yeux et sur mon visage. Malgré le sang qui coulait jusque dans mes chaussettes, j'ai été un blessé propre : pas une goutte de sang sur les coussins de la voiture neuve d'Alain.

La Mercedes avait été projetée à 10 mètres sur un autre véhicule en stationnement. Silence. Ambulance. En route vers les urgences. L'ambulance n'est pas ce havre de paix qu'on pourrait logiquement supposer exister pour transporter un blessé : le confort, l'atmosphère feutrée et silencieuse n'existent pas.

Si, dans votre vie, vous avez eu l'occasion de voyager dans la camionnette Citroën en tôle ondulée de votre plombier-chauffagiste, muni de son outillage, vous avez une idée du confort régnant dans l'ambulance des pompiers. Vous pouvez également supposer qu'existe dans l'équipement intérieur une banquette fixée au plancher, donc stable, pour accueillir les blessés. Non pas. Seulement deux chaises en bois aussi mobiles que celles de votre cuisine.

A vous de vous débrouiller pour vous accrocher, où vous pouvez, pendant le transfert !... Déjà la trouille pas possible qui vous habite concernant les conséquences de votre accident et, en plus, celle d'être projeté à nouveau cul par dessus tête contre les parois métalliques non capitonnées du véhicule. Et de fait, il roulent vite les pompiers pour arriver au plus tôt aux urgences. La force centrifuge dans les virages, pris sur les chapeaux de roues, ils ne connaissent pas. Ils sont pressés de conduire un mort en bonne santé à l'hôpital...

Un individu, passager arrière de la Mercedes, m'accompagnait. Pas une égratignure mais certainement un flair développé pour profiter des assurances et préparer le terrain. « Oh ! Peuchère ! Ah ! Peuchère ! J'ai mal ! Ah ! Oh ! Peuchère ! ». Là, oui, je voyais rouge mais non plus de sang répandu dans mes yeux. Quel con !

Les urgences. Pansement compressif qui fait très mal. Entouré comme je ne l'ai jamais été par les deux ou trois médecins des urgences et les quatre autres de mes amis qui étaient navrés de savoir qu'ils allaient être contraints de dîner sans pain.

Service de cardiologie, par précaution, étant sous thérapie légère.

Anesthésie générale pour me recoudre. Les deux yeux au beurre noir, comme ceux d'un boxeur qui vient de se faire massacrer. Les cheveux dressés comme une hutte de Papou et durcis de sang séché, bien fixés par le pansement, et pour couronner le tout, une sorte de petit chapeau pointu avec une breloque pendouillante, qui avait la prétention d'être le réservoir d'un drain.

J'avais comme compagnon de chambre, un monsieur de 70 ans, très gentil, très ventru, énormément ventru. Sans complexe aucun, concernant ses flatulences sonores. Une bonbonne de gaz. Moi qui ai toujours été et demeure très pudique dans ce domaine, j'étais gâté...

L'inactivité forcée et le silence – sauf le bruit des pets, qui comme une horloge marquent le temps – étaient tout à fait propices aux calculs mentaux de toutes sortes. Vous auriez pu régler vos montres, tellement c'était régulier. Compte tenu du secret espoir que la cadence serait moins rapide, compte tenu de la grande diversité des modulations. Bon ! Comme pour un problème du certif, calculons... Compte tenu du volume émis qui devait bien correspondre, à chaque fois, à une bouteille de Butagaz. Compte tenu de l'estimation du temps raisonnable qu'il fallait, pour effectuer le remplissage, afin de réaliser un nouveau concert...

Le délai d'inactivité du volcan pouvait donc être fixé à 1 heure/1 heure et demi.

Faux ! Tu as tout faux ! Tant pis pour toi ! T'auras pas ton certif !

Dix minutes après, rebelote !

C'est un mystère ! Je me demande où il allait chercher tout ça ! Cet individu a dû contribuer fortement à agrandir le trou de la couche d'ozone. C'est une mine d'or ce type ! Il devrait signer un contrat de fourniture avec GDF.

Voilà ! Je suis guéri depuis longtemps. Je vais bien. Merci.

*
* *

LA CULTURE

Fausse et vraie culture

Par quelles subtiles alchimies, la découverte d'une connaissance, résultat d'une décision volontairement cognitive, se fixe-t-elle à l'intellect de base, celui de la pensée passive qui nous habite dans le quotidien ordinaire ?

Comment ce savoir, nouvellement acquis, de même que celui qui se nourrit de l'osmose quotidienne inconsciente émanant du milieu dans lequel on évolue, se mute-t-il en culture naturellement authentique ? De quelle manière s'intègre-t-il à la pensée courante, celle de notre éveil, et se stocke dans notre réserve culturelle ?

Deux processus, qui sont complémentaires et paraissent indissociables, semblent promouvoir l'accession à cet état.

Le premier, ainsi que je l'exprimais plus haut est l'imprégnation, en sa mémoire, du savoir acquis et de l'influence permanente du milieu dans lequel on évolue. Plus précisément, la qualité de l'inné permet de consentir l'effort de mémorisation nécessaire, puis, sans en éprouver véritablement conscience, d'enfouir provisoirement dans l'oubli ce que l'on a assimilé. Mais ce qui a été appris demeure en réserve, immobile et silencieux dans notre mémoire.

Le second est constitué des résurgences inconsciemment et sélectivement sollicitées des acquis antérieurs, qui conduisent à une capacité devenue alors naturelle et facile, soit d'interprétations critiques du problème posé soit, mieux encore, de tentatives réussies d'exégèses argumentées. L'association de ces deux états, constitue bien, dans son effet, le fondement d'une culture authentique et profonde : celle qui reste quand on a tout oublié. Elle n'est plus celle dont on dit : moins on a de confiture plus on l'étale sur sa tartine…

A ce propos, j'ai connu un individu, pour lequel j'ai éprouvé estime et affection sincères, mais qu'aujourd'hui je méprise pour la raison qu'il s'est révélé être l'habile mystificateur du quotidien qu'il demeure, au point qu'il pourrait être consacré prince du faux-semblant !

Ainsi, il sait fort bien, dans une conversation mondaine, placer d'une manière intelligemment discrète et habile, quand il faut, sa toute petite cuillerée qu'il a méthodiquement, ponctuellement et superficiellement mémorisée.

Comme l'araignée immobile sur sa toile, il guette sa proie et attend le moment opportun. Tout en ayant l'air de rechercher difficilement au fond de sa mémoire – il a certainement entendu dire que la culture est ce qui reste quand on a tout oublié – une parcelle de son hypothétique et superficiel savoir.

Dans l'absolu, l'homme cultivé ne peut représenter l'incarnation d'une encyclopédie des connaissances universelles. S'il en était ainsi, il serait Dieu.

La personne véritablement cultivée me paraît être représentée par celle qui a beaucoup lu, vu, compris et retenu, qui, grâce à la valeur de son inné, a été capable de construire son acquis. Cette personne possède-ra la rapidité intellectuelle d'opérer la connexion entre elles, au bon moment, sans outrecuidance, avec prudence et modestie réelle, des unités de connaissances. Par son comportement psychologiquement équilibré, fruit de son intelligence de cœur, il fera en sorte de ne pas blesser dans leur amour propre, les gens culturellement moins nantis.

Mais si l'ambiance se situe à l'écoute culturelle, l'auditoire bien-veillant et attentif, qui a senti que le discours de l'orateur n'est pas desti-né à le faire briller, saura bien, sans équivoque, lui faire accepter de revê-tir les habits de maître de conférence. Ce qui était conversation intéres-sante deviendra alors festin culturel.

Mais à quoi sert la culture, pourrait-on se demander ? Outre le plai-sir personnel et la joie de la découverte, elle nous permet de mieux nous situer dans le temps et dans l'espace. Elle constitue un point de repère de sa propre existence qui aide à la préhension d'une richesse intérieure, qui elle-même, ajoute à l'accession, à la réflexion philosophique. La culture est la nourriture de l'âme.

Mon besoin de culture

Fils unique, protégé, trop protégé par mes parents – principalement par ma mère qui m'a appris que le mal n'existait pas – gens honorables et honnêtes, à la grande et discrète intelligence, principalement de cœur, j'ai vécu, entre eux deux, une enfance et une adolescence heureuse, sans pro-blème aucun.

Modeste à ma naissance, en 1926, leur milieu social s'élevât rapi-dement grâce au diplôme d'ingénieur de la Marine obtenu par mon père à l'âge de 24 ans. Ils se souciaient peu de nourriture culturelle. Seule existait celle que nous apportait la leçon permanente des choses de la vie. Peu de journaux ou de revues, pas de télé, pas de grands voyages, pas d'incitation permanente à la culture générale, comme cela existe aujourd'hui. C'était la marque d'une époque. La culture emmagasinée au contact de mes parents se révélait inexistante. Ils m'ont appris sans doute mieux encore.

Ne possédant l'aisance pécuniaire qui permettait l'ouverture, à certains, des rares moyens mis à leur disposition pour acquérir le savoir, le don qu'ils me firent, fût celui d'un humanisme des vertus, d'amour et du respect du prochain. La vérité, le bon sens, la probité matérielle et morale, la générosité, le respect de la parole donnée, de nombreuses autres vertus émanaient de façon naturelle de leur intelligence de cœur.

C'est ainsi que la base inconsciente de mon acquis, constituée d'un principe de bonté et d'honnêteté de l'homme, a servi de support pour le meilleur et pendant de longues années, pour le pire, à l'orientation de ma vie. J'ai appris à mes dépends que la confiance ne permet pas la réussite dans les affaires. Plus tard, beaucoup plus tard, mais pas trop tard, une prise de conscience m'a ouvert les yeux sur la faiblesse culturelle qui était la mienne. Certes, il me déplaisait de me transformer en machine à ingurgiter le savoir, mais il me fallait reconnaître que je ne pesais pas bien lourd en ce domaine.

Victime des empêchements provoqués par la guerre et l'exode, consécutifs aux bombardements aériens qui ont détruit Lorient en 1943, j'ai connu l'isolement du moindre courant culturel.

Pendant plus de 30 ans, mon éventuelle volonté d'emprunter la voie permettant l'acquisition d'une culture spécifique aux Arts picturaux, se serait trouvée empêchée par l'exigeante, active et passionnante profession qui fut la mienne : la maîtrise, et l'organisation de A à Z de la construction de 5 500 appartements en immeubles collectifs, maisons individuelles ou lots de terrain viabilisés.

Mais ces prenantes occupations créatives, ne m'ont pas empêché de lire beaucoup, avec passion, dès l'âge de 20 ans, principalement des œuvres classiques et des revues vulgarisant les Sciences et la Vie. Ma curiosité qui toujours a été en éveil, et qui demeure encore aujourd'hui intacte, malgré mes presque 77 ans, m'a aidé à enregistrer dans ma mémoire, certains textes, dont la nature m'intéressait davantage que d'autres.

C'est ainsi, qu'il m'a été permis de prendre conscience d'évidences qui n'étaient pas apparues dans ma pensée jusque là. La première a été de réaliser que la possession d'une bonne culture générale, notamment celle concernant les Sciences, les Arts et les Lettres, constituaient une nécessaire, sinon indispensable nourriture de l'esprit et d'ouverture de la pensée.

Dans la mesure bien entendu, où ce choix impliquant un refus de déroulement de vie presque végétative, s'oriente vers l'ambition et la volonté d'accéder à la permanence d'une richesse intérieure, qui demeure une partie constitutive de la quête de sérénité et de bonheur.

La deuxième, fut le constat courageusement avoué en mon for intérieur, de ma relative pauvreté culturelle, notamment dans les Arts, ma culture littéraire restant superficielle et peu étendue, mes « humanités » entreprises dès la classe de sixième ayant limité les dégâts. Pour signer la paix avec moi-même, dans cette perspective de savourer, un jour, ces trésors destinés à l'esprit, qui attendaient que je les découvre, j'ai décidé de palier ces carences et de m'initier aux beautés et merveilles artistiques du passé et du présent.

C'est ainsi, qu'après 5 ans de cours quotidiens et intensivement passionnés de dessin et de peinture à l'Ecole des Beaux-Arts de Lorient, auxquels j'ai été l'élève attentif et studieux d'Henry Joubioux, j'achève en ce mois de mai 2001 ma septième année de cours d'Histoire de l'Art. Mon esprit fut étonné et séduit par ces multiples découvertes.

Il n'est pas dans mes intentions d'écrire à nouveau tout ce que j'ai appris, mais me permettez-vous de vous faire partager mon enthousiasme sur quelques points d'histoire pris au hasard de mes notes ?

Introduction à l'histoire de l'Art

Même si résidait au fond de ma pensée, l'outrecuidante certitude de croire que la lecture de mes écrits suscite, en vous, intérêt et plaisir, et quelque soit l'effort que je pourrais accomplir pour vous être encore plus agréable, il me serait impossible de résumer dans ses détails, les sept années de cours de l'Histoire de l'Art auxquels j'ai assistés. Pourtant, malgré l'engouement que j'ai éprouvé à la consultation de mes notes et de la redécouverte de certains détails déjà oubliés, me sont apparues la vanité et la difficulté d'entreprendre une tâche d'une telle ampleur. Seule une rédaction détaillée, consacrée exclusivement à ce sujet, groupée dans un volume, serait susceptible d'exprimer l'ensemble des plaisirs que j'ai éprouvés à découvrir les innombrables secrets des Arts, qui m'étaient, il y a quelques années encore, inconnus.

Modestement, me permettrez-vous seulement de tenter de vous faire partager mon enthousiasme, parfois naïf, et ma passion, toujours aussi grande. Quelques courts paragraphes composés de quelques lignes, seront-ils suffisants pour donner vie à ces instants de l'histoire de l'Art et vous intéresser ?

La statue du nu antique

Concernant ces œuvres étudiées, bon nombre de curiosités, tant dans le contexte philosophique dont elles procèdent que du caractère indissociable de la croyance en leurs Dieux, m'ont étonnées. De même que certaines révélations fragmentaires de leur vie sociale.

Ainsi, la tonalité des statues des corps nus Egyptiens était bronzée chez les hommes, mais claire chez les femmes. Cela tenait au fait que ces dames restaient enfermées à la maison, et profitaient rarement du soleil.

D'ailleurs les statues de corps nus féminins Egyptiens étaient toujours recouvertes dans leur masse, d'un drapé mouillé léger. Sans doute, voulaient-ils, en cela, cacher pudiquement cette nudité ? Alors qu'en fait, ils y ajoutaient une forte dose d'érotisme. Il m'étonnerait que la libido des Egyptiens de l'époque, soit plus faible que celle des Français ou des Egyptiens d'aujourd'hui. Pour l'exciter, ils ont – en cette matière – atteint des sommets.

L'Art Grec, postérieur à l'Art Egyptien, a emprunté à ce dernier, ce qui l'intéressait le plus et s'en est inspiré. Les Grecs avaient la passion des mathématiques : le corps humain, qui faisait l'objet de mesures, était inséparable de l'âme. Dans un corps parfait, habitait forcément une âme parfaite, et un défaut physique dénonçait un défaut de l'esprit.

Ainsi les Dieux étaient représentés par un corps idéalement – et mathématiquement – beau, dont l'âme était parfaitement belle. Ils étaient – évidemment – immortels. C'était chez les Grecs, leur perception divine de l'infini, de l'immortalité. Avant tout, l'Art Grec procède d'un concept mystique.

L'idéal mathématique de beauté était, pour le corps, de sept fois la longueur de la tête à partir du cou. Les statues Grecques ont une position frontale, c'est-à-dire droite, sans déhanchement, verticalement symétrique, tête droite, regard droit.

350 ans avant J.C., Polyclète abandonne dans ses œuvres, cette attitude rigide et leur confère un caractère moins froid, plus humain : le « contra posto » (déhanchement contrarié). Mais il n'abandonne pas, pour autant, le rapport qui veut que la beauté physique représente la beauté de l'âme. Les Dieux sont toujours représentés par un corps d'homme d'une beauté physique parfaite.

Brunelleschi, le papillon

Grand parmi les plus grands, le personnage qui me paraît être exceptionnel par l'œuvre qu'il a accomplie, et l'influence unique qui fut la sienne dans l'émergence de la Renaissance, fut bien Brunelleschi.

Qui est cet homme au visage d'empereur Romain, resplendissant d'intelligence et de beauté virile, tel qu'il apparaît à l'examen de son buste en bronze. A l'âge de 21 ans, il était orfèvre, comme cela était courant de l'être à l'époque, arithméticien, géomètre, sculpteur et peintre, puis ingénieur militaire naval, spécialisé en hydraulique. Il conçut des spectacles et des instruments de musique, des matériaux de construction, à l'époque, révolutionnaires.

S'inspirant des concepts Romains d'architecture mais sans les plagier, il créa son propre concept d'esthétique architecturale, composé de lignes droites adoucies par des cercles, des courbes et des cintres dont l'effet m'a paru puissant et harmonieusement équilibré.

Sans doute pour s'aérer l'esprit, il étudia la structure de la « Divine comédie » de Dante, et se fit philosophe dans la recherche d'une conscience de soi. Enfin et ce ne fut pas tout, ni le principal, il devint l'auteur de l'inédit concept d'urbanisme de la cité de Florence, dont la structure est toujours celle qui existe aujourd'hui.

C'était en 1418. Depuis 8 ans déjà, vexées d'entendre en permanence les ricanements de Rome et des villes du Nord, atteintes dans leur prestige et blessées dans leur orgueil, les autorités religieuses de Florence contemplaient le trou béant des murs, de forme octogonale, destinés à recevoir le dôme qui aurait enfin achevé totalement, la magnifique et toujours resplendissante cathédrale Santa Maria del Fiore.

La portée de cet ouvrage, considérable pour l'époque mais encore importante pour la nôtre, était de 42 mètres. Brunelleschi fut le lauréat du concours organisé pour, qu'enfin, les travaux puissent commencer. Rapidement, il constate son incapacité technique à édifier cet ouvrage.

Alors il part à Rome, visiter, s'inspirer, prendre des mesures, apprendre la conception des monuments antiques, quêter des idées pratiques.

Retour à Florence quelques mois plus tard, il est en possession de la solution à son problème, mais aussi et surtout muni d'un concept oublié depuis plus de 1 000 ans : la perspective.

Nous étions à la fin du Moyen Age. Outre le gothique qu'ils n'aimaient plus, les gens avaient l'habitude de ne contempler, outre leur nombril, que des œuvres plates à deux dimensions. La perspective s'impose lentement, timidement dans les œuvres peintes : la troisième dimension, la profondeur apparaît dans le graphisme.

Le Moyen Age va découvrir qu'au-delà de la ligne d'horizon, il y a l'infini, l'univers qui représente autre chose que le nombril qu'il regardait jusqu'alors. Une prise de conscience métaphysique s'installe, une autre philosophie commence à s'instaurer. Le dessin évolue, les tableaux prennent de la profondeur, les thèmes se transforment. On ose… Thèmes habituels : le paradis et l'enfer s'édulcorent. Lentement, les Arts s'affirment et se transforment. La Re-naissance est en marche. Brunelleschi fut bien le papillon dont le souffle du battement d'aile à Florence a déclenché un cyclone dans toute l'Europe.

Il dirigeât la construction du dôme de la cathédrale de Florence jusqu'à sa mort, intervenue à 60 ans en 1446. Cet ouvrage fut achevé sous la direction d'un autre architecte, dans le respect des plans précédemment établis.

La balance

Au Moyen Age, toute œuvre d'art n'était que religiosité. Au cours de la Renaissance Flamande, les images deviennent davantage symboliques qu'empreintes de religion. Ainsi Hans Memling, dans son Eryptique de « la vanité de la rédemption terrestre » et ses évocations symboliques, laisse, pour la première fois, apparaître un sexe dénudé de femme. Son diptyque qui traite de « l'allégorie du véritable amour » interprète le péché, la luxure, le mal, mais aussi la beauté, l'amour courtois.

A l'examen de ces tableaux, les professionnels de l'exégèse concluent que chacun possède son libre arbitre de décider qu'il s'agit de l'évocation du bien ou du mal. Dieu, le Christ, les saints ne figurent plus dans ces œuvres.

Le sujet du polyptyque d'une des œuvres Majeures de Van Der Weden – le jugement dernier – traite de la psychostasie ou de la pesée des âmes. Il va être le premier à ne plus représenter le diable, car pour lui l'enfer est d'être abandonné de Dieu. Dans sa représentation imagée de la psychostasie, le Mal pèse plus lourd que le Bien. Dans notre symbolique chrétienne, moins ancienne, c'est le contraire : le Bien pèse davantage que le Mal. Saint Pierre équipé aujourd'hui d'une balance électronique de haute précision à deux plateaux, appréciera, un jour, le poids de votre âme.

Sur le plateau « sinister » sera pesé le Mal, sur le « Dexter » le Bien. Si celui de droite s'enfonce, vous entendrez sans tarder, portée par les vents divins parfumés, la musique de l'éternel Eden. Sinon, le silence menaçant de Dieu... Pour ma part, je me sens l'âme légère... Tu n'es pas un peu imprudent de présenter les choses de cette manière ? dit Saint Pierre à Marcello. Enfin, sois raisonnable, à cause de Van Der Weden, je risque de me tromper le moment venu... ajoute-t-il. Je sais que c'est ta manière de parler, complète-t-il mais quand même, Marcello, tu es imprudent.

Techniques florentine et vénitienne

Les villes de Florence et Venise, ne me paraissent pas tant géographiquement éloignées l'une de l'autre, que leurs méthodes, leurs manières de peindre, soient, à ce point, différentes. Ces deux peuples ne pensent pas la peinture de la même manière.

Les Florentins tendent avant tout au dessin parfaitement exécuté. Ensuite, cette exécution reçoit la couleur qui convient. Soigneusement. La peinture Vénitienne est influencée par l'Art Byzantin. C'est celui de la mosaïque dont les petits éléments, choisis selon leurs colorations, se juxtaposent les uns après les autres, pour révéler progressivement le dessin. Le peintre Vénitien maîtrise simultanément son graphisme et sa couleur.

Exemples comparatifs d'un même sujet : « La mise au tombeau » : l'un de Raphaël (1507), l'autre de Titien (1525)

Le premier est très soigné dans ses couleurs et son dessin.

Le deuxième, dont les coloris sont plus vifs que ceux du premier, rempli d'ombres et de lumières, éclate de vie et de mouvements.

Raphaël est figé, Titien se rapproche de l'effet produit par un instantané photographique. Par la variété des nuances, des ombres, des lumières, des contrastes, l'œuvre réalisée fait penser aux débuts de l'expressionnisme.

Henry Joubioux m'a guidé de cette manière dans mon exécution d'une aquarelle. Je me suis essayé à dessiner d'abord, à colorer ensuite : à mon goût, le résultat est détestable. Quoique beaucoup plus inconfortable, faire naître le dessin en étalant la couleur – ma seule manière d'exécuter une aquarelle – permet fraîcheur et lumière, sans que l'ensemble soit figé. Mais avec cette méthode, quand ça ne veut pas rigoler, ça ne veut vraiment pas rigoler !..

Devise

En 1425, Yan Van Eyck à qui on attribue à tort l'invention de la peinture à l'huile, qu'en fait, il a seulement améliorée dans ses composants chimiques, était le peintre du Duc de Bourgogne dont il devint l'ambassadeur. De tous les peintres d'Europe, il fut le premier à signer ses œuvres.

A l'instar de la noblesse, il adopta une devise, dont la sélection marque en même temps que sa fierté, sa modestie.

Son choix représente, dans l'analyse que j'en fais intimement, une remarquable base philosophique de vie, celle que j'aurais aimé adopter, s'il m'avait été donné d'en choisir une. Cette devise est : « **de mon mieux…** ».

La Renaissance en France

Fin du 15e siècle.

François 1er est un petit futé : il a tout compris du prestige politique et artistique qu'il allait pouvoir tirer de la renaissance Italienne, qui achevait de pénétrer en France. Il va se servir des talents de deux artistes Italiens prestigieux qu'il fait venir pour décorer le château de Fontainebleau : Giambattista DI JACOPO dit : le Rosso et Francesco PRIMATTICIO dit : le Primatice. Ces derniers constituèrent l'Ecole de Fontainebleau.

La France encore au gothique flamboyant, va digérer l'art Vénitien et créer son prestigieux art de vivre. Elle va imaginer son propre style architectural.

En fait, la France, sous l'impulsion de François 1er, va établir sa propre cohérence artistique. Fresques, stucs, dessins élégants, vont décorer les galeries du Louvres et de Fontainebleau. Peintures, gravures, tapisseries à la Française vont se répandre dans toute l'Europe.

De la même manière que le François (de certains) d'aujourd'hui, qui ambitionnait de s'inscrire dans l'immortalité, le François de 1494 avait le même souci de perpétrer le souvenir de sa personne dans l'Histoire.

Est-ce là la clé, de l'impulsion du bon goût et du prestige Français de l'époque, qui se répandit dans toute l'Europe ?

Brancusi

Brancusi – Sculpteur Roumain 1876-1957 Paris

Lui aussi est un géant hors normes. A la réflexion tous sont des géants, mais lui est un peu plus géant qu'un autre.

Sa souffrance d'enfant solitaire et maltraité explique la philosophie de ses œuvres.

A 11 ans – nous sommes en 1887 dans une Roumanie économiquement pauvre – il quitte sa famille, lieu de souffrance. Vagabond, il survit grâce à des petits métiers. A 15 ans, il fabrique un violon et apprend à en jouer. Remarqué, les portes des Arts Appliqués et des Beaux-Arts de Bucarest, lui sont ouvertes. Rodin l'accueille dans son atelier, qu'il quitte assez vite en disant : « Rien ne pousse à l'ombre des grands arbres… ».

Thème philosophique et symbolique de son œuvre, l'œuf veut exprimer son désir de non-vie et sa souffrance passée. Sur deux points, son concept de l'art l'oppose à Rodin, d'abord l'académisme de ce dernier, ensuite l'obligation de socle sur lequel doit reposer la réalisation. Toutes ses œuvres sont majeures.

Outre « le Baiser », - remarquablement émouvante de dépouillement – « Leda » est Beauté à l'état pur : la partie basse, objet d'art intégré à l'ensemble, est un marbre surmonté d'un plateau circulaire horizontal en glace teintée translucide. Le haut est en bronze. La sculpture s'admire par reflet et transparence.

Enfin, œuvre gigantesque édifiée en Roumanie : « Tirgu-Jiu (l'infini), hauteur 30 m – 19 tonnes.

Picasso (1881-1973)

Les contempteurs devraient professer davantage de prudence.

Impossible à quiconque de comprendre et d'aimer un jour l'œuvre de Picasso, sans pénétrer son intimité de vie, sans posséder la clé ouvrant son cheminement de pensées, sans emprunter la voie de sa biographie.

Sa longue vie fut passions fortes, jamais affaiblies, sans cesse renouvelées.

Sa puissance vitale se lit dans son regard, noir, intense. Sa force créatrice dans le pouvoir qu'il possède de la traduire sur la toile. Ses états d'âme. Enfin, son génie artistique se réalise dans la précision chromatique, à la fois instinctive et raisonnée, de l'œuvre. Cette dernière définit la synthèse passionnelle du sentiment ressenti, à l'instant où il peint.

Que les puristes et les authentiques exégètes de l'œuvre de Picasso, veuillent bien me pardonner d'oser ainsi traduire la pensée générale qui m'habite, concernant ce sujet, et commettre l'erreur de l'interpréter faussement. Tant pis. J'irai encore plus loin dans ma hardiesse. Je pense même que Picasso n'aurait jamais été capable – si on le lui avait demandé – de tracer de sa main, un gribouillis quelconque exprimant la plus parfaite banalité. Le génie était permanent au bout de ses doigts.

Un célèbre critique d'Art, dont j'ai oublié le nom, écrit : « peindre, graver, ou dessiner, sont, chez lui, une fonction organique. Il travaille parce qu'il vit et vit parce qu'il travaille. Exister et créer sont synonymes. Durant toute son existence, il en a été toujours ainsi. »

Matisse (1869-1954)

Certaines – très rares – de ses œuvres (1908 et 1909) ne m'enchantent pas : trop d'arabesques, trop chargées à mon goût. Amour, onirisme, nature, musique et danse, Matisse est le peintre de la plénitude de l'âme, de la douceur de vivre. C'est aussi et peut être surtout, dans les dernières années de sa vie, par ses nus bleus en découpage, qu'il trouva l'expression poétique.

Vous rendez vous compte, réaliser de la poésie avec des ciseaux, du papier de couleur et un tube de colle ?..

Mais rapidement renoncer, dans le cheminement de son œuvre, aux clairs obscurs, aux ombres portées, écarter le modelé et la perspective, radicaliser son graphisme, simplement « simplifier », il faut s'appeler Matisse pour oser…

Mais quelle fraîche émotion on éprouve à lire son travail…

Juan Gris (1887-1927) Espagnol

Contemporain de Picasso qu'il connaissait bien, ce peintre m'a séduit par la qualité de ses œuvres.

Après avoir visionné des diapos, j'ai inscrit dans mes notes de cours, tellement je fus impressionné : « aujourd'hui j'ai découvert un très grand peintre » et « que serait-il devenu s'il n'était pas mort si jeune ? ».

Cet homme a commencé à peindre vers 1906, au début de cette grande révolution artistique que furent les débuts du cubisme. Au 14è siècle, les œuvres, toutes sacrées, suscitaient la méditation. Le cubisme est une reconstitution mentale, un nouveau support visuel qui, également, conduit à une forme de méditation similaire. Juan Gris était un cubiste simplifié. Toutes ses œuvres étaient puissantes de simplicité.

Sur l'art abstrait

J'ai suivi, avec autant d'assiduité que d'attention passionnée, pendant 7 ans, les cours d'histoire de l'Art, à raison de 2 heures par semaine. Je poursuivrai mon cursus, en m'inscrivant chaque année à un nouveau cours.

Toute ma vie, l'Art abstrait constituait dans mon esprit, sauf quelques bribes de lumières cueillies ici ou là, un mystère suffisamment épais pour qu'il méritât, un jour, de susciter ma curiosité.

Ainsi que je l'ai déjà exprimé à propos de Picasso, plus que jamais, les contempteurs habituels devraient s'armer de prudence.

Non, je ne soupçonnais pas, mais pas un seul instant, que l'apparente « absconsité » conférée à l'examen d'un tableau et le jugement négatif par défaut de compréhension qu'il suscitait, puisse révéler, à ce point, autant de surprenantes richesses cachées. Puissiez-vous me torturer physiquement pour m'extirper mon numéro de code bancaire, sauf si votre torture est de bonne qualité, vous ne le connaîtrez jamais. **Il est de même de la compréhension d'une œuvre abstraite, sans que la psychologie et la biographie du peintre et surtout l'intensité philosophique de sa démarche, vous soient révélées.**

Contrairement à l'émotion ressentie par la vision d'un tableau classique ancien, ou impressionniste, centrée sur les seules qualités graphiques et harmoniques, celle, suscitée par l'examen d'une œuvre abstraite, ne sera pas de la même nature.

Beaucoup moins l'aspect esthétique général, que la connaissance parfaite de l'intention de recherche philosophique de l'auteur, ces deux facteurs restant néanmoins en parfaite symbiose, en constitueront toutefois la richesse. L'intensité émotionnelle qui vous envahira, sera alors directement proportionnelle à votre propre sensibilité.

Kandinsky, Malevitch, Pollock, Soulages, Hartung, Rothko et les autres

Doit-on encore qualifier ces personnages seulement de peintres abstraits ?

N'incarnent-t-ils pas, en réalité, une synthèse de leurs intentions de poser une question philosophique, et d'offrir la possibilité de chercher la réponse dans leur graphisme abstrait ? Ne sont-ils pas d'abord des philosophes ? Des philosophes qui possèdent des dons artistiques ? Ou bien des artistes qui intellectualisent leur art ?

Dans tous les cas, ils ont su composer leurs œuvres de telle manière, que le spectateur qui veut chercher, trouve ce qu'il cherche, rendant ainsi intelligible le message qui y est contenu.

Ne représentent-ils pas en réalité des philosophes qui utilisent des hiéroglyphes particuliers pour poser les questions, et inciter à la réflexion profonde ? Mais ce que l'on peut dire, c'est que tous ces peintres qualifiés « d'abstraits », évoquent dans leurs travaux une démarche fondamentalement similaire.

Rothko (1903-1970) fera l'objet de la courte analyse qui suit. Le fond de cet exposé est susceptible de s'appliquer, différemment, à tous les autres.

Américain d'origine Russe, il est également doué en musique et littérature. Surtout pendant les vingt dernières années de sa vie, sa peinture procédait d'une recherche du Sacré, qu'il s'efforçait de véhiculer par des recherches d'effets de vibrations.

En 1943, il écrivait déjà : « une couleur doit être davantage qu'une couleur. Elle doit suggérer le Sacré qu'on doit trouver dans le domaine spirituel. Nous devons étudier les anciens qui permettent de déceler la nouveauté d'aujourd'hui ».

Il étudie l'aquarelle, découvre Cézanne, travaille à la manière impressionniste, mais abandonne le réalisme en 1940. L'iconographie mythologique, le symbole des Peurs et motivations primaires de l'homme, l'intéressent.

En 1943, il poursuit ses analyses sur l'Art :

1 – « pour nous l'Art est l'aventure dans un monde inconnu dont l'exploration est réservée à celui qui veut en prendre le risque ».

2 – « le monde de l'imagination est encore à conquérir, et celui de l'imaginaire est totalement libre ».

3 – « notre rôle, en tant qu'artiste, est de faire en sorte que le spectateur voit le monde de notre manière, et non de la sienne ».

4 – « nous préférons dire simplement les choses compliquées. Nous sommes pour une forme de grande dimension, parce qu'elle a l'impact de ce qui est équivoque. Nous voulons réaffirmer le plan du tableau. Nous sommes pour les formes planes, parce qu'elles détruisent l'illusion et révèlent la vérité ».

5 – « les peintres disent : peu importe ce qui est peint, du moment que c'est bien peint. C'est l'essence de l'académisme. Il n'existe pas de bonne peinture à propos de rien. Nous soutenons que le sujet est déterminant. Voilà pourquoi nous revendiquons une affinité avec l'Art primitif ».

Ainsi parlait Rothko. Il réalise des sujets mythologiques en aquarelle, cernés de noir. Mais en 1950, il devient abstrait. Pendant vingt ans, il s'efforcera de créer dans sa peinture la vibration nécessaire à la recherche de l'impression d'extase, cette vibration de couleurs, se produisant d'avant en arrière, puis vers le spectateur. C'était un effet de jeu mouvant, englouti dans l'œuvre, d'avant en arrière et inversement.

Une exposition des œuvres de Rothko, dont l'une d'entre elles avait une longueur de 15 m, fixée au mur à hauteur du regard, s'est déroulée à Paris en l'an 2000. A proche distance de la toile, de nombreux sièges étaient disposés. Le conseil était donné aux spectateurs de s'imprégner de longues minutes du travail du peintre, afin de capter les messages et les vibrations qui s'en dégagent.

Rothko est le peintre de la vibration, de l'aboutissement à un effet d'extase dont la base est sacrée.

Joies

Parmi les plaisirs de l'esprit auxquels il m'a été permis d'accéder tardivement, dont je vous ai révélé à l'instant quelques épisodes, il en est un parmi les plus forts, les plus intériorisés de joies paisibles, qui surclasse les autres, c'est celui, cognitif, de pénétrer le secret des Arts.

Oui, mes joies de découvrir naïvement ces secrets, ont été profondes, et mon plaisir s'est trouvé davantage aiguisé, par la faculté qui s'est petit à petit révélée en moi, de façon ponctuelle et progressive, de manipuler, sinon l'exégèse pure, du moins d'être capable de formuler une ébauche d'interprétation et de synthèse argumentées.

C'est ainsi, après avoir apprécié l'universelle génialité d'un Brunelleschi ou d'un Léonard de Vinci, les beautés et les mécanismes des Renaissances, appris à lire le Sacré, senti les insensibles évolutions dans le temps, été frappé d'étonnement par les inimaginables créations d'un Jérôme Bosch, le Dali de l'époque, compris les éblouissantes beautés impressionnistes, la puissance du génie Picasso, partagé les souffrances et tourments des artistes dans l'aboutissement de leurs recherches, été subjugué par le sublime qui se dégage d'un Kandinsky ou d'un Malévitch, qui ont su intégrer la philosophie à leurs œuvres, j'ai abordé en septembre 2000, ignorant ce qui m'attendait et en plus sans idée préconçue, l'Art contemporain.

Alors là, mes amis, j'ai le courage de mes opinions, il y a matière à s'interroger, à rire ou à pleurer. Je vais en parler plus loin.

Marcel Duchamp et Andy Warhol

Précurseur de l'Art contemporain, Marcel Duchamp créé et diffuse le mot « ready-made », objet usuel sans valeur artistique, et l'impose sur le marché de l'Art, qu'il a su magistralement organiser dans le monde entier, dans le cadre d'expositions publiques, ou dans celui des prestigieuses galeries des capitales de différents pays. L'objet exposé, le ready-made, ne prend sa valeur virtuelle que par la qualité du contenant, de l'engouement artificiellement suscité, c'est-à-dire du prestige de l'exposition : réputation du lieu et des galeristes, des invités, des médias, des officiels, des critiques, des grands musées, etc. **création artificielle d'une notoriété**, dont le centre d'intérêt est le ready-made. Tout réside donc dans l'originalité et dans l'exploitation de l'Idée.

Ainsi Marcel se marre-t-il bien à observer le visiteur, qui, l'air inspiré et faisant des efforts pour comprendre, tourne autour de sa « roue de bicyclette » (1913). Et il continue ainsi à exposer.

– reproduction de la Joconde, avec inscription en bas du rébus : L H O O Q (elle a chaud…)

– « Bruits secrets » (1916) : une pelote de ficelle coincée entre deux plaques de cuivre soudées entre-elles. Dans le trou de la pelote, un petit objet dont lui seul connaît la nature. Quand on secoue, on entend le bruit. Fortiche le Marcello.

– « Avant bras cassé » (1915) : une authentique pelle à neige.

– « L'urinoir » (1917) Centre Pompidou : l'original a été perdu ou volé, mais on s'en fout, c'est un ready-made… on le remplacera sans problème.

– « Pliant de voyage » (1916) : imitation en contre plaqué d'une housse de machine à écrire marque Underwood.

– « ready-made malheureux » (1918) : livre scolaire ouvert aux pages chiffonnées. C'est un cadeau à sa sœur pour son mariage en Argentine.

– Etc. Fortiche, je vous dis, le Marcello !

Vous rendez-vous compte : toutes ces expos, dont le centre d'intérêt est le ready-made, objet sans valeur et surtout pas artistique.

Existe-t-il un secret intellectuel ou philosophique caché ?

Est-ce une honnête et marrante mystification destinée à faire naître le concept d'Art Nouveau ?

Tout est dit dans les paroles de Duchamp : « pas d'émotion rétinienne, intellectuellement jubilatoire ».

Quelques années plus tard, Andy Warhol poursuit sous une autre forme l'exploitation de l'Idée de Duchamp, c'est-à-dire de la connerie humaine, composée, en l'espèce, des Vanités à satisfaire.

Ce n'est pas un artiste au sens où on l'entend. Il est quelque chose comme dessinateur industriel. C'est un homme d'affaires qui a du flair. A 32 ans, en 1960, il décide de se faire un nom et de gagner du pognon. Du gros. Il a compris que nous nageons en pleine société de consommation et qu'il faut en profiter. L'objet exposé n'aura pas, non plus, de valeur artistique : ce n'est plus du « ready-made » mais le « remade », c'est-à-dire le produit Andy Warhol, dont le seul nom, désormais, vaut de l'or.

Alors il photographie, reproduit, peint, transforme, encadre à tour de bras des tas de conneries : la pub des soupes Campbells, des photos de Marilyne Monroe agrémentées de dorures, des publicités de Coca-Cola, bref n'importe quoi. Même les photos des cicatrices dans le dos de ses blessures après un attentat. Il signe. Il vend. Cher.

Que faut-il penser de tout cela ?

Je ne m'associe pas à l'appréciation d'un de mes amis qui m'a répondu : « Andy Warhol ? J'aime bien... c'est marrant... ». Sauf si on m'explique, je ne trouve même pas ça, marrant...

L'art conceptuel

On écrit que « c'est l'analyse approfondie des phénomènes liés à la vision d'un objet, (un truc quelconque) et des conditions dans lesquelles il est perçu, ainsi que des réactions qu'il peut susciter ».

Avez-vous compris ? Moi, pas beaucoup. Mais si bien sûr ! Voilà l'explication : chacun possède son libre arbitre, l'objet n'existe que par la présence du public. Pas de public, pas d'objet. Passez muscade ! C'est comme si on ôtait le temps à la matière ! Présent, le spectateur devient acteur actif de l'exposition. Il est invité à rechercher son propre concept philosophique, et possède le libre choix de son orientation de pensée.

Quelle qu'elle soit, vous avez gagné : le puissant concept tautologique veille sur vous. Donc pas la peine de déprimer...

Un des exemples significatifs d'une œuvre conceptuelle, est parfaitement imagée par une expo constituée de jeu de cloisons, de miroirs qui vous égarent, de vidéos, placées aux endroits stratégiques, qui vous filment, en résumé un espace aménagé, dont l'accès obligé est un couloir malaisé et étroit. Vous êtes piégé comme un homard dans un casier...

Vous vous étonnez que la fonction iconique est absente ? Gros bêta ! L'œuvre d'Art, c'est aussi vous ! Vous êtes invité intellectuellement à cogiter... votre personne est intégrée au centre de l'expo.

Un certain Robert Morris a créé une œuvre intitulée « Card-file ». Elle se compose d'une accumulation ordonnée, séparée, de pièces de bois identiques dont la distance entre elles – rigoureusement calculée – constitue l'intérêt conceptuel.

Sol Lewitt, artiste et philosophe, aménage une disquette dont l'harmonie chromatique est scientifiquement calculée par ordinateur. L'œuvre peut se reproduire en mobilités et variétés par d'autres artistes.

Tarria Mouraud propose une œuvre conceptuelle « Initiation Room 2 » sur les bases d'un phénomène visuellement perceptible, et d'ambiances lumineuses mobiles.

Toutes ces agitations constituent la désacralisation des œuvres d'art. Avouons que c'est « moins pire » que Duchamp et Warhol. **Mais quelle mouche les pique de vouloir absolument désacraliser l'art ?**

Les installations

« Les installations » est le nom donné à des expositions d'objets divers : panneaux de photos, vieux vêtements suspendus, centaines de draps, en attente de catastrophes, pour recouvrir les morts, pliés, rangés dans des cases etc... C'est le concept artistique de Boltanski (né en 1944 à Paris).

Outre les objets exposés, la mise en scène est capitale : éclairage diffus, faible ou directionnel, ambiance sombre d'une chapelle, salle munie d'un plafond haut d'où pendent des centaines d'hétéroclites vêtements usagers, recherche d'atmosphère angoissante. Toute cette théâtralité pour inciter à la réflexion philosophique, métaphysique. Evidemment, l'émotion, sauf morbide, est exclue. Ma pov'dame, faudra bien vous habituer, c'est de l'art moderne.

Le minimalisme

En relisant mes notes de cours, en effectuant l'effort de concentration qui me permettra de rendre peut être cohérent et logique le commentaire sur ce sujet, je crois avoir compris l'esprit des créateurs – je n'ose plus trop utiliser pour certains le mot « artistes » - qui préside à l'élaboration fumeuse de certaines de leurs réalisations.

Au préalable, voici ce que représente, le minimalisme :

En 1960, Brancusi, ce génial sculpteur, en fut le précurseur mais la création volontairement simplifiée de ses œuvres, n'empêchait, ni la génialité esthétique, ni la perception de l'émotion intrinsèquement contenue.

Malevitch, dans sa recherche expressionniste du Néant et de l'Absolu, a estimé – c'est son droit – avoir atteint son but. La réalisation de son « carré blanc sur fond blanc » en fut le point final. L'émotion esthétique demeure, et s'associe à celle de la perception de ses recherches philosophiques. D'autres ont suivi ce cheminement. Ce sont, sans doute, des gens honnêtes et intelligents dans leur tête et dans leur cœur.

D'autres par contre comme :

– Kataryna Kobro, sculpteur qui dit que la sculpture et l'espace sont indissociables.

– Jaspers Johns, dont on ne sait toujours pas si son « Drapeau Américains » est un figuratif ou un abstrait, qui prétend qu'un tableau ne doit pas susciter d'émotion, qu'il doit être plat et sans limite. « L'Art est Art en tant qu'Art et tout le reste est tout le reste. L'Art en tant qu'Art n'est qu'Art » professe-t-il. (Bon, bon ! Bon, bon, bon, bon !) l'imaginaire est important. (Enfin là, je comprends un peu, mais vraiment un tout petit peu).

– Déconstruire, comme on peint, est un plaisir intellectuel…
– L'œuvre se concentre sur sa propre existence…
– L'idée de l'œuvre et sa matérialisation ne font qu'un… L'objet est en adéquation avec l'espace.
– Le spectateur fait l'œuvre…
– Le temps de présence du spectateur fait l'œuvre…
– L'œuvre n'existe que dans le temps et dans l'espace.

Si vous ne comprenez toujours pas malgré les explications de Jaspers, si vous n'aimez toujours pas ça, faut pas vous affoler, c'est pas trop grave, vous êtes vraiment con, c'est tout.

Exemple d'exposition minimaliste :

Plusieurs parallélépipèdes en zinc brut de 1.00 x 0.80 x 0.20, posés à plat au sol, ou sur petit chant ou grand chant. Démerdez-vous, mais il faut In-tel-lec-tu-a-li-ser, pour comprendre.

Morris : colonnes, cubes en miroir, debout, couchés…
– espace et infini
– le spectateur (Ah ! le spectateur) est intégré à l'œuvre
– c'est la désacralisation de l'Art

Donald Judd : volumes en tôle, fabrication chez le tôlier du coin, 0.68 x 0.68 x 0.10. Tous couchés au sol. « Il faut apprendre à redevenir enfant, pour découvrir un espace auquel on n'est pas habitué. Tout a été déconstruit, il faut réapprendre un nouvel espace, auquel on est confronté avec son corps ».

Carl André : morceaux de tôle posés à terre. Epaisseur 20 m/m
– pas de sacralisation de l'œuvre (je me demande comment il pourrait la sacraliser)
– l'œuvre fait l'espace et l'espace fait l'œuvre
– déconstruction du passé artistique, pour prendre conscience qu'on est enfermé dans un schéma

Buren expose à Paris. L'exposition d'Art Contemporain est constituée d'une vingtaine de salles rigoureusement vides d'objets : si vous êtes trop con pour comprendre tant pis pour vous.

Voici en gros ce qu'est le minimalisme.

Reconstituons leurs schémas de pensée :

Pas question de puiser des idées du passé. Cela sera comme cela sera, mais **il faut de l'inédit** (non mais ! sans blague). Mais lorsqu'ils constatent que leur œuvre est égale à zéro, ils disent : « Ah oui, mais pour comprendre il faut déstructurer, ne chercher, ni l'émotion, ni l'esthétique. Il faut tenir compte du spectateur. Plus il reste longtemps devant l'œuvre, plus ça prouve qu'il a compris et plus l'œuvre est géniale ».
Je vous donne une dernière chance : j'avais oublié que l'un d'entre eux avait vissé au mur six tiroirs en bois, modèle tiroir de bureau, génialement espacés de l'épaisseur dudit tiroir. Vous ne comprenez toujours rien ? Je suis navré, vraiment.

Le Pop-Art – Le Body-Art

Alors là, c'est l'horreur, le dégueulasse, le vomitif. Sous prétexte que l'urine, les excréments, le sang, les boyaux font l'être humain, ils en font des expos sur invitations, et l'étalent partout y compris sur le corps. Il faut prendre conscience et philosopher, disent-ils... J'arrête là.

Les réseaux

Dans ma candeur naïve, je croyais dur comme fer, qu'un artiste, à un moment de sa vie, inconnu, méconnu, ou en apparence injustement condamné à l'oubli, mais dont le talent ou le génie était réel et authentique, accéderait inévitablement de son vivant, ou post-mortem, à la notoriété, sinon à la célébrité.

C'est sans doute, la réalité au temps des Monet, Van Gogh, Malévitch, ou Picasso. C'est encore vrai aujourd'hui pour certains artistes comme Soulages et autres, dont l'indépendance d'esprit, l'intelligence créatrice, l'honnêteté foncière font qu'ils échappent à la nouvelle mafia qui s'est emparée du système de création des Arts Contemporains.

Question accessoire : pourquoi n'y a-t-il pas plus aujourd'hui de Kandinsky, Hartung ou autres ?

A mon avis, pour la raison qu'ils n'ont, ni l'intelligence, ni la sensibilité pour s'engager dans la même voie. Mon cheminement de pensée me fait acquérir la conviction, qu'après les œuvres des peintres que je viens de citer, **il sera difficile de créer un nouveau mode d'expression qui soit révolutionnaire, inédit.**

Je persiste : **l'Art, le vrai, est générateur d'émotion, qu'elle soit contenue dans la vision esthétique, associée ou non, à la réflexion philosophique nettement suscitée ou sous-jacente.**

Alors que créer de nouveau, après ?

La messe est dite ! Circulez ! Y a plus rien à voir !

Certains artistes continuent honnêtement leurs recherches. **Parmi ceux-là, un messie apportera-t-il la lumière ?** Alors, d'autres qui se heurtent au mur de **l'impossible innovation,** essayent – comme Duchamp, Warhol, dans le canular, Boltansky dans le funèbre, Jasper Johns ou Morris dans le minimalisme, ou dans l'Art conceptuel ou encore dans le Body-Art, vomitif – de créer une forme d'expression inédite, originale, bizarre, provocatrice, rébarbative, choquante ou carrément odieuse.

Prudents, ces gens précisent qu'il ne faut **surtout pas chercher l'émotion dans leurs œuvres.** Surtout pas. Par contre, si vous êtes intelligent, non seulement vous pouvez, mais vous devez intellectualiser, et même, si vous êtes encore plus intelligent, philosopher. **Leur finalité et leur objectif sont de désacraliser l'esprit des arts passés, de les déconstruire.**

Je reste persuadé que ces gens n'apporteront **rien** à la construction de l'Art Contemporain du XXIᵉ siècle. Mais, pour notre malheur, le réseau, **organisateur du terrorisme intellectuel,** reste présent sur toute la surface de la terre. Voici une brève analyse de ce que représente son organisation et son pouvoir :

Les organigrammes des réseaux comprennent :

A – Les professionnels ou producteurs
– Conservateurs des grands musées
– Galeristes importants
– Experts
– Directeurs de fondations internationales

Leurs actions :
– S'informent, communiquent entre eux, aujourd'hui par internet.
– Fabriquent la notoriété d'un artiste, qu'ils choisissent en parfait consensus. Décident de la nature de l'Art.
– Mais achètent au préalable les œuvres de l'élu, avant qu'ils fassent artificiellement monter sa cote.

B – Les institutions
– Musées
– Départements d'Art Contemporain
– FRAC

● Font parties du réseau.
● S'obligent, sous peine de perdre leur crédibilité, d'acquérir les œuvres désignées par le réseau, mais après la nouvelle cote.

C – L'Art
– Le réseau décide de la nature de l'Art contemporain.
– **Son choix sera mondialement imposé au public.**
– « N'importe quoi » devient « Art » parce qu'il fait partie du réseau qui décide.
– **La liberté de l'Artiste, les critères esthétiques classiques de l'Art sont rejetés.**

D – L'Artiste
– **est désigné par le réseau, qui est maître de son choix nominatif.**
– comme une poule en batterie qui pond des œufs, il doit réaliser une production de même nature, en quantité suffisante pour saturer le marché mondial, pour permettre au réseau de réaliser pleinement la promotion de sa nouvelle notoriété.

– n'est pas maître de la nature de l'œuvre qu'il veut réaliser.
– doit se soumettre ou se démettre.

E – S'agit-il encore d'Art ?
– Dans le secret de leurs œuvres, les « producteurs » qui le fabriquent et l'imposent au monde entier, connaissent·la réponse mais s'en moquent.
– Mais l'avenir seul en sera juge, et je redoute qu'il soit sévère.
– Le réseau décide qu'il s'agit d'Art, mais personne n'est tenu d'accepter sa décision.

Comprenez bien : des milliards de dollars sont mis à leur disposition sous forme de subventions des Etats, de commissions, de bénéfices sur vente, des ventes, des plus-values, des recettes des expos, etc… L'organisation est parfaite, vigoureuse, sévère et sans faille. Sa puissance est telle, qu'elle imposera, artificiellement au monde entier, la forme d'Art du XXe et XXIe siècle, telle que ces usurpateurs, décideurs, l'auront définie et choisie.

Une organisation de l'Art et de son marché, est certes nécessaire pour accéder à la définition finale et prédominante de l'esprit artistique d'une époque, mais non pas en utilisant cette méthode.

De la réalisation, en 50 ans ou plus, de millions d'œuvres par des artistes libres qui possèdent le talent ou le génie, dans lesquelles, ni l 'émotion, ni l'intellectualisation et l'originalité, ni encore l'innovation ou l'esthétisme, ne seront exclus, **une synthèse convergente du contenu dominant de ces œuvres, devrait émerger et permettre la définition de l'Art d'une époque.**

Introspection sur l'Art

Ai-je compris, ai-je bien compris les idées, le talent et le génie, les intentions exprimées par les artistes et les créateurs des différentes époques, situées antérieurement à celle qu'on nomme aujourd'hui contemporaine ?

Les émotions que j'ai ressenties, qui possèdent un fondement esthétique, narratif ou philosophique, ont atteint réellement en moi un degré de perception élevé : visuelles, s'agissant de formes et de couleurs d'œuvres lisibles ou non lisibles, presque naïvement étonnées à la révélation des subtilités ésotériques contenues dans les créations abstraites, empreintes, enfin, d'un grand bien-être à la découverte des secrets bien cachés de l'Art.

J'étais toujours naturellement, inconsciemment convaincu – ne m'étant jamais posé la question – qu'était inscrite, **à tout jamais, sur la table de la Loi des Arts, l'indéfectible et indispensable notion d'émotion esthétique ou spirituelle, liée à la pensée ou à l'objet créé.** Sauf de vouloir marcher au plafond, qu'inventer de plus authentique que, d'intégrer au graphisme coloré, une intention ou une recherche philosophique ?

Je me posais la question, je me pose toujours la question, car le problème ne me parait pas encore, à ce jour, résolu, de savoir si, après les chefs d'œuvre de spiritualité, et d'absolu qui sont intégrés à certaines créations abstraites, un autre Art, d'un niveau d'équivalence aussi fort, pouvait être inventé ?

Quand même, me disais-je, au cours des années ou des décennies à venir, quelque génie – peut être pas encore né – allait bien être capable de révéler une proposition qui apporterait à l'Art, une éblouissante et authentique nouveauté ?

Depuis près d'un siècle, tous ces créateurs, promoteurs, précurseurs de ce qu'il est convenu d'appeler l'Art Contemporain, sont-ils en panne d'imagination artistique, de recherche et de trouvaille d'une nouvelle expression d'Art, authentiquement forte et pure ?

La voie choisie, concernant certains, de seulement intellectualiser leurs créations en écartant formellement la recherche esthétique, chromatique et émotionnelle de l'« œuvre » exposée, ne constitue-t-elle pas le commencement de preuve de leur **échec, de leur panne d'inspiration ?**

Sans qu'il me soit permis d'intenter aux Duchamp, Warhol et autres, un procès d'intention, leurs réalisations, leurs concepts, ne sont-ils pas entachés, totalement ou partiellement, de subterfuges et de mystifications ? **Ne se trouvent-ils pas précisément encadrés dans la parfaite maîtrise, constatée, de l'organisation des expositions à l'échelle planétaire, leur conférant, de ce fait, une suspecte finalité délibérément affairiste et mafieuse ? Leur est-il moralement permis, dans le cadre de l'éthique culturelle, de s'assurer et d'imposer, par cette organisation matérielle sans faille, l'orientation et le choix de la nature de l'Art d'une époque ?**

Et corollairement, de s'auto attribuer ou d'accepter de facto, un titre virtuel de « Maître en Art Contemporain », au lieu de celui, consacré, d'Artiste ?

Ne sont-ils pas, pour certains, davantage des pseudo philosophes en recherche souvent fumeuse, que des « hommes de l'Art » ?

Ne sont-ils pas enfin, des hommes d'affaires talentueux, qui ont le génie d'exploiter la vanité et la misère culturelle des hommes ? Cela à l'échelle planétaire ?

Ce nouvel Art constitue-t-il une charnière entre l'Art d'Emotion et d'Esthétisme, dont Malévitch, Picasso et autres me semblent être les derniers ou les avant derniers représentants, et les créations futures à réaliser par un authentique génie à naître ?

En l'an 2100 ou 2200 – ce n'est pas si loin – il existera bien un art de l'époque. Quelle forme revêtira-t-il ? Mais le qualificatif d'« Art » peut-il s'attribuer à cette forme de création philosophico-artistique ?

Et encore faut-il, pour permettre l'attribution de ce qualificatif, admettre à priori, l'hypothèse de sa parfaite authenticité, écartant en cela, le plus petit soupçon d'un objectif pécuniairement intéressé.

En l'absence de cette dernière éventualité, je suis personnellement prêt à en accepter l'existence, et à trouver du plaisir et une émotion certaine dans ce nouveau jeu d'intellectualisation d'une œuvre.

Je porte sur l'Art d'émotion dont l'origine est esthétique, associée ou non à une recherche philosophique, **un regard sacré. Je crois à l'Art, expression divine de l'Homme.** Mon regard est trop empreint de ce respect, pour accepter la moindre compromission, fut-elle seulement imparfaitement authentique, sincère et désintéressée dans ses manifestations.

*
* *

Humour

* A New York, avec leurs grands arcs en ciel, ils dominent la ville

* Ah ! vous faites garder vos enfants par une nourrice agrégée.

* J'aime beaucoup Ravel de Boléro…

* Oui ! Oui ! La verge des petits garçons juifs est toujours exorcisée.

* Alors les deux jeunes lionnes chassées du groupe par le nouveau mâle dominant, se mirent à mugir pour se donner du courage.

Ruralité

Dans ma vie professionnelle il m'est arrivé de débattre avec des notables imbéciles bardés de diplômes, mais j'ai souvent éprouvé de la joie et du réconfort à rencontrer des gens simples, sans culture, souvent d'origine rurale, et de grand bon sens, et parfois de grande intelligence.

*

* *

Drame

Aujourd'hui 11 septembre 2001. A l'heure où j'écris ces lignes, New York vit un drame effroyable, hallucinant. Des kamikazes islamistes fanatiques se sont emparés de quatre avions de ligne intérieure qu'ils ont projetés sur deux tours du World Trace Center, sur une aile du Pentagone. Environ 3000 victimes dont 450 retrouvées, les autres volatilisées.

*

* *

Quelle mémoire !...

En ces années 1960, avant mon adhésion professionnelle à la FNPC, j'appartenais aux instances dirigeantes de l'ANCP (Association Nationale des Constructeurs Promoteurs) dont le siège était à Paris.

A cette époque, les besoins de logements en France étaient tels, que Michel Debré, Premier Ministre, avait souhaité qu'une réunion de travail fût organisée dans nos bureaux.

Accompagné de certains membres de son cabinet, il est apparu à l'heure exacte convenue. Chacun des vingt dirigeants de l'ANCP lui fut, nominativement présenté.

Deux heures plus tard, prenant congé, il nous serra individuellement la main, nous appelant, sans la moindre hésitation, par nos noms respectifs.

Précisons qu'aucun d'entre nous, n'affichait son nom sur un badge !...

Stupéfiant numéro de mémoire...

*

* *

Z'Amours

Amour, toujours. On le dit mais...

Amour du prochain, amour filial et fraternel, amour passion, amour platonique, amour tout
court.

Amour du prochain, altruisme

Cette propension est innée, mais rare. Celui qui possède le courage et l'abnégation de se sacrifier, par amour, d'aider son prochain, sera un jour canonisé : sœur Térésa, abbé Pierre... L'individu empreint du cette grâce, s'il reste passif, diffusera seulement toute sa vie la lumière qui est en lui, et sera en quelque sorte un phare qui éclaire le monde. J'ai dit « seulement » : ce n'est déjà pas si mal.

Amour filial, amour fraternel

C'est un amour naturel grandi par les liens du sang.

Amour platonique

Ce sentiment entre deux individus de sexes opposés peut-il exister sans connotation sexuelle absolue ? La pratique d'une ascèse sublimée, ne serait-elle pas la condition unique permettant d'atteindre ce niveau de spiritualité ?

Certains scientifiques exposent une théorie, au terme de laquelle le cerveau accélèrerait sa production d'une certaine hormone, qui aurait pour effet – identique à l'usage de l'héroïne – d'annihiler le sens commun et d'exalter les sensations. Le voyage quoi !

Après quelques semaines de production, ainsi qu'il est de mode actuellement, les ouvriers producteurs d'hormones se mettent en grève sans préavis et celui ou celle qui en a subi les marques, se retrouve brutalement face à la prosaïque réalité, complètement groggy et infirme de ses illusions perdues.

On constate, paraît-il, le même phénomène d'origine chimique chez les forçats du boulot ou chez les marathoniens.

Ceux qui ont vécu ce phénomène, prétendent que cette illusion est parfaitement destructrice.

*
* *

Le gros chat

Dans mon jugement, un chat reste un chat. C'est vrai, il m'arrive quelquefois, de me sentir plus à l'aise, face à une manifestation d'amitié et d'affection d'un animal que devant celle de certains êtres humains, pour la seule raison de la certitude, ressentie au fond de moi même, de la parfaite sincérité de son attitude, qui n'est pas entachée d'une quelconque turpitude. C'est clair quand minet te flanque un coup de griffe, **« c'est ta faute, tu navet paka l'embêté. »**

Il est toutefois exact, que sans manifester un comportement anthropomorphique, je reste parfois songeur et interrogatif, au constat du comportement du chien et surtout du chat dont les manifestations semblent parfois procéder d'une pensée apparemment assez cohérente, qui se situe à la limite d'une organisation mentale primaire.

Chacun connaît les bouderies du chat au retour de son maître, s'il estime, qu'à son sentiment, ce dernier a été trop longtemps absent, et qu'il a bien tardé à rentrer à la maison, et ses muettes réprobations, mais tout à fait parlantes dans le regard, quand il enfile son manteau pour sortir.

J'aurais tendance à estimer que la décision d'application de la sanction – bouderie ou muet reproche – comporte une petite part de **cohérence et de logiques conscientes et ne constitue pas la seule résultante immédiate d'une déception affective passagère.**

Ceci exprimé, je vais te raconter l'histoire, sans doute banale, mais authentique du gros chat Niçois.

Un jour à Nice, mon épouse Claude et ma fille Laurence avaient été conviées à dîner chez une de leurs relations, veuve d'un metteur en scène méconnu ou inconnu, on ne sait. Cette personne avait pour compagnon, un des plus gros chats de la ville, un gros tout mou, qui n'avait jamais couru les filles.

Ne me demande pas de te renseigner sur la couleur de ses yeux, secret détenu par sa seule maîtresse.

Personne d'ailleurs ne pourra jamais te la révéler et certainement pas Claude et Laurence, qui malgré leurs répétitives et chaleureuses marques d'intérêts, n'ont jamais pu l'amener à accepter de soulever, ne serait-ce qu'une demie paupière.

L'on aurait généralement et logiquement pu conclure, chez cet animal, à une profonde surdité, sans la dénégation de cette dame qui affirmait que tout allait bien de ce côté chez lui, malgré le fait que pas un poil de son oreille ne frémissait aux mêmes manifestations de sympathies qui lui étaient prodiguées.

En quelque sorte, sans être méchant et sans tomber dans l'analyse psychologique du personnage, on pouvait superficiellement affirmer qu'on était en présence d'un gros con de chat.

Pendant le repas, elles avaient bien remarqué que le gros minou restait assis en chien de faïence à courte distance, fixant obstinément la porte palière.

Claude intriguée, se permit de poser à son hôtesse une question concernant le comportement de l'animal. Réponse aussi précise qu'inattendue : « avec tous mes invités, il réagit toujours comme cela. Il n'aime recevoir personne et ne se plait qu'en ma seule compagnie. Il regarde la porte palière pour inviter à vous en aller au plus vite... »

Bien entendu, l'hôtesse apporta la précision que le message du chat n'était nullement le sien...

Gros minet a porté plainte pour diffamation. Son avocat m'a révélé que l'argumentation de sa plaidoirie porterait surtout sur le fait que son client n'est pas si gros que cela...

Le pommier

Elle m'a dit un jour,
Tu sais...
Je suis un arbre fruitier,
Un pommier,
Planté là,
Au bord du chemin.
Mes pommes sont là...
Offertes,
A qui voudra les cueillir...

J'incline mes branches.
J'ai besoin...
J'ai besoin qu'on les
Cueille...
Besoin.
Sans cela, je me sens
Dépérir...
Mourir
Même...

M'a dit un jour, une
Modeste,
Grande,
Petite
Bonne
Femme...

En cet après-midi
De plomb,
Quatre papillons
Blancs
Voletaient
Furtivement
Dans ma tête,
Et restaient
Silencieux...

Chatoyante profondeur
Chaleur mordorée de
Tes lacs d'émeraude...
        J'ai lu,
A travers le rêve défilant
De laves brunes,
Glaciers étincelants et
Mer vivante,
        J'ai vu,
Dans tes yeux, le
Chaleureux appel
De la vie.

Le bonnet

Bonnet de dentelle,
Délicatement
Perlé d'amour
Maternel...

Bonnet de soleil
Ocre
Que reflète
Le soir...

Bonnet de jadis
Bonnet de tendresse
Bonnet d'enfant
Nouvellement
Né...

Bonnet nostalgique
Qu'égrène
Le temps...

Bonnet sage
Qui attend,
Sur la commode en
Cerisier
Ciré

Bonnet de miel
Délicatement perlé d'amour
Maternel...

Bonnet d'enfant
Aimé...

Princesse des mille et une
Transparences

Fleur, petite fleur rare,
D'ajonc ou de blé
Noir

Fleur, petit fleur
D'Armor, d'amour

Fleur, petit fleur, forte et
Vraie,
Comme une terre
De labours

Fleur, petite fleur belle,
Aux senteurs sylvestres

Fleur, petite fleur, tu as voulu
Que je te cueille ...

Je t'ai cueillie...

Tu as aimé...

Tu m'as aimé...

Tu m'as ému.

C'est la rupture de l'ordinaire
Une arythmie légère,
Un souffle
Impalpable...

C'est un murmure,
Un étonnement ravi,
Une gorgée d'eau fraîche...

Interrogation diffuse,
C'est l'ineffable...

Inhalation profonde,
Des couleurs révélées et
Un moi sublimé...

Un état délicieux...

L'éclosion d'un bourgeon...

C'est
Encore
L'aurore...

Le frémissement
Du subconscient...

C'est l'amour qui
Naît...

Le chat

J'ai rencontré
Gros minou noir
Sur le trottoir
D'en face.

Il revenait de guerre...

Je sais que cela ne se fait pas
De parler à un chat
Inconnu,
Et qu'en général,
Ils n'aiment pas.
Mais je me suis dit, qu'après tout,
Il fallait oser
Dans la vie...

Ça va gros minou ?...

Urbanité peut-être...
Télépathie, sûrement...

Maou... m'a-t-il répondu
Gentiment

Voilà...

Je t'aime bien
Gros minou noir...

Sur gris fond
Rude
De béton
Brut,
Cent cascades de roses
Pompon,
Rose,
Prennent leur bain de
Lumières
Pourpres...

Ecoutez...

Elles chantent...

Soleil

Tu me manques
Tu sais
Soleil
D'été...
Quand m'accouderai-je sur le sable
Doré ?...

Tu me manques
Tu sais...

Qu'il me tarde
De rêver,
Soleil d'été,
Le vol de la mouette
Qui s'appuie
Sur le vent
Au-dessus de la
Plage...

Septembre

Aurores bleutées de septembre
Ouatées de brumes,
Rosées cendrées de lune
Qui s'éveillent...

Aurores pensives et
Nostalgiques, et
Frémissantes de
L'été qui meurt...

Septembre bleuté
De brumes
Oiseau cendré
De lune
Qui s'envole...

L'infini

Qu'ai-je vu ?
Mais qu'ai-je donc lu
Dans ton regard si tendre ?..

Un message délectable...
L'ineffable
Douceur
D'un azur impalpable...

Mon dieu
Qu'ai-je vu ?
Qu'ai-je encore lu
Dans ce miroir si tendre ?..

Chauds reflets
Du lac des anges...
Infinie lumière...
L'Amour...

La poule et le chat

C'est une vaillante petite poule...
Elle s'appelle Caquette...
La plus brave, la plus gaie,
La plus douce petite poule
Que les arbres aient jamais
Connue.
Et sa réputation courait
De branche en branche
Jusqu'à l'orée du bois.
Elle habitait là-bas
Derrière ce coin
Perdu
Du tournant oublié
D'un chemin de Bretagne.
C'était une poule de qualité,
Nourrie au grain
Et tout...
Ne buvant que de l'eau
Sans microbe
Aucun.
Et le chat et les arbres l'aimaient
Bien.
Le saule pleureur aussi
Qu'elle seule savait
Faire rire
Parfois.
Et quand elle prenait
L'ombre, sur la branche
La plus basse
Le bruissement des feuilles
N'était que de
Plaisir.

Elle lissait peu les plumes
De son costume
Pour le rendre plus beau.
Mon confort avant tout !...
Disait-elle en prenant
La poussière du chemin...
Malgré les apparences
Vestimentaires
C'était bien une poule
De qualité
D'avant guerre,
Comme on n'en trouve plus
Beaucoup.
Elle grattait le sol d'une patte
Experte.Et hop ! une perle d'argent
Par ci
Et hop ! une graine d'or par là
Elle savait même faire
Très noir
Son œil
A celui qui lorgnait son
Repas.
Caquette
A des goûts modestes.
Rien ne la ravit plus
Qu'une promenade
Aux champs.
Ah ! respirer le bon air
Ah ! trotter dans l'herbe fraîche
Ah ! prendre son temps et
Son plaisir à flâner.
Bonjour Madame La Rose
Comment vont vos boutons ?
Bonjour Monsieur Canard
Vos coins-coins sont joyeux
Aujourd'hui
C'est bien ! C'est bien !
Je suis contente !...

Et tous ces gens lui répondaient
Avec affection.
Parce qu'elle savait, comme ça,
Sans avoir appris
Toucher naturellement
Les cœurs...
Elle adore caqueter
Se racontant, dès l'aube,
A son ami le chat, ou
Encore au soleil...
On dit même que ce dernier
Se cache quelquefois
Derrière le nuage
Afin de méditer.
Or donc,
Sur le toit du palais
Grillagé
Son confident préféré
Un certain gros Minou
Très bien de son état
Lissait, méditatif,
Ses moustaches,
Qu'il avait longues...
Longues...
Longues...
Et se disait : vingt-dieux
Crénom d'un chat
De mémoire de basse cour
Je n'ai jamais connu
Une telle poule au
Cœur d'or.

Spitzberg

Joyau étincelant posé au toit
Du monde

Fulgurante beauté,
Eblouissant silence
D'une terre qui se repose
D'avoir tant combattu...

Ne serait-ce point
Des Dieux
Le message d'Amour
A l'homme égaré

Ou

Le souffle des temps
Parvenu jusqu'à nous
Pour mieux comprendre

La rose ?...

En 1975, j'ai effectué une croisière dans le
Grand Nord, sur le « Mermoz ».
Inoubliable.
A bord, outre d'éminents glaciologues,
était présent Paul Emile Victor...
Je lui ai adressé et dédié ce poème.
Fac-similé de ses remerciements.
L'Islande est coupée en deux, direction Nord-
Sud, par la dorsale de l'Atlantique – le Rift – .
J'étais à côté de Paul Emile Victor lors de la visi-
te de cette faille profonde, et lui ai
Dit : « ici nous sommes en Europe, mais juste de
l'autre côté, c'est l'Amérique... »
« tiens c'est vrai ! je n'y avais pas pensé »,
me répondit-il.

Pointe érigée
D'un sein
Qui darde
Sa Beauté
Et sublime
Sa Jeunesse
Qui trace
Dans la main
Le chemin
De l'Amour,
De la Vie, et
Celui
De Tendresse...

Kaolin bleu, Kaolin beige – huile – deux œuvres d'interprétation différentes. Près de la côte lorientaise se situent d'importantes mines de Kaolin, toujours actives, les seules en France. Les excavations qui demeurent après exploitation se remplissent d'eau et forment plusieurs petits étangs. Les innombrables nuances de couleurs constituent un régal pour les peintres d'interprétations figuratives ou abstraites.

– Étang de Pontcalleck – pastel gras – . œuvre figurative d'interprétation.
– Cimetière de bateaux Lanester – pastel gras – œuvre figurative d'interprétation en camaïeu bleu.
– Vallée de la Laïta – huile – œuvre figurative d'interprétation commencée sur place, terminée en atelier.
– Mas provençal – aquarelle – œuvre figurative d'imagination.

Traitant de sujets bucoliques, deux de mes aquarelles, qui ont été acquises par la "Royale", tapissent les murs du carré des officiers de la "Croix du Sud", un des chasseurs de mines qui, dit-on, est la Rolls Royce de ce type de navire, basé au port de guerre de Brest.

Abstrait – aquarelle – œuvre d'émotion authentique.

– Village corse – aquarelle – œuvre d'imagination.
– Chapelle bretonne – huile – œuvre figurative d'interpréta-tion.
– Le four à pains, "mas du Camp L'Estréchure" (Gard).
Un des précieux patrimoines des Cévennes – huile – œuvre figurative d'interprétation.
– Nu allongé – pastel sec – dessin de cours.

Canots sur la plage – huile – œuvre d'imagination

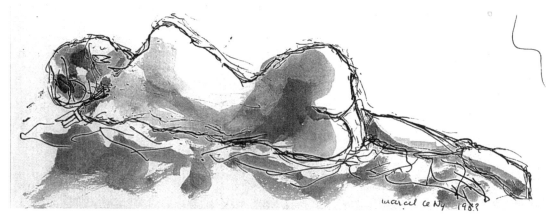

– Nu allongé – encre de chine – dessin de cours.
– Nu assis – aquarelle – dessin de cours.
– Abstrait – aquarelle – étude d'harmonie.
– "Le mas du camp L'Estréchure" – aquarelle – œuvre figurati-
ve d'interprétation.

Grand'rue – gouache – œuvre d'imagination.

La Terre orange – huile – œuvre d'interprétation et d'imagination.

1

2

3

4

1 – Retour de pêche – aquarelle – œuvre d'abstraction et d'imagination.

2 – Cyprès sur ciel jaune – aquarelle – œuvre d'imagination.

3 – Minette, la vieille chatte qui m'a adressé une télépathie-express.

4 – Vent force 7 – huile – œuvre d'imagination.

Village de Locmaria à Groix – huile – œuvre figurative d'interprétation.

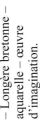

– Longère bretonne – aquarelle – œuvre d'imagination.

– Paysage de montagne – aquarelle – œuvre d'imagination.

– Le pont de Saumane – dessin au crayon gris, exécuté à main levée, debout.

Ferme orange – huile – œuvre figurative d'interprétation réalisée sur place.

Étang de Pontcalleck – pastel à l'huile – œuvre figurative
d'interprétation.

Pré aux fleurs – aquarelle – œuvre d'interprétation poétique.

La régate – huile – œuvre d'imagination.

– Fermette Bretonne – pastel gras – œuvre figurative d'interprétation réalisée sur place.
– La rivière du Blavet en amont d'Hennebont – aquarelle, œuvre figurative.

Vue de la propriété de famille de Claude à l'Estréchure (Gard) dans ce magnifique et attachant pays des Cévennes profondes. ▼

▲ Une vue, sous différents angles, de la salle de séjour de notre appartement de Lorient qui a figuré dans les wagons du désastre. La décoration intérieure des sept pièces d'un goût et d'une harmonie parfaits, a été choisie et réalisée par Claude, y compris les travaux de confection et de pose des tentures murales et passementeries.

Bonheur

Il n'est pas dans mes intentions de développer une thèse, mais de définir la base d'accession à un bonheur tranquille.

J'écarte dans mon exemple, les cas extrêmes de difficultés personnelles insurmontables pour ne retenir, comme base théorique, que la normalité d'un contexte de vie d'une personne pécuniairement et psychologiquement équilibrée.

Les inévitables soucis quotidiens existent, demeurent acceptables et acceptés, mais le drame spécifique est exclu.

C'est une courte recette de cuisine, la base d'un guide pratique et d'un mode d'emploi de recherche d'un bonheur lucide et pragmatique que je souhaite définir.

Heur. Mal-heur. Bon-heur… Ce bonheur est, je crois, simple.

C'est d'abord et avant tout se sentir en paix avec soi-même. Un état de plénitude qui implique sagesse et sérénité. C'est aussi la paix avec les autres, l'affection éprouvée pour sa famille, ses amis, son chat. C'est accepter sereinement la pluie, le soleil, le vent, l'été et l'hiver… C'est d'être doux avec tous, comme on doit l'être avec soi-même. C'est marquer de l'intérêt, de la curiosité pour toute chose. C'est s'étonner. C'est rire et pleurer. C'est méditer, s'introspecter. C'est être calme souvent, passionné toujours… C'est dîner simplement, apprécier le vrai bon pain, l'eau fraîche de la source. Le bonheur est simple. Ce n'est pas le rire permanent ou les satisfactions matérielles les plus folles. C'est la tranquillité sereine, c'est la joie que procure le constat de l'absence, dans sa vie quotidienne, de problèmes majeurs. D'apprécier aussi le déroulement linéaire du quotidien, mais ce n'est pas l'ennui. Jamais.

Accéder au bonheur, c'est savoir organiser sa vie, posséder le discernement, au bon moment, de saisir la chance qui passe. S'il me fallait résumer le bonheur, c'est rationaliser son quotidien, mettre en place une philosophie de vie, avec à la base la simplicité, une certaine sagesse, une ambition mesurée, la satisfaction de ne posséder que peu de choses. C'est pouvoir identifier, peser et rejeter à chaque moment le dérisoire, le chimérique.

Pour vivre heureux, vivons cachés, dit le proverbe. Mais la quête du bonheur procède d'une certaine sagesse, qu'il faut organiser et maîtriser.

*
* *

Les Arts : Métaphore du plaisir, si possible partagé ?

*
* *

Humour

* Ma bagnole ? Elle va de pisse en mal

* La diarrhée est un excellent exécutoire de la maladie

* Ma mère qui a du diabète est contrainte de mettre des édulcorants dans son café.

* Groupe international Bolloré à Quimperlé
Le grand patron et les cadres de cette industrie qui fabrique du papier à cigarettes tiennent un briefing. Il est demandé à la secrétaire de direction, qui nous l'a raconté, de réaliser un important travail, en un laps de temps qu'elle estime trop limité : « monsieur le directeur, pardonnez-moi mais mon con est tenté » (Rires).

* Personnellement, je trouve triste que les rois, Lady Di et le prince Charles montrent ainsi leurs échéances.

*
* *

Le doute en peinture

Il y a plusieurs comportements chez les peintres amateurs dans leur manière de travailler. J'en connais au moins deux. Ceux, laborieux ou non qui sifflent ou qui chantent « Pom ! Pom ! Pom ! » en peignant. Le doute n'est pas leur problème. Ils sont plus ou moins contents de ce qu'ils créent. Heu-reux !..

D'autres sont habités par le doute. Ils veulent progresser vers une perfection qu'ils n'atteindront, à leurs yeux, jamais. Mais le moteur du doute les fait, à leur insu, progresser.

*
* *

Bon sens, seul

Assimiler par la lecture des faits scientifiques vulgarisés m'a toujours passionné. L'intuition et le hasard ont souvent constitué l'étincelle qui se trouve à l'origine des découvertes scientifiques.

Ainsi Einstein avait pressenti la courbure de la lumière avant d'en apporter la preuve mathématique.

Aujourd'hui, cette notion, si elle nous est expliquée simplement, nous paraît évidente. Le fait lui même, assurément, nous le comprenons bien, le pourquoi de l'évènement aussi.

Mais **l'origine de ce qui constitue la force gravitationnelle**, qui est la cause de la courbure de la lumière donc de l'espace, **cette origine là, personne, pas même Einstein, ne le sait**, et ne possède, non plus, le moindre indice de compréhension.

Depuis quelques décennies, la science par l'utilisation cognitive et prédominante de la physique quantique, admet comme donnée fondamentale, le théoriquement impossible, l'irrationnel, le paradoxal.

On autorise aujourd'hui dans tous les milieux scientifiques, **le fait et l'idée** que le vide sidéral, est **constitutif**, sans doute d'une manière prépondérante, de la **dynamique cosmique**.

Par le constat de ses limites, pas seulement celles révélées par le flou de la physique quantique, la science entrouvre la porte de **l'interprétation philosophique des mystérieux mécanismes de l'univers**. J'ai le sentiment – tant pis si je raconte des bêtises – que ces nouvelles manières d'appréhender la quête de la Connaissance, vont servir **d'assiette aux études scientifiques et aux spéculations philosophiques de l'avenir**. Un peu, ou même tout à fait, comme la découverte de la rotondité de la terre, ou encore comme la lente prise de conscience métaphysique par les gens de l'époque de la Renaissance.

*

* *

La masse et le vide

Sans être un scientifique, loin s'en faut, l'atome m'a toujours passionné, surtout, autant que sa composition, les réflexions métaphysiques qu'il provoque. J'aimerais partager avec vous mon enthousiasme.

Des penseurs grecs – dont Démocrite – qui n'étaient pas, eux non plus des scientifiques, affirmaient, **ne s'appuyant que sur un raisonnement et rien d'autre**, que les atomes étaient des objets insécables.

L'atome est composé de six quarks et six leptons. Les premiers sont des protons (charges +) des neutrons et des neutrinos, les seconds sont des électrons (charges -). Ce sont des particules élémentaires et la grande question est, pour les spécialistes d'aujourd'hui, de découvrir ce qui confère une masse à ces particules.

Chacun des éléments simples de la matière est représenté par un atome différent des autres par son poids (oxygène, hydrogène, plomb, carbone, etc...). Ils s'associent, se combinent pour former la matière que nous connaissons.

Quatre vingt douze éléments simples sont à l'origine de tous les éléments visibles de la matière courante (hydrogène à uranium). L'homme a produit une quinzaine d'éléments artificiels dont le plutonium. Sa durée de radioactivité se mesure en milliers d'années.

Dès 1870, on savait évaluer le rayon d'un atome d'hydrogène : $18/100^e$ de milliardième de mètre, soit $1.8 \times 10\text{-}10$.

Il est dit aussi que le poids de ce même atome (vous vous rendez compte, on arrive à « peser » un atome) est de $1.67 \times 10\text{-}27$, soit 1.67 de milliardième, de milliardième, de milliardième de kilo.

Mais dès 1897, alors que jusqu'à cette date on croyait l'atome insécable, on découvre un de ses constituants : l'électron. Cette découverte marque le début de la physique corpusculaire.

Jusqu'à 1930 : tout est à découvrir, à inventer. L'homme est un pionnier.

De 1930 à 1960 : percées théoriques expérimentales.

A partir de 1960 : les synthèses, les analyses, les recherches se poursuivent toujours.

Des surprises nous attendent. Thomson en 1897, dans une série d'expériences restées célèbres fût le premier à démontrer la masse et la négativité de la charge de l'électron, puis quelques années plus tard, à prouver la positivité du proton.

Cela est important de découvrir la nature réciproque de leurs charges pour comprendre la stabilité des éléments corpusculaires entre eux.

Il démontra également que malgré son poids 2000 fois plus petit, l'électron a une **énergie** strictement **égale** à celle du proton. Cela est heureux car ces deux éléments s'écraseraient l'un sur l'autre. Mais dans quelle architecture l'atome est-il construit ? Rutherford en 1911, d'une façon astucieuse découvre le noyau.

Je comprends l'importance de l'intuition qui exista dans l'esprit des savants, dès le début de la dynamique de la recherche. Ils eurent l'idée d'exploiter la radioactivité découverte quelques années plus tôt par Becquerel et Pierre et Marie Curie. Ils utiliseront comme projectiles les radiations émises naturellement par le radium, et comme cible, une mince feuille d'or. Le résultat fût que presque tous les projectiles passaient à travers ou étaient faiblement déviés, sauf quelques uns qui rebondissaient sur un objet très petit et très compact : le noyau.

Cette expérience de portée historique prouva que l'atome est constitué d'un noyau autour duquel gravitent les électrons.

C'est un système solaire en miniature, avec une différence fondamentale : ce n'est pas la gravitation, comme cela existe entre les planètes et les galaxies, qui maintient à distance en orbite les éléments corpusculaires, mais l'électromagnétisme et l'interaction forte et faible.

Ces briques élémentaires constituent donc tout l'univers.

Pour bien comprendre, ou mieux, pour bien **prendre conscience** de ce qu'est l'atome, il me paraît utile de simplifier à l'extrême :

– le noyau est 100 000 fois plus petit que l'atome lui-même.

– s'il est plus petit, c'est que les six éléments qui le composent sont en **orbites serrées**, mais les **distances** qui les séparent restent, **à leur échelle**, toujours considérables.

– à des vitesses **folles** et à des **distances fabuleuses**, six électrons tournent autour de ce noyau.

Leurs orbites se croisent, se recroisent, s'entrecroisent, **sans collision aucune**.

Cela forme un atome, **un seul**.

Cette petite bête prise séparément est évidemment invisible à notre œil, mais regroupées avec d'autres, **elles représentent les objets de notre vie de tous les jours** : notre corps, le chat, la puce du chat, le soleil, la lune et les étoiles et **même l'odeur du croissant chaud du matin**.

Garder conscience, chaque jour, de ce phénomène, c'est déjà philosopher...

Je trouve tout cela magique. Pas vous ?

*

* *

Reconnaissance

Depuis longtemps déjà, mais l'âge aidant, j'ai appris encore davantage à mesurer à quel point étaient fausses et artificielles les marques de flatteuses considérations qui vous étaient exprimées par des personnes dont l'objectif se limitait à profiter des avantages que vous étiez susceptibles de leur accorder ou plus simplement à flatter leur vanité de vous compter parmi leurs relations dites amicales.

Ni souvent, ni beaucoup je n'ai recherché de reconnaissance sociale. Très tôt dans ma vie, inconsciemment, j'ai ressenti la vanité qu'il y avait à attendre des autres, les manifestations de leurs considérations. Mais je reconnais volontiers me sentir plus à l'aise avec des personnes assez cultivées, sans que je sois beaucoup flatté dans ma vanité, de les avoir approchées.

Tout en m'efforçant d'intégrer dans ma vie de tous les jours une humilité convenable et une certaine réserve de comportement, je pense avoir objectivement pris la mesure de mes forces et celle – acceptée – de mes faiblesses.

S'affirme aussi en moi, l'indifférence sereine ressentie à la révélation de la mauvaise opinion ou de l'hostilité que les autres ont le droit d'éprouver à mon égard.

Mais tout aussi sincèrement, autant les manifestations de considération et d'affection qui me sont prodiguées me touchent au plus profond de moi-même, autant elles déclenchent dans mon ego un sentiment affirmé de pudeur et de modestie.

*

* *

Henry Joubioux

Pendant cinq ans, de 1982 à 1986, Henry Joubioux, Lorientais d'origine, dessinateur et peintre de grand talent a été mon Maître à l'Ecole des Beaux Arts de Lorient. Pendant ses cours, ma volonté d'emmagasiner son savoir était grande, et ma concentration soutenue et sans faille. Il m'a beaucoup appris, principalement à regarder : les formes, les valeurs, les couleurs, les ombres et les lumières.

Pénétrer l'Art de la peinture, disait-il, **procède d'un secret incommunicable. On en a la révélation par soi-même ou on ne le perçoit jamais,** ajoutait-il. Mes rapports avec cet Art ont été et demeurent passionnels. La nature de mon comportement à cet égard, ne lui avait certainement pas échappée, dès le début de nos contacts.

Certaines personnes entreprennent de peindre avec fantaisie et décontraction, un peu comme une mamie tricote un pull pour son dernier petit fils. Elles ne connaissent jamais le doute. Ce n'est pas mon cas. J'ai abordé la peinture avec sérieux et détermination. Mais le **doute** est léger comme un point d'interrogation qui flotte à l'esprit. Vu de cette manière, cela est heureux et c'est la meilleure façon de ne pas tomber dans la marmite de l'autosatisfaction. Le doute, certes, mais à certains moments on doit lui ordonner de disparaître, afin, d'oser être audacieux. Encore faut-il posséder les moyens de l'être.

Grâce au souvenir de l'attitude positive qu'il avait prise à mon égard au constat des résultats de mon travail, Henry Joubioux me les a procurés. J'éprouve cependant, par crainte sincère de paraître immodeste, une certaine hésitation à vous en dévoiler les propos.

Pourtant, ses paroles, que je garantis authentiques, sont le reflet de son jugement à l'égard des progrès que j'accomplissais à l'époque en peinture. **Aujourd'hui, lorsque le doute m'envahit, elles me rassérènent bien davantage qu'elles ne flattent ma vanité. Elles me procurent surtout le courage de continuer à peindre.** Pendant les cours de peinture en plein air du samedi, il se déplaçait de chevalet en chevalet prodiguer ses conseils aux élèves.

Souvent, il invitait certains à se déplacer pour examiner mon travail. Plusieurs fois, dans la plus grande discrétion, excité comme une puce, il me disait : « tu me stupéfies !… Tu me stupéfies !… » **Ses exclamations, souvent répétées, demeurent toujours les plus encourageantes parmi mes souvenirs, pour dissiper mes doutes quand ces derniers m'envahissent.**

Quelques semaines avant sa subite disparition, le discours qu'il m'adressait sur l'Art en général et sur la peinture en particulier, n'étaient plus celui du professeur à l'élève débutant, mais du maître à l'initié. Il m'avait, ce jour, là remis mon brevet moral concernant les progrès que j'avais accomplis. Après le cours du samedi, nous avons pris un pot ensemble. Le dernier. C'est à ce moment là, qu'il m'a fait part de son intention de s'occuper de moi en particulier, pour me transmettre tout son savoir d'artiste peintre.

Il était dans ses habitudes de prendre sous sa coupe pendant deux ou trois ans, un élève qui en

« voulait » et qui persévérait. Ainsi fut fait pour Janik Radal et Rodolphe Le Corre, qui sont, à ce jour, des peintres de grand talent. **Vous comprenez maintenant pourquoi Henry Joubioux est toujours à mes côtés lorsque je peins et lorsque je doute…**

Afin d'atténuer votre jugement sur ma faiblesse d'avoir cédé à ma vanité de vous avoir révélé ses propos, je dois avouer avec humilité, que je ne suis pas spécialement talentueux en dessin de modèles vivants. Il est très difficile de dessiner des nus, et mon travail a toujours été laborieux, sauf pendant une période de trois ou quatre mois pendant laquelle la grâce m'a visitée. Les modèles vivants effectuent six poses de quinze minutes par cours.

Pendant une des poses, je réalisais trois ou quatre dessins de bonne facture. Un dessin toutes les trois ou quatre minutes. Mon fusain obéissait à ma main et courait très vite sur le papier. Etonnante, exaltante, cette impression… Même les raccourcis exécutés à partir des pieds ou de la tête étaient réussis et ressemblaient bien à un corps allongé. Du jour au lendemain, allez savoir pourquoi, je n'ai plus su dessiner. Mon cerveau refusait d'interpréter les volumes et s'acharnait à dessiner seulement les contours des corps. Depuis, j'en suis toujours là…

L'espace

Les astrophysiciens savent que seulement 5% de la masse de l'univers a été identifiée. 95% de celle-ci échappe à leur investigation. Ils ne possèdent aucun indice qui leur permette, par le calcul, de connaître sa nature et sa répartition.

Leurs supputations théoriques – il n'est pas question de « voir » cette masse – s'orientent dans plusieurs directions : les trous noirs qu'empêchent la lumière de s'échapper, l'antimatière qui escamote la matière, les effets, incompréhensibles à l'entendement humain, d'une 5è ou 6è dimension présente dans l'univers ? Qu'en savent-ils ? La 4è dimension – temps et matière – est déjà, de plus en plus, assimilable à l'esprit.

Faudra-t-il espérer la symbiose d'une révolutionnaire physique paradoxale, et d'une nouvelle philosophie pragmatique, pour que naisse enfin l'unique et forte intuition de l'existence d'une 5è dimension, dans le monde de l'inimaginable susceptible de commencer à l'expliquer ?

*
* *

Prendre conscience

J'avais à peine plus de vingt ans, lorsque confusément, un certain étonnement commençait à naître dans mon esprit, au constat de la rareté du nombre de personnes capables, spontanément, de « prendre conscience ».

Certes, j'avais le sentiment qu'ils comprenaient, et même bien, mais la plupart du temps, ça s'arrêtait là.

Certes, il ne s'agit pas pour tous et en permanence, d'accomplir un exploit à chaque fois qu'on a compris quelque chose dans la plus banale des conversations, mais de réagir positivement, et efficacement à la perspective ponctuelle d'un danger révélé, ou d'un survol philosophique de vie.

Permettez moi de soumettre deux exemples à votre réflexion.

Le premier est de rester passif et sans volonté, face aux dangers potentiellement mortels que constitue l'usage du tabac, et, quoiqu'il en coûte d'efforts et de souffrances pour en sortir, se complaire dans sa faiblesse et persister à fumer. Autre danger potentiellement mortel aussi : celui de la route. Ne pas en avoir conscience en permanence à l'esprit, est criminel pour soi et pour les autres. Mais modifier son comportement par une conduite logique et sage, ce qui ne veut pas dire lente, est la solution. La seule.

Le deuxième, non mortel celui-là, est de ne pas, même fugitivement, pressentir le miracle permanent de la Nature et de la Vie, celui aussi du génie de l'Homme révélé à l'occasion d'une invention ou d'une découverte, et se priver en somme de cette réjouissance philosophique intime, et de ce pudique enthousiasme, qui participent à la richesse intérieure d'une vie.

Voilà, maladroitement exprimé, le problème qui me chagrine un peu. Depuis longtemps, j'aspirais résoudre cette équation sémantique.

La voici dans toute sa sécheresse :

– la compréhension est l'assimilation parfaite et passive de données et de faits, portés à notre connaissance.

– La prise de conscience est la résultante active, atteinte et réalisée par le jeu d'une action volontaire et mentale de synthèse, dont les conséquences sont susceptibles d'être projetées dans un avenir proche ou lointain, des données et des faits, déjà assimilés à notre compréhension.

*
* *

Humour

* ... ces pieux ressemblent à ceux dont Ulysse se servait pour crever l'œil du cyclone.

* En mer, on supporte bien son pull et son cabas.

* Il pleuvait ! Il pleuvait ! Un chat est rentré à toute vitesse... Eh bien ! Tu me croiras si tu veux, ses pattes de dessous étaient à peine mouillées.

* Alors l'inspecteur Colombo a découvert que la victime avait succombé à une crise cardiaque due à une surdose de végétaline.

* A la plage, en 1952. Considérant mes cuisses d'homme jeune, une amie remarqua : « comme vous avez des cuisses musclées ! Et pas un poil de sinusite !

*

* *

Perception

La perception du message et des vibrations contenues dans une œuvre d'Art, représente à mes sens, une parcelle de paradis.

*

* *

L'écrivain au crépuscule

Un écrivain connu, dont je n'ai pas retenu le nom, était l'invité de Jacques Chancel à une émission radiophonique.

Evoquant la spécifique et mystérieuse sensibilité du chat, il racontait, qu'habituellement, c'était en sa compagnie qu'il travaillait à la rédaction de ses livres.

En cette fin d'après-midi, dans la tiède torpeur de son bureau, encore suffisamment éclairé par la seule clarté orangée du jour déclinant, Mistigri sur un coin de la table, l'œil mi clos, enveloppé dans sa volupté, aidait son maître... Subtile complicité... Bien être non dit...

Depuis bien longtemps, le staccato de la machine à écrire ne le gênait plus.

A un certain moment, le romancier estimant insuffisante la clarté, pris l'initiative – ô combien intempestive – d'allumer la lampe de bureau, rompant ainsi, brutalement, le charme ambiant.

En réaction, lentement, simplement le chat se dresse, tourne la tête vers son complice, le fixe d'un regard nuancé de reproches et lui dit, dans sa langue de chat : « ça va pas dans ta tête ?...On était pas bien comme cela ? ».

Contrit, gêné, le maître, discrètement éteint la lampe… Souplement le chat reprend sa fonction méditative de travail…

*
* *

Question

Transcender sa pensée, n'est ce pas déjà pénétrer dans des sphères de raisonnement hors de l'ordinaire ?

*
* *

Impasse

L'atome, dans son état physique, peut-il être insécable ?

Se référant au seul raisonnement cartésien, à la seule connaissance de l'organisation physique de l'atome, les grands physiciens sont-ils capables d'imaginer, dans leur matérialité absolue, une particule totalement homogène, physiquement insécable ? Comment, à l'aide de son seul mental, se figurer concrètement l'arrêt du processus infini de division de cette particule ?

Ce n'est pas tant l'absence de réponse à la question affichée qui pose problème, que le simple constat du mystère de l'organisation physique moléculaire et, surtout, du secret de l'homogénéité **pratique** de cet ultime élément corpusculaire. L'idée elle-même de cette recherche, ou plutôt le fil de raisonnement de cette Idée, peut-il être appréhendé ? L'Idée même échappe-t-elle à notre volonté de raisonnement ? A la raison ? A la raison pure ?

Ou bien, l'intuition d'une réponse possible, mais non probable, peut-elle se trouver par la physique quantique, la science de l'infiniment petit, associée à la recherche philosophique, ésotérique ?

La réponse se trouve-t-elle à la fin de l'Infini ?

*
* *

La beauté

Prononcer cet adjectif c'est je crois, inconsciemment, l'associer à l'apparence esthétique de la femme. Aurais-je dû préciser : prononcé par un homme ? Sa révélation, pourtant, n'est pas que visuelle. Elle relève de trois critères :
- la perception affective de la beauté
- la perception visuelle et affective de la beauté
- la perception visuelle et affective de l'absolue beauté

Perception de la beauté au plan affectif

Nous n'admirons pas la beauté d'un geste d'abnégation, de dévouement ou de sacrifice, de la même manière que nous percevons, visuellement, la qualité esthétique de tout ce qui, sur terre, reste mobile ou immobile.

L'analyse des faits accomplis, dans leurs très larges énumérations et aspects, peut seule, dans le cadre de notre libre appréciation, nous amener à ne considérer **que** le caractère exceptionnel et notoirement désintéressé, des œuvres, des actes qui suscitent l'admiration ou l'émotion, à l'exclusion totale de l'aspect esthétique.

Ainsi, les auteurs de découvertes scientifiques majeures, les hommes et les femmes d'aujourd'hui et du passé, tels Mère Térésa et l'Abbé Pierre, leur dévouement sans limite, leurs sacrifices et services aux causes humanitaires, auxquels ils ont consacré leurs vies entières, et aussi, moins médiatisé, plus local et anonyme, mais non moins héroïque, le sauveteur d'un être humain qui risque de perdre sa propre vie, tous méritent que naisse, à leurs profits, le couronnement d'une perception morale et affective de Beauté.

L'acceptation, le classement de cette notion est donc lié à l'analyse que l'on fait, de la manière dont se sont accomplis ces actes, mais aussi, à parité, à leur qualité et à leur désintéressement.

Il est aussi, plus subtilement, un domaine qui échappe à la notion de l'esthétiquement beau, mais qui conserve sa place dans la perception affective, c'est celui que l'on trouve, non pas dans une œuvre picturalement lisible, qui se situe dans la gamme des figuratifs, des cubistes et autres surréalistes, mais dans les purs et véritables abstraits. La notion de Beauté ne doit pas être perçue à travers la qualité de composition des formes et des couleurs, qui ne sont plus ni l'essentiel, ni l'important, mais dans l'intention et la recherche ésotérique et philosophique insérée dans l'œuvre, par le génial auteur.

J'écarte de l'appellation « abstraite », certaines réalisations que je qualifierai seulement de « non lisibles », par opposition à la lisibilité des figuratifs et autres, et qui ne représentent que l'association, suscitant, certes, une émotion esthétique déterminée par le talent qui y est parfois contenu, des formes et des couleurs, mais qui ne comportent aucun message, sinon parfois, si elle existe, la sensibilité de celui qui les a édifiées.

La découverte de ce que l'auteur, que l'on peut indifféremment nommer Peintre-Philosophe ou Philosophe-Peintre, a voulu subtilement et par idéal de recherche, inscrire dans son œuvre, peut susciter un verdict de Beauté affective, dans l'esprit et dans le cœur, de celui qui a pu, grâce à sa grande sensibilité, en appréhender et sentir le sens profond.

Toute la question se polarise dans la recherche de cette difficile réponse, et dans la réussite de la perception du message caché, contenu dans l'œuvre abstraite. Elle trouve alors sa récompense, dans l'émouvante et puissante impression de Beauté affective ressentie.

Il est deux exemples que j'aimerais citer : le premier traitant de la surprenante impression de beauté occultant la laideur du visage d'un vieil homme inconnu, dont je développe l'anecdote au chapitre « les Bon-Œil », le second de l'absence d'émotion, sinon négativement ressentie à la vue d'un beau visage de femme au regard de serpent cruel, qui annihilait la moindre perception de beauté morale.

Dans l'appréciation de la beauté affective, la part de subjectivité, sauf dans ces deux exemples, me paraît être faible.

La subjectivité

L'inconscient est à la base de l'évidente subjectivité de notre appréciation de la Beauté. Ce sentiment que nous éprouvons ne constitue pas, sauf exceptions précises, un étalon, ni universel, ni absolu. Tout jugement porte donc en lui sa propre subjectivité. **Cet état de fait l'habite pour le seul effet qu'il diffère de l'autre.**

Le conscient

Notre conscient est amené à se prononcer sur l'hypothétique beauté d'un objet. Par convention, appelons objet tout ce qui sur terre existe : animé, vivant, grand ou petit.

L'œil enregistre l'objet, ses lignes, ses courbes, ses surfaces, ses couleurs, son volume. Notre conscient, plus ou moins imprégné de savoirs, de culture, consulte immédiatement son patrimoine génétique d'inconscient, pour décider de l'existence et du degré de beauté.

La beauté

Lors de son appréciation, c'est comme dans une auberge espagnole, chacun, dans son jugement, apporte ce qu'il peut.

Beauté, devrait s'écrire toujours au pluriel. Beauté, au singulier, pour l'Absolu.

Quelles beautés ?

– La nature. Partout. Elle ne force jamais son talent.
– Tous les êtres qui bougent : ils sont les représentants de l'évolution des espèces.
– Les créations artistiques de l'Homme : la vue, l'ouïe, le toucher, l'odorat, le goût sont consultés, sollicités.
– L'Homme. Je veux dire, l'Etre Humain. Unique.

La nature

L'appréciation de la Beauté de la nature, n'est revêtue de subjectivité. C'est la beauté pure, absolue, sous toutes ses formes physiques, philosophiques. Elle échappe au jugement. Il lui suffit d'être. Sans forcer son talent. Fusion métaphysique des inconscients.

La Beauté et la Beauté absolue

L'appréciation de ce qui est réputé beau, porte en elle, une forte connotation subjective. Il m'apparaît toutefois qu'elle doit être soumise à nuances de valeur.

Ainsi rien ne me paraît être moins subjectif, que notre jugement de beauté concernant les sept merveilles du monde. Non plus que celui portant sur le corps de la femme, encore que notre jugement puisse varier d'un individu à l'autre, suivant l'époque et le continent où on vit, les critères de la beauté féminine n'étant pas les mêmes aujourd'hui, hier et avant-hier, ici ou ailleurs.

De la beauté de la femme, l'appréciation du genre peut varier d'un individu à un autre, mais demeurera, avant tout, positive. Mais elle apparaîtra encore plus belle, si son maintien est de reine et s'il émane de son regard, les lumières de sa grâce.

Les vibrations projetées par un corps, par un objet ou par un paysage, seront captées différemment et appréciées plus ou moins fortement par le spectateur, qui en sera le récepteur. Son degré de perception sera directement proportionnel à sa sensibilité.

Mais cette analyse ne prend sa valeur, ou la perd, si l'objet du jugement de beauté entre ou n'entre pas dans la même catégorie culturelle et sociale de l'individu concerné.

Par contre, si la réception de l'émission visuelle est habitée d'une âme d'artiste, doublée d'une grande sensibilité, l'objet apparaîtra alors pour lui, de la même manière que certaine lessive qui lave plus blanc que blanc, encore plus beau que beau.

Les sensations intimes qu'il éprouvera alors, seront sublimées et hors du commun, mais le degré de l'émotion ressentie demeurera à jamais incommunicable.

Il en est de même de l'appréciation de la beauté d'un paysage, qui peut ne représenter à la vue de certains, que la vertu de son seul aspect physique. Chez d'autres personnes, sa vision constituera le facteur déclenchant d'une autre valeur cachée, celle de la subtilité et de l'harmonie des formes ou des couleurs, ou encore, l'écho métaphysique qu'elle inspire.

L'appréciation subjective de la beauté peut-elle se discuter ? A contrario, ne peut-on décider objectivement de la laideur ? Dans un article que j'ai lu il y a quelques années, écrit par l'éminent journaliste Jean Daniel, ce dernier, agacé, fustigeait l'obligation de subjectivité lors de l'appréciation de la qualité d'une œuvre picturale. De plus en plus agacé, il avait décidé, pour ce qui le concernait, d'attribuer, à certaines œuvres, le brevet d'absolu navet.

Restons prudents dans le domaine de l'utilisation de la subjectivité. Vous rappelez-vous le tollé que déclenchât la « laideur » du Centre Pompidou – Beaubourg ? Hideux tuyaux jaillissants de partout ? Cauchemardesque machine ? Pourtant l'œil s'habitue, la critique acerbe s'est transformée en discrète protestation... Peut-être dans quelques années, l'on trouvera « ça » beau ? Sa propre beauté intérieure n'est-elle pas le facteur premier d'un jugement équilibré ? Quels matériaux constituent le critère de Beauté et corollairement lui confèrent le qualificatif d'Absolu ? D'abord il faut admettre que seulement l'homme, et non un esprit éthéré, est capable de décider, de son propre jugement, si un objet inerte ou vivant est beau, et parfois, absolument beau.

Le critère de beauté ne peut donc résulter que d'une décision de libre arbitre. Aucune loi ne peut obliger un individu à penser le contraire.

Dans l'appréciation du Beau Absolu, il peut arriver qu'un homme seul, je dois préciser « dans sa solitude » décide, lui-même, de l'avoir atteint. Je pense à Malévitch, peintre réellement abstrait, peintre de l'Absolu. Plus que picturale, sa démarche fut philosophique. Par son « carré blanc sur fond blanc » il a décidé – il en avait le droit absolu – qu'il avait atteint son but : la définition de l'absolue Beauté. Chacun a le droit d'aimer ou de ne pas aimer, mais tous ont le devoir d'essayer de comprendre avant de juger.

La seule apparence physique, me paraît être insuffisante pour conférer son admission dans la catégorie de l'absolue Beauté.

Le critère de Beauté Absolue ne peut atteindre sa plénitude, qu'après une décision majoritaire d'un groupe humain. Quel autre moyen de la déterminer ? Le firmament représenterait-il, seul, l'unanime appréciation d'Absolue Beauté ? Le sentiment d'Amour porterait-il le message de Beauté. Absolue ?

*
* *

Au lycée

En 1937, l'admission au lycée d'un enfant, constituait encore un événement suffisamment rare pour qu'on en parle dans le milieu familial : « tu sais que le petit Marcel va entrer au lycée... » disait-on.

Le « petit » pour ne pas confondre avec l'autre Marcel, mon père.

Le bahut n'était pas, en ce temps là, l'usine à apprendre qu'elle est devenue aujourd'hui : une douzaine, une quinzaine de classes, de la sixième à celle du deuxième bac, soit deux cents ou trois cents élèves.

Entré à dix ans et quelques mois, j'ai été en sixième et en cinquième l'incarnation du cancre parfait. Je ne foutais ri-gou-reu-se-ment rien, dans aucune matière. Mes connaissances en Anglais se limitaient à peu près à « yes » et à « no ». Et tout juste, en plus « go to the blackboard... »

Le latin avec ses rosa, rosae avait été depuis longtemps abandonné... Qu'ai-je pu m'ennuyer en classe, que le temps me paraissait long ! Mon père, le pauvre, qui aurait bien voulu que je fisse des études brillantes, était navré...

En primaire, pourtant, mes résultats scolaires étaient particulièrement bons. Alors pourquoi cette catastrophe ?

La raison première tient dans le fait du changement de la manière d'enseigner.

En primaire, l'élève accepte sa propre soumission à l'autorité du maître qui représente son seul interlocuteur.

Il y a unicité d'enseignement et d'enseigné.

Brutalement, sans qu'on l'en ait sérieusement averti, (mais même si cela avait été, aurait-il eu la maturité suffisante pour comprendre ?) il se trouve confronté aux méthodes d'enseignement du secondaire, qui implique de multiples contacts avec plusieurs professeurs.

Certains enfants sont forcement perdus... d'autant plus que les enseignants du secondaire n'intervenaient pratiquement jamais dans le comportement scolaire de l'élève. Trop fatigant d'être sévère. C'était à l'opposé du primaire. Un autre, un nouvel état d'esprit.

Alors cela a eu pour résultat le redoublement de la sixième et de la cinquième : j'étais tellement nul, qu'un vieux professeur de français, d'au moins vingt sept ou vingt huit ans, m'a demandé le plus sérieusement du monde de répondre non moins sérieusement à la question – qui devait sérieusement le préoccuper – de savoir si j'étais un fumiste ou un débile.

Je me souviens très bien du cheminement de ma pensée et de mon hésitation à lui apporter la première ou la deuxième réponse.

Si je lui avouais la première, cela aurait bardé pour mon matricule mais si mon choix se portait sur la seconde, je m'auto humiliais en avouant une imaginaire incapacité mentale.

En tout cas mon choix était difficile à formuler et j'ai été silencieux quelques instants pour me permettre de réfléchir.

Ce qui me trottait également dans la tête à ce moment précis, d'une manière pas si confuse que cela, était ma surprise qu'un professeur de lettres théoriquement mature, intelligent et expérimenté me posât une telle question, révélant ainsi une certaine carence psychologique.

Sa question m'apparaissait bizarre…

Je vous jure que c'était bien ce que je ressentais, moi, enfant d'environ onze ans.

Il faudrait peut être bien en profiter – à cause de la précision des faits à ce moment là, révélée aujourd'hui par l'acuité de mon souvenir – pour réviser le jugement vraisemblablement incomplet et erroné, qu'un adulte est susceptible de porter sur la mécanique cérébrale d'un enfant de cet age.

Je sais que je n'avais pas l'aspect physique de l'idiot du village. Cela aurait dû lui suffire – surtout par la lueur de mon regard, qui était vif, et qui n'a jamais été capable, encore moins aujourd'hui, de dissimuler le sentiment du moment – pour se faire, sans hésitation, son opinion.

Bref, sans honte, sans aucune blessure d'orgueil, presque goguenard, j'ai opté pour le deuxième terme de l'alternative.

Et puis un jour … comme Peyrefitte et son livre sur la Chine :
Quand Marcel s'éveillera…

J'ai décidé de travailler. Et de m'auto discipliner. A treize ans, nouvellement organisé dans ma tête, à peu près de la même manière que je le suis aujourd'hui. Prise de conscience.

Se forcer à s'installer au premier rang des tables de classe. Attention soutenue à tous les cours, dans toutes les matières.

Vous savez, il n'y a pas de miracle, mais dans ces circonstances, les résultats suivent.Bons. Très bons même. Dans toutes les matières.

Tout devenait facile. Les heures de cours me paraissaient trop brèves…

Ma prof de math, Madame Oger surnommée la « vache noire » à cause de sa grande sévérité et de la couleur de ses vêtements, a cru, pendant un certain temps, que je trichais.

Légitime fierté, joie intérieure d'être premier ou dans les deux ou trois premiers dans toutes les matières. Je me souviens également qu'en physique, nous avions subi une interro. Trouvé la solution par des voies compliquées. Le prof satisfait et amusé précisant que je n'avais certainement pas triché, étant le seul à avoir trouvé la bonne solution.

Mais si j'ai décidé d'évoquer mes souvenirs du lycée, c'est aussi et surtout pour rendre hommage à un éminent professeur d'histoire-géo. Si je vous ai raconté tout ce qui précède c'est pour en recréer le contexte général.

Ma scolarité, sauf une année de cours techniques à Paris, s'est arrêtée brutalement en janvier 1943 en classe de seconde, par suite des terribles bombardements aériens des Anglais la nuit et des Américains le jour, qui ont rasé la ville de Lorient, et brûlé mon lycée.

A cette époque, mes intentions, mes goûts m'orientaient vers la médecine.

Le souvenir de Louis Chaumeil me restera toujours en mémoire : un grand, grand bonhomme...

Ses cours de géo m'ont captivé. Ce n'était d'ailleurs plus de la géographie mais de la géo-politico-économie.

Population, ressources naturelles, prospectives économiques et politiques, visions d'ensemble de l'URSS, de la Chine...

Toute la classe était captivée... On entendait une mouche voler...

Une rue porte son nom à Paris après déroulement de sa carrière dans le plus prestigieux lycée parisien.

Il est mort accidentellement sur un des grands boulevards parisiens, tué par un autobus.

Merci MONSIEUR Chaumeil d'avoir connu grâce à vous les joies de vos cours lumineux.

Des profs comme cela, je respecte et j'aime...

*
* *

Humour

* Elle n'arrêtait pas de regarder la télé. Une vraie télésophage !

* Il est tenace ! Il y arrivera veille que veille.

* Enfin ! Tu ne comprends rien. C'est pourtant d'une simplicité infantile.

* On dit que les aveugles ont des ouïes très développées.

* En raffinement de torture, il y a un truc que je trouve très chinois, c'est la roulette russe.

*
* *

Elle

Toute ma vie, j'ai jeté sur la femme, d'abord un regard pensif, puis étonné et admiratif, attendri enfin.

*
* *

Intelligence

Qu'est-ce donc que l'intelligence ? C'est, je crois, un ensemble de facultés innées qui permettent de comprendre, d'assimiler certaines disciplines du savoir, mais aussi celles de gérer, avec qualité, le quotidien.

Donc, dans ce cadre spécifique des relations entre les hommes, à partir de quels critères, avons-nous le sentiment qu'Untel est intelligent ? Je veux dire, plus intelligent que la moyenne dans ses propos et dans son comportement.

Surtout il ne faut pas tomber dans le piège de la confusion de cet état intellectuel, avec celui du prestige supposé que confère, aux yeux de certains, la possession de diplômes, et ne pas revenir, systématiquement, à la notion du parfait con prestigieusement diplômé.

Ma recherche sera donc limitée et simple. Tant pis si je me fourvoie dans une mission impossible. Par ordre d'importance, plusieurs notions semblent émerger :

– La première, fondamentale, se situe dans la possession d'une vivacité d'esprit qui permet de cerner rapidement, une situation dans sa globalité. Un grand esprit de synthèse en quelque sorte.

– La seconde, corollaire indissociable de la première, se situe dans le degré de sensibilité et d'affectivité. Bien mieux qu'avec le seul cerveau, les impressions ressenties sont décuplées.

– La troisième, résultante des deux premières, conduit naturellement à la justesse et à la finesse de l'analyse.

– La quatrième consiste à posséder un bon équilibre nerveux, une philosophie de la tempérance et de la tolérance, afin de ne pas basculer dans l'outrance.

– Enfin la cinquième, est constituée de la trilogie : sincérité, modestie, amour du prochain.

*
* *

Le froid

Le froid est l'absence d'énergie.

Le froid absolu est de – 273° environ. Une température plus basse est impossible. Elle correspond à l'immobilité totale des molécules. Ces dernières ne peuvent pas être plus immobiles qu'immobiles.

On sait qu'autour du noyau de l'atome tournent les électrons. Si on ne les embête pas, tout ce petit monde tourne, se croise, sans collision, grâce à l'électromagnétisme et aux interactions.

Mais une question bête : et quand il sont « gelés » ? En principe, ils sont immobiles.

Alors pourquoi ne s'effondrent-ils pas les uns sur les autres ?

Pour la réponse, adressez-vous au physicien de garde.

*
* *

Félicité

Rare félicité, que celle de croiser quelquefois, au détour d'un lieu sacré, cette lueur mystique, reflet par l'œil, du Divin, qui habite certains élus d'une foi, forte et sereine, sans qu'ils aient jamais éprouvé l'ambition, même inconsciente, d'atteindre ces sommets de spiritualité, il existe des personnes, dont on lit dans le regard, cette simplicité de lumière, celle d'une gentillesse, d'une douceur vraie, rarement démenties, celle que la seule absence de calcul confère souvent, et qui révèle la pureté de l'âme…

Tout à fait celle également, que l'on retrouve dans le regard du chien ou du chat qui t'aime…

*
* *

L'écoute

Les progrès de l'électronique sont aujourd'hui immenses…

Pour les gens qui écoutent peu leurs interlocuteurs, j'ai mis au point un système qui devrait les ravir : je les imagine à l'aise devant un mannequin équipé d'une tête souriante à hochement vertical automatique et d'yeux munis de paupières à clignements approbateurs, répétant inlassablement par l'entremise d'une bouche mobile : « oui, bien sûr ! oui sûrement ! oui vous avez raison ! ».

*
* *

Taciturne

Moi taciturne ? Oui sans doute… en apparence…

« Qui donc pourra, taciturne Marcel »
« Qui donc pourra »
« Déchiffrer tes secrets »
« Qui donc saura conter tes pensées »
« A la multitude ? »
« Peut-être un poète »
« Ou qui sait ? Personne »

Ainsi, m'écrivait au dos d'une photo, le doux et sensible Pierre, à l'amitié jamais démentie.

Taciturne… Non, je ne le crois pas…

Il m'apparaît que j'ai le devoir de m'expliquer, afin que vous ne soyez pas déçus de mon apparent comportement. Il est, de façon permanente, dans ma tête et dans mon cœur une sorte de testament virtuel, sincère, objectif et lucide.

231

S'il me fallait en trois ou quatre mots définir la quintessence de mes pensées, de mon état affectif, je dirais : je suis en paix avec moi-même, - toujours – j'ai besoin de silence, de solitude – souvent –.

Enveloppées de cette paix, ma quête de rêves, ma méditation, ma curiosité passionnée de toutes les choses sont actives et permanentes. Oui, en paix avec moi-même, appréciant chaque minute de vie... **carpe diem**, celle locution latine, me convient bien.

Je parais absent parce que je suis véritablement absent, absorbé, attentif à conduire le fil de ma pensée. Je ne m'ennuie jamais. Je n'éprouve aucun désintérêt ou mépris pour quiconque. Je me sens empreint d'une certaine bonté et sérénité naturelle, et je ne cherche pas à en changer. Mes cinq sens sont aiguisés. Mon sixième encore davantage. J'évolue mentalement dans une poésie permanente, et je flotte souvent dans les couleurs et les lumières... Je me sens profondément heureux de vivre, entouré de toute ma famille présente ou disparue, des gens que j'aime.

Non, je ne suis pas taciturne, je suis silencieux comme le chat. J'écoute.

Visita **I**ntériora
Terrae, **R**ectificandé
Invenies **O**ccultum
Lapidem

V.I.T.R.I.O.L. pourrait être ma devise, mon cadre de pensées...

*
* *

Brunelleschi (1377-1446)

Brunelleschi me paraît être un des grands génies de tous les temps, et certainement celui qui est à l'origine de la Renaissance Italienne.

Grâce à lui, les érudits, puis le peuple ont re-découvert la perspective.

Ce simple fait ne semble pas représenter grand chose, mais lentement, très lentement, à travers la « nouvelle peinture » qui s'est affirmée au cours des décennies, remplaçant le nombrilisme pictural du Moyen Age, à travers la « Nouvelle Architecture » et le « Nouvel Urbanisme » s'est imposé un autre horizon, celui d'une philosophie toute neuve.

Cette nouvelle notion ésotérique a commencé à naître et se développer, notamment grâce à la perspective et à sa ligne de fuite représentative de l'Infini.

Cette manière de penser novatrice a eu pour conséquence d'annihiler progressivement le nombrilisme philosophique, notamment, religieux de l'époque.

A partir de cette fondamentale prise de conscience, explosent pendant des décennies, toutes les formes d'Art, de pensées que l'homme était capable potentiellement de réaliser.

L'époque – j'allais dire l'épopée – de la Renaissance fût donc un intense bouillonnement culturel.

*
* *

L'absolu rien

Voulez-vous participer avec moi au jeu de réflexion sur le thème « L'ABSOLU RIEN EST-IL INTELLECTUELLEMENT CONCEVABLE ? »

Essayer, par volonté affichée, d'atteindre la plus grande profondeur de pensée dont on est capable, étayée de la meilleure cohérence de raisonnement, d'imaginer le plus concrètement, le plus précisément possible, **ce que pourrait représenter l'abstraction d'un Absolu Rien,** aboutit, si on ne va pas au maximum de sa réflexion, à l'échec.

Pour la raison qu'on ne réussit pas, que je ne réussis pas spontanément à écarter de mon processus de pensée, **l'émergence récurrente** et **quasi-automatique** de l'existence réelle de **l'enveloppe extérieure du Quelque Chose.**

Un peu comme l'air dans une bouteille où il est **facile** de constater la **réalité du contenu à l'intérieur du contenant.**

Mais rendre aussi imaginable, aussi compréhensible, que possible une notion abstraite – même simple - est déjà difficile.

Par contre, il est **facile** de dresser l'inventaire d'un Quelque Chose par opposition au Rien :

– **toutes les molécules dotées de masse ou non**
– **le vide qui les sépare**

233

– les énergies qui les animent

Ces trois éléments qui sont matière ou manifestation de matière baignent dans **une entité abstraite : le Temps**

Le supprimer, c'est non seulement figer la matière (elle ne peut plus l'utiliser pour s'exprimer, pour se montrer, pour se mouvoir...) mais c'est la faire **basculer** immédiatement dans **l'abstraction**, dans **l'invisible.**

Là, **on peut encore comprendre l'abstraction** dans laquelle notre recherche va évoluer.

Parce que nous sommes **toujours** dans **l'hypothèse de la bouteille.**

L'ultime obstacle pour atteindre le but fixé, est **de supprimer dans notre cheminement de pensée, l'enveloppe** – presque **abstraite** – dans laquelle **l'Ex-Quelque Chose est enfermé.**

Cette enveloppe **c'est la frontière de l'univers.**

Où se situe-t-elle ? N'est-elle pas déjà **trop lointaine,** trop INIMAGINABLE pour être concernée par la **suppression hypothétique du temps ?**

Si on ne supprime pas dans sa pensée **l'Absolu Tout on ne peut pas aboutir à la notion de l'Absolu Rien.**

La suppression de la notion de Temps, du lointain Contenant et du présent Contenu, est **seule** susceptible de conférer à notre imagination, **la notion de l'Absolu Rien, du Néant.**

*
* *

Humour

* Après avoir entendu Brigitte Bardot à la télé, on a envie de ne plus manger de viande, de devenir herbivore.

* Laurence : Oh ! Là ! Là ! Lui ? C'est un mec super posé et tout !

* Tu vas voir, ces jeunes là ils vont se révolutionner !

* J'aimerais bien mettre ma chatte Minette en présence de Caramel le chat de mon oncle, mais j'ai peur qu'il lui flanque un rouston !

* J'adore le jazz et les négros spirituels !

Unique

Dans quelle mesure l'Homme possède-t-il la volonté et la force d'appliquer concrètement, une éthique, une morale ?

Existe-t-il chez lui un mode de pensée unique qui serait la synthèse de tous les systèmes ?

Ou bien ce système unique est-il déjà présent à travers les religions et les philosophies du monde ?

*

* *

Le vol

Une seule fois dans ma vie, une seule fois, je le jure sur la mémoire de la mère, j'ai volé. Je devais avoir 5 ou 6 ans, en 1931 ou 32. Le curé du catéchisme de Sainte Jeanne d'Arc à Merville, avait organisé une sortie à Sainte-Anne d'Auray. J'ai même encore le souvenir de ce que ma mère avait mis dans mon panier pique-nique : des radis, du sel dans un morceau de papier journal, un œuf dur, du jambon et du pain beurré. J'en ai encore l'image…

Devant un stand de vente d'objets religieux, se pressait notre groupe d'enfants. A mon étonnement, certains effectuaient des petits larcins. Mon voisin qui venait de consommer le sien, m'a incité moqueusement à exécuter le mien.

Pour ne pas être totalement ridicule à ses yeux, après beaucoup d'hésitation, j'ai pris une toute petite, toute petite médaille en aluminium représentant Sainte Anne d'Auray.

J'ai un parfait souvenir de mon état d'esprit à ce moment précis. Ce n'était pas la crainte d'être pris la main dans le sac qui était à l'origine de mon hésitation, mais le caractère malhonnête de mon geste.

Réellement, je n'ai pas été heureux après ce crime. Ma punition a été que cette médaille me brûle encore…

Pardon le marchand ! Pardon Sainte Anne ! Pardon Maman !

*

* *

Les cons

Etre humain, c'est parfois être con.

Pourvu qu'il soit épisodique et conscient, j'ai le droit de revendiquer cet état pour moi-même.

A partir de quel critère et à quel moment décidons-nous qu'untel est con ?

Il semble exister deux cas de figure. Le premier a pour origine la divergence systématique d'appréciation d'un fait ou d'une situation quelconque. Ce hiatus condamne davantage de façon légère et superficielle, que lourde et définitive. Le deuxième est la sanction d'un comportement répréhensible envers autrui. Le coupable n'échappe pas à une condamnation péremptoire et sans appel.

Dans la désignation des cons, le vocabulaire qualificatif est riche : Les « tout courts », les pauvres, les vieux, les jeunes, les sacrés, les sales, les méchants, les grands, les petits, les gros, les rois, les diplômés, les hautement diplômés. Tous, individuellement, y compris moi-même, possédons, pour nous-mêmes, la liberté de choix du qualificatif nous concernant.

Les « tout courts »

Ils sont légions. C'est moi, c'est vous, c'est nous tous. Pour la raison fondamentale et systématique qu'on est toujours le con de quelqu'un, à tous les moments de sa vie. En réalité il faut bien le reconnaître, il arrive parfois que par fatigue, saute d'humeur, incompréhension d'une personne ou d'une situation, malentendu, notre comportement, nos actes, nos paroles, sont soumis à altération, et n'ont pas été conformes à ce qu'ils auraient dû être. Mais la recherche dans les regrets sincères d'une auto-absolution, d'un relatif apaisement de notre conscience, troublée par la soudaine révélation que notre action, s'est révélée être un peu « moche », peut trouver son début de solution, dans l'aveu intime, la prise de conscience objective, honnête et empreinte d'humilité, de notre ponctuelle, détestable, mais humaine défaillance. Autrement dit : « Toute faute avouée est à moitié pardonnée » ou bien « A tous péchés miséricorde ».

Dénoncer, dans l'ensemble du texte qui suit, les armées de cons vêtus de tous les uniformes, ne signifie pas pour autant dans mon esprit, les vouer aux gémonies. Mon intention est, seulement, de décrire certains aspects des travers humains. D'ailleurs, j'accepte sincèrement et bien volontiers, qu'on associe à ma très personnelle qualification de con, certains des attributs que j'ai énoncés, sauf de celui de sale ou de méchant. Nobody is perfect. Cette dernière phrase me fait évoquer le souvenir d'un propos humoristique très British : un joueur de rugby des All-Black ou de l'Afrique du Sud, était tellement bon, qu'il ne commettait jamais de faute pendant le match. Ses coéquipiers l'avaient surnommé : Nobody. … Nobody, is perfect…

Revenons à nos moutons. A l'usage, ce mot est tellement banalisé, qu'on raconte que certains jeunes du Sud-Ouest auxquels il arrive d'être traduits en Correctionnelle pour des délits mineurs, ponctuent souvent leurs réponses au Président du Tribunal, qui d'ailleurs ne réagit plus depuis bien longtemps, par des « ce n'est pas de ma faute, Monsieur le Président, eh ! cong ! ».

Les Pauvres

On traite de pauvre, celui dont les agissements se situent à l'étage inférieur de sa connerie supposée. En quelque sorte il est con dans sa connerie. C'est celui qui sera toujours deuxième à un concours de cons, trop con pour être premier. Il rate souvent tout, même sa connerie. Ses moyens de nuire sont faibles. Il n'a pas suffisamment d'esprit, pour percevoir que son intérêt lui dicterait de se taire le plus possible, à tous les instants. Il est donc plus bête que méchant.

Les vieux et les jeunes

En réfléchissant à la teneur de ces lignes, je découvre une réalité inattendue : j'ai rarement surpris un « vieux » traiter de vieux con, quelqu'un du même âge. Il y en a sans doute moins d'apparents chez les vieux, peut être pour la raison que l'expérience des années, apporte une certaine sagesse, une modération de l'agressivité, une relative maîtrise des actes et des paroles. A mon sens moins d'occasions se présentent d'attribuer cette épithète aux personnes d'un certain âge.

Pour la raison aussi – qui se présentera inéluctablement, en temps voulu, de la même manière pour les provisoirement jeunes – que les vieux sont insensiblement et progressivement mis sous l'éteignoir, par les couches plus jeunes de population ; s'ils ont un minimum de perception de la réalité, les « âgés » de plus en plus souvent, prudemment, discrètement et délibérément, fermeront leur gueule, pour la raison évidente qu'ils intéressent de moins en moins les autres. **Avec l'âge l'exil de la solitude commence.**

Ce choix délibéré de sagesse, permet à certains d'accéder à la richesse d'une méditation sereine, et évite les malentendus, sources parfois de critiques acerbes. Quand un jeune traite, avec beaucoup d'irrespect, une personne âgée de vieux con, il apparaît évident que le mot « con » est superfétatoire. Je dirai même que, dans mon analyse, c'est un pléonasme. Dans leur esprit, « vieux », est déjà une insulte, et être « vieux » c'est être, **forcément**, « con ».

Tous les jeunes portent dans leur inconscient, l'idée que le monde est né, à la seconde même où ils apparaissent sur terre. Déjà là, si à la fin de leur adolescence, ils n'acceptent pas de commencer à modifier leur jugement instinctif, ils s'ouvrent une belle carrière de cons. S'ils poursuivent dans cette voie, et ne perçoivent la lumière qu'à 40, 50 ans ou plus, ils auront alors accompli une belle carrière d'abrutis. Ils découvriront, alors, que c'est avec les jeunes imbéciles qu'on fait les vieux cons.

Exemple de connerie juvénile : un de mes amis professeur me racontait, qu'à la fin des modestes études d'un de ses élèves, il lui avait posé une question concernant ses projets de vie active : « Ah ! ça ! ché pas !... je vais tâcher de trouver un boulot pas fatigant et bien payé !.. » Belle perspective d'une vie pleine de richesses...

Les sacrés

Il y a tellement longtemps qu'ils sont cons qu'ils représentent à eux seuls une institution. Ils sont donc statutairement consacrés. En quelque sorte, des momies de la connerie.

Les sales

Ils sont assez méchants et bien davantage que les sacrés. Pas très intelligents non plus.

Les méchants

Eux sont dangereux. Très dangereux. Les conséquences de leurs actes ou de leurs paroles ne leur échappent pas. Ils ne renonceront jamais dans leurs intentions de faire mal, très mal, même s'il y a destruction d'une cellule familiale, ou mort d'homme. Ce sont des tueurs, proches des psychopathes. Des Ben Laden du quotidien.

Les grands

Ni dangereux, ni méchants. Leur apparence physique est stéréotypée ; des benêts, grands, forts et bêtes. Compte tenu de la petitesse de leur crâne, le centre de gravité de leur corps est, comme leur intelligence, forcément très bas. Ils iront au paradis.

Les petits

Une de mes plus anciennes et meilleures relations amicales, mon cher et vieux « kik » pour ne pas le nommer, ex stomato*, qui avait, sans manifester la moindre parcelle de regrets et avec une hilarante satisfaction, constaté qu'il avait oublié toutes ses connaissances médicales, éprouvait la sainte horreur – humiliation suprême - d'être doublé par une autre voiture.

Combien de fois, ai-je pouffé de rire dans ma barbe, combien de fois, l'ai-je entendu marmonner entre ses dents, le regard obliquement mauvais, lorsque le coupable de ce crime de lèse-majesté, se présentait à sa hauteur pour le doubler : « … p'tit con… ». Parfois même à 75 ans passés, comme un jeune con tout neuf qu'il devenait pendant quelques minutes, il prenait en chasse le malotru pour tenter de réparer l'outrage, en le doublant à son tour.

Je regrette qu'il ne lise jamais ces lignes. Il aurait bien ri. Notre complicité intellectuelle se serait encore renforcée.

* Yves Poirier dit « Kik »
Stomatologue
Post Gouverneur du Lion's Club
Peintre

Les gros

Le terme gros, dans le vocabulaire courant des insultes, en atténue la force et la portée. A-t-on jamais traité une personne de « maigre con » ? Au contraire, ne dit-on pas de son voisin, que c'est un bon gros ? Le gros con, contrairement au méchant con, n'est pas très dangereux. C'est un égaré de la connerie, on lui pardonne volontiers.

Les rois

L'usage de ce superlatif est tellement usé, que l'insulte n'a plus aucun effet sur celui à qui elle est destinée. C'est l'exemple type, de ce que représente l'effet contraire d'une litote…

Les diplômés

Dans tous les groupes humains, règne une constante en nombre de la connerie. Pourquoi les diplômés échapperaient-ils à cette règle ?

Il n'est certes pas nécessaire d'être sans diplôme pour bénéficier du statut de con, mais il n'apparaît pas, non plus, suffisant d'en posséder, même s'ils sont nombreux et prestigieux, pour y échapper.

Les hautement diplômés

Cette constante ne concerne pas les énarques. La formation d'humains supérieurs aux autres qu'ils ont reçue, est telle, qu'inévitablement, comme des mouches sur du papier collant suspendu au plafond, ils y engluent, presque tous, leurs inévitables conneries.

Hautement supérieurs dans l'exercice de leur savoir, très certainement ils le sont. Hautement cons dans leurs contacts humains, beaucoup d'entre eux n'y échappent pas.

240

Il faut vous dire que j'ai un vieux compte à régler avec eux. Et m'exprimer de façon aussi outrancière, ça me défoule...

Les polytechniciens ? Rien à leur reprocher : eux ont reçu une formation militaire humainement adaptée à la vie. Tous ceux que j'ai connus étaient des mecs bien.

Dans mes rapports professionnels avec ces derniers, sans effort particulier d'humilité, sans état d'âme, j'acceptais ma position de subordination, ressentant parfaitement bien leur absence de mépris à mon égard, ou d'expression comportementale ostentatoire de leur supériorité.

C'est bien. Par l'intermédiaire de mes amis Laiter, aujourd'hui disparus, j'ai entretenu, épisodiquement, des contacts amicaux avec l'un d'entre eux, à l'époque en activité à Lorient, ainsi qu'avec sa famille. Fréquemment drôle, passionné, il était généreusement amical. Muté à Toulon, c'est avec beaucoup de regrets que je l'ai perdu de vue.

Revenons à notre énarque.

Quel est le profil type de ce futur personnage hautement diplômé ?

Enfant, adolescent, jeune adulte, ses résultats scolaires et universitaires se sont révélés constamment brillants. Les grandes écoles lui ont ouvert leurs portes. Le monde était prêt à remplir ses fonctions. Pendant toutes les années de son cursus, lui est instillée la notion de caste, et modelé un nouvel état d'esprit, avec pour fondement l'obligatoire certitude de sa supériorité, l'assimilation progressive du sentiment d'appartenir à une élite, enfin l'apprentissage d'une domination à caractère déshumanisé, pour qu'enfin naisse le chef sans état d'âme, dont l'affectivité sera absente. Le sale con parfait va naître.

S'opère alors, une transformation psychologique, perceptible dans la lueur du regard, conséquence de la naissance de son nouveau « moi », de sa nouvelle et définitive nature profonde, de sa particulière manière d'aborder ses contacts avec les autres. De ce lavage scientifique de cerveau, son intelligence « technique » se développe, s'affirme, se concentre, se polarise sous une forme déterminée, au détriment de l'intelligence de cœur, qui s'estompe, s'étiole et enfin disparaît. La froideur devient l'instrument de maîtrise de soi, de l'autorité. La monstrueuse machine à dominer, à commander est prête à fonctionner.

Dans un jeu télévisé, on demandait à un candidat dont les yeux étaient bandés, de deviner la nature d'un objet. Ce jour là, ce fût un boa qui lui fût présenté. Concentré, le candidat glissait lentement ses mains sur la chose... c'est froid... c'est lisse... disait-il. Poursuivant son examen : … mais ça n'a pas de testicules ! concluait-il. Ça y est ! J'ai trouvé ! C'est un énarque !…

Je ne peux m'empêcher d'imaginer la superposition de la tête d'un ancien premier ministre, peu ou mal aimé des Français, sur celle du serpent…

Au cours de ma vie professionnelle, j'ai eu quelquefois l'occasion d'approcher des hauts fonctionnaires, ou des directeurs de grandes sociétés. Tous sortaient de l'ENA ou des grandes écoles. **Sous l'attitude courtoise transparaissait un inexprimable mépris glacé, qui traduisait bien le vacarme assourdissant des silences, magistralement calculés en durée, précédant leurs réponses aux questions posées.** Cette attitude avait bien pour but et pour effet réussis, de déstabiliser l'interlocuteur, mal préparé à ce genre de confrontation.

Jamais, je n'ai autant éprouvé de ma vie, cette désagréable sensation d'être considéré comme un sous homme… Ces gens sont terrifiants d'inhumanité…

Le rapport de force est celui du tyran à l'esclave qu'il méprise. Je n'exagère pas. J'ai eu l'occasion de côtoyer plusieurs fois ces monstres d'intelligence « technique ». Le quotidien amical, la chaleureuse sérénité, ils ne savent pas, ils n'ont jamais appris, ou alors ils ont oublié…

Je comprends et j'accepte les manifestations d'une autorité bien conduite, corollaire d'une responsabilité hiérarchique. Je comprends l'indispensable apprentissage du commandement diffusé dans les grandes écoles, aboutissant à une autorité naturellement établie, mais tout se résume dans la manière de la conduire.

Un exemple intervenu dans ma famille, situe bien le réflexe de commandement, qui a surgi en une occasion. Dans les années 70, un des mes cousins, côté maternel, qui lui, a conservé toute ses qualités de cœur, me rendait de temps en temps visite, pour régler des problèmes de concessions au cimetière. Polytechnicien, il manifestait à mon égard un comportement simple et affectueux, comme il sied de l'être avec un membre de sa famille. Il est important de préciser que, naturellement, nous nous appelions par nos prénoms respectifs. Le plaisir de nous rencontrer était, j'en suis certain, réellement partagé. Ces jours là, traditionnellement, nous déjeunions en tête-à-tête au restaurant.

Je me souviens du plaisir que j'éprouvais à écouter avec beaucoup d'intérêt et d'attention, certaines de ses mini-conférences scientifiques, qu'il avait plaisir à tenir, faisant preuve de beaucoup de simplicité et de pédagogie. Particulièrement, mon souvenir est resté indélébilement marqué par une de celles, concernant le fonctionnement et la mise au point, obligatoirement réalisée avant de partir en mission, des compas à inertie (cette technique, m'a-t-il dit récemment, est dépassée depuis l'avènement des satellites), qui équipaient nos sous-marins nucléaires. Soudainement, dans le feu de ses explications, il est redevenu le chef, le polytechnicien. A sa grande confusion, suivie immédiatement d'excuses, il avait cessé de m'appeler « Marcel » pour me donner du « Le Ny ».

Cette réaction instinctive et incontrôlée, me paraît être significative de l'imprégnation de l'éducation qu'il avait reçue. En un instant, et pendant un court moment, il était redevenu le chef et moi le subalterne.

Heureusement, beaucoup de hauts diplômés ont conservé le sens de l'humain. Cela est si vrai que dans le milieu amical où j'évolue en cette période de ma vie, il est des relations qui n'ont pas égaré ou mis en sommeil leur intelligence de cœur, malgré la possession de grands et quelquefois prestigieux diplômes.

Je pense en particulier à un homme de 29 ans, déjà à cet âge capitaine de corvette de la Royale, sortant bien entendu de navale, de l'école atomique, passionné de littérature, d'histoire et de philosophie, brillantissime en intelligence « technique », et non moins, en intelligence de cœur. La preuve existe donc que, bardé de diplômes, on peut être un « mec bien », tous azimuts.

Je suis très honoré d'avoir été un de ces interlocuteurs privilégiés, lors des fréquentes et passionnantes réunions philosophiques privées que furent les nôtres. Je suis également particulièrement fier, d'avoir figuré parmi les trois personnes, qu'il a conviées à fêter, dans l'intimité, son départ de Lorient pour Toulon.

Oser traiter de cons hautement diplômés, une partie de l'élite de la nation, ces technocrates déshumanisés, relève sans aucun doute, de ma part, d'une prétention sans bornes. Tant pis pour moi, j'accepte pour moi-même, à cause de cela, ce même qualificatif. Mais dans une généralité passive, je crois que j'ai raison, de les appeler ainsi en ajoutant le qualificatif de « nuisible ». Je m'expliquerai dans quelques minutes.

Si chez nous, communs des mortels, plèbe intelligente et modeste, une immense tolérance nous habitait, une large mansuétude envahissait notre âme, une impalpable tendresse irradiait notre cœur, un amour ineffable, en permanence nous habitait, si nous étions parfaits si, osons le dire, nous étions Dieu… Jamais, au grand jamais, nous ne nous permettrions, n'aurions l'imprudence, l'impudence, l'outrecuidance, de traiter les autres, sauf les hauts diplômés, de cons.

Hélas, sauf souffrir de mégalomanie aiguë, nous sommes au regret de constater que nous sommes imparfaits... Et puis voilà, ça fait beaucoup de bien à notre ego, de considérer de temps en temps, que le plus maladroit et le moins avisé du jour – comme le plat du même nom – est un parfait con (tiens ! j'avais oublié « parfait » dans mon listing). Et comme le plat du jour, ce ne sera pas le même demain. Si ce n'est plus lui, ce sera inévitablement nous. C'est bien la première fois de ma vie que j'écris plusieurs fois de suite ce mot, qui demeure dans mon cœur un peu tabou, et fait naître, quelque peu en moi, le sentiment d'être coupable de grossièreté gratuite.

Mais décider arbitrairement et unilatéralement, que Machin est un con, n'engage que celui qui le profère, et ne porte pas beaucoup à conséquence. Néanmoins, cette décision contient un effet thérapeutique induit et indiscutablement important, par le baume psychologique qu'elle répand sur la plaie, jamais réellement cicatrisée, de nos complexes d'infériorité. Même que ça nous valorise bigrement...

Relativisons, n'entrons pas dans le jeu aux effets pervers de l'auto culpabilisation, de l'auto flagellation... Ne complexons pas... Notre comportement s'insère bien dans le schéma des travers humains acceptables... Relaxe Max et rigolons un peu...

Aucun texte dans la Bible, ni dans les tables de la Loi, laisse supposer qu'il faille être toujours grave et sérieux. Vous rendez vous compte, si tous les gens, sans exception aucune, faisaient une tronche pas possible, à toutes les heures de la journée, sans cette lueur humainement égrillarde pleine de chaleur pour l'autre, vous rendez vous compte de la tristesse ambiante. Dieu – qui est sans doute beaucoup plus marrant qu'on le dit, et rien n'interdit de penser qu'il ne le soit pas, et qui, c'est son métier, comprend tout – pardonnera.

Mais en ce qui concerne certains hauts diplômés, ceux dont le cœur ne saigne jamais, ou ne saigne jamais plus, leur cas est définitivement et désespérément désespéré.

La machine scientifique à broyer, les a mis dans cet état de déliquescence affective. De la même manière dont on nourrit les veaux, les porcs ou les poulets en batterie qui, eux non plus, n'ont jamais aperçu la Lumière, leurs cerveaux ont été engraissés aux hormones technocratiques.

Par les lois qu'ils font promulguer, dans le sens d'un Jacobisme affirmé, par l'inertie qu'ils opposent à l'application de celles qui ont été votées, qui ne servent pas leur dogme ou leurs intérêts, par la préhension, effective et ferme, des leviers du pouvoir qu'ils possèdent au sein des grands ministères, ils persistent, de gré ou de force, à imposer à la France, un étatisme archaïque rampant, par l'intermédiaire des politiques de gauche ou de droite, à faire peser cette raideur réglementaire administrative et centralisée, qui sclérose tant l'économie de la France.

Alors, n'est ce pas notre devoir de les affubler de l'épithète de con, auquel on peut ajouter le qualificatif qui convient, choisi parmi ceux énumérés au début ?

Me relisant, il m'apparaît utile de rendre plus sélective, mon appréciation portant, non sur les cons en général, et les cons instruits en particulier, mais sur ceux hautement diplômés. A la limite être con se mérite. N'est pas con qui veut. Cela se résume à constater, objectivement ou subjectivement, chez l'autre, un comportement qui peut s'avérer ponctuel ou définitif, mais qui se situe en marge de l'outrecuidante décision, que, généralement on s'attribue, de représenter sans conteste, l'étalon d'une parfaite normalité.

Ainsi que je l'ai déjà exprimé précédemment, notre décision de procéder à un tel jugement, n'est certainement pas très sympathique, mais elle fait éprouver sacrément du bien à notre Ego. Traiter untel de con, conserve une connotation humaine. Aucun souci à se faire et inutile de se bercer d'illusion, on est toujours le con de quelqu'un... Je ne ferai pas, aux hauts diplômés, l'honneur de les traiter ainsi, ce qui serait leur accorder un qualificatif qu'ils ne méritent pas.

Le fait d'avoir vécu dans ma vie professionnelle certains moments moralement éprouvants, me conduit à infléchir ma pensée. Je sais que mon tempérament me pousse vers le passionnel et l'excessif. Certaines circonstances de mon métier, m'ont amené à me confronter, en vives oppositions d'intérêts, à des présidents d'importantes sociétés privées de niveau national, ou à des hauts fonctionnaires de l'Equipement ou des Finances Parisiens. Ma silencieuse animosité et mon mépris certain à leur égard, profondément vifs à l'époque, ne sont pas encore à ce jour atténués. Ce sont des meurtriers de l'affectif, des assassins de l'âme.

Il m'a été donné, plusieurs fois, l'occasion de les observer dans leurs turpitudes dominatrices. La partie affective de leur énorme intelligence – celle du cœur- a été chirurgicalement et délibérément extirpée, lors du cursus des Grandes Ecoles, ou universitaire, pour ne laisser subsister, de leur personnalité, qu'une intelligence devenue naturellement froide et déshumanisée.

Désormais, ils agissent par leurs paroles et par leurs actes, comme des mutants, des extraterrestres, des ordinateurs dépourvus d'état d'âme et de sentiment. Ils se sont transformés en machine à déconsidérer, à voler, à violer la dignité humaine. A leurs yeux, vous ne représentez – définitivement – rien. Une partie de ces hauts diplômés, ceux qui ont eu la force et la lucidité de protéger leur intelligence de cœur, ne méritent pas ce qualificatif. Quant aux autres, ce ne sont pas non plus des cons. Ils sont pires...

Il est des cons incurables, tenant séance permanente, devenant bêtes parce que méchants et méchants parce que bêtes.

Je ne suis pas sexiste. La connerie ne se conjugue pas qu'au masculin. Dans le réservoir des incurables, j'ai connu il y a longtemps, des connes agressives comme des guêpes ou venimeuses comme des vipères dominatrices, dont le cerveau reptilien, constituait, en nature et en volume, l'exception à la théorie de l'évolution des espèces de Darwin.

Jeunes encore, les stigmates de leur naturelle méchanceté se lisaient déjà sur leur visage. On peut dire que, véritablement, elles ont la gueule qu'elles méritent, et ma certitude veut que ça ne s'arrangera pas avec l'âge.

Etre con, ou le paraître, n'est ni grave ni mortel.

Nous sommes tous, durant les actes qui émaillent notre vie, des intermittents de la bêtise, ou de son apparence. C'est une preuve de notre nature et condition humaines.

Dans le fond, à bien y réfléchir, il n'y a que Dieu et les siens qui ne le sont pas.

*

* *

Nouveau schéma de pensée

*L*e physicien, dans ses recherches des mystères de l'infiniment petit a **adopté des schémas de pensée novateurs**, par l'utilisation de calculs et d'investigations innovants que lui offrent la Nouvelle Physique, et concède à cette dernière les places qui lui reviennent en **intégrant** dans **les raisonnements, l'intuition, le paradoxal, l'inimaginable, le mouvant** que représentent **le « flou » quantique.** Il a assimilé ce nouveau langage, opposé à celui de la physique classique. La nouvelle dimension dans laquelle il a désormais conscience de pénétrer, possède donc sa propre logique.

Pour ma part, j'éprouve le sentiment que ce Nouveau Scientifique, par ses récentes et paradoxales découvertes, par sa vision **inédite et étonnante** de l'infiniment petit, ressent aujourd'hui et pour le moins un sentiment de **pré-compréhension de phénomènes proches de l'abstraction,** liés à la pénétration, dans ce monde novateur de pensée, d'une quatrième ou cinquième dimension.

*

* *

Le prince

*M*alévitch, prince du suprématisme, qui très certainement dans sa certitude, avait enfin atteint l'Absolu, au terme d'interminables et angoissantes recherches, par la réussite reconnue et consacrée par beaucoup, de son chef d'œuvre de spiritualité qu'est son « carré blanc sur fond blanc », a pris la surprenante, courageuse, et compréhensible décision, d'abandonner définitivement son Art.

On peut penser que c'est **seulement** au moment même de sa prise de décision, que le **doute** qui était en lui pendant tout le temps où il élaborait son chef-d'œuvre, a été, enfin, chassé de son esprit.

Personnellement, je reste persuadé que cet état d'incertitude qui ne l'a jamais quitté, qui habite l'artiste véritablement authentique, celui qui cherche, qui souffre et persévère, constitue le seul moteur de progrès qualitatif de création de l'œuvre.

Son absence le fait inexorablement tomber dans la marmite de l'autosatisfaction, puis dans celle de la stagnation.

J'éviterai de faire allusion à certains peintres, doués pourtant d'un certain talent, qui pourraient, de ce fait, élaborer et faire mijoter une ragoûtante cuisine, et qui n'offrent à leurs convives, qu'un minable et répétitif fricot.

Ceux-là ont, depuis longtemps et définitivement, bâillonné leur doute et sont tombés dans la fosse industrielle à purin.

$$* \\ * \quad *$$

Amor... Amor...

6 juin 2000. Il est 7 h30. Il y a 56 ans c'était le débarquement en Normandie. Je viens juste de petit déjeuner et je me sens en forme comme je le suis généralement le matin. C'est après que ça se gâte.

Je dois poursuivre la galère en même temps que la joie que je me suis assignée, d'écrire mes souvenirs, de coucher noir sur blanc, les idées, les analyses, les anecdotes qui me trottent dans la tête.

Et je suis là aujourd'hui face à ma feuille blanche qui me nargue et commence à m'agacer par son insolence...

Mon idée prévoit qu'aujourd'hui je dois vous parler d'amour. Certainement pas de la même manière que cette douce et tendre chanson qui me crée toujours un émoi pudique et profond, qui me rappelle mes merveilleux parents qui la chantaient à l'époque de leur jeunesse :

« Parlez-moi d'amour
« Dites moi des choses tendres
« Votre beau discours
« Mon cœur n'est pas las de l'entendre
« Je vous ai-me...

C'est beau, hein ?

Que vais-je bien pouvoir vous raconter sur l'amour ?

Je n'ai évidemment pas l'intention de développer une thèse sur le sujet.

Tu es mon copain ou ma copine ? Nous bavardons. Tu es, je le sais, une des rares personnes capables d'écouter avec une attention soutenue ton interlocuteur. Alors je vais te dire simplement ce que je pense de l'amour, te dévoiler que je suis irrémédiablement fleur bleue, te révéler mon étonnement admiratif à la vue d'un couple vieillissant qui a su, qui a pu surmonter toutes les vicissitudes du quotidien, et qui aujourd'hui semble apprécier dans une paix tranquille le bonheur du temps qui s'écoule.

Je vais continuer comme je l'ai fait tout le long de cet ouvrage : ouvrir mon cœur. Je ne sais pas faire autrement.

*
* *

Le coucher

Quittant son domicile légal, sans même, au préalable, m'avertir par un coup de fil, cette chatte tigrée, à la barbiche blanche, sautant les murs des jardins environnants, de plus en plus fréquemment, me rend visite…

Ses séjours, dans ce qui constitue désormais sa résidence secondaire, deviennent de plus en plus longs. Il est vrai, que, pour pas cher, l'accueil que je lui réserve est excellent, tant au plan des câlins que de la gastronomie. Brave Minette qui ajoute encore, à ma paix et à ma sérénité…

… Oui, oui, elle dort avec moi, au pied de mon lit…

… Ouais, j'avoue, je la trouve quelques fois collée à mon oreille, et ses ronrons me réveillent la nuit, ou bien encore plaquée contre mon flanc, à l'extérieur, sur les couvertures…

… Non, non… elle n'a pas de puces…

… Si j'aime ça ?… oui bien sûr, j'aime ça… c'est doux, c'est chaud, c'est tendre et surtout c'est vrai…

Tiens ! Y'a des trucs marrants : à la cérémonie du coucher, tous les soirs, elle devient mon assistante. La télé ne l'intéresse pas beaucoup, ça l'endort, même qu'elle ronfle…

Je la laisse là, à ses rêves, pour aller me brosser les dents, avant de me mettre au lit. A mon retour, assise sur son derrière sur la moquette de la chambre, elle patiente. En ronronnant du plaisir qui l'attend. Elle assiste, très intéressée et sans gêne particulière, au déshabillage du Roi… Dès qu'elle perçoit l'imminence du coucher, elle me cause…

Mruumm !… Elle m'invite, susurrante, en sautant sur le lit où elle se tient debout, la queue en S, attentive à l'ultime geste qui décide du coucher.

Mruumm !… Je comprends très bien son discours. Je vous traduirai un jour si vous le méritez… J'en jugerai le moment venu…

Mruumm !… C'est le moment des câlins, des coups de tête répétés contre ma joue, des ronronnements d'hélicoptères prêts à décoller, des regards de tendresse… Puis ça se calme… Le rituel d'amour est terminé. Elle ne me l'a jamais avoué franchement, mais je crois bien qu'elle est amoureuse de moi.

… Moi ?… Quelle question !… Ben voui… Moi aussi…

Humour

* On est pas coupable, tant qu'on n'est pas prouvé innocent !

* Lui ? C'est un matou vu !

* Il est toujours membre de sa secte et attend de sortir de prison pour être accueilli comme le missionnaire !

* Interview d'un joueur de foot à Europe 1 : « Lui ? c'est la cinquième roue de la charrue... »

* Mamie Claude à Julie, 2 ans 1/2 qui tripotait l'éponge : « Julie ma chérie, l'eau va tomber, laisse mamie faire ».

*

* *

Vanitas Vanitatum...

Pour la seule raison que certains n'ont pas su, ou pu comprendre, ou ont encore délibérément occulté le Message Symbolique et le Devoir qui y était attaché, ai-je le droit de ressentir une intime et forte déception ? Puis-je également manifester mon silencieux agacement provoqué par les mêmes qui – habilement le croient-ils – trichent une partie de leur déjà longue vie humaniste, pour la seule vanité à porter cet accessoire d'habillement, à leurs yeux, honorifique et à en recevoir les dérisoires titres et honneurs ?

Comme si, mon Dieu, l'habit faisait nécessairement le moine...

Il m'apparaît, avec certitude, qu'une certaine minorité qui se situe, principalement, chez certains hiérarques, dont la prétention et l'arrogance cachées mais toujours détectables aux yeux de ceux qui savent voir, ne cessent de dominer leur faible et aléatoire spiritualité, ne mérite plus ou n'a jamais mérité être revêtu du plus humble.

Ces personnes, sans beaucoup de sincérité, ni de véritable intelligence de cœur, n'ont, sans doute, jamais été habitées de cette Vraie Lueur qui naît dans l'âme et qui se perçoit, toujours, dans le regard. D'autres ne cherchent à satisfaire leur ego que dans la quête, profane et permanente, d'une reconnaissance insaisissable, alors que cette dernière ne se ressent, dans sa Vérité forte ou faible, mais auto-acceptée, qu'au plus profond de soi-même.

Heureusement, il y a les autres, l'immensité des autres qui ont conservé et entretiennent leurs Lumières…

Parfois dans des circonstances particulières, le grotesque le dispute au tristement comique.

Outre des réactions intempestives de pseudo-supériorité qui se traduisent par des manifestations de caporalisme de mauvais aloi, qu'entraîne le port de cet accessoire, il provoque dans les entrailles de certains impétrants anciennement ou nouvellement consacrés, d'audibles borborygmes de satisfaction assouvie et fait naître sur leurs lèvres, lors des exercices déambulatoires, une mauvaise imitation de l'ineffable sourire de la Joconde, qui révèle l'immensité de leur vanité cachée.

Alors… Alors, échappant au contexte philosophique, vidé de la Volonté sincère d'en être digne et de suivre la Voie, cet attribut vestimentaire, dans ces exceptionnelles circonstances, et seulement dans celles là, ne représente plus, à mes yeux, qu'un caractère « guignolesque ».

Fassent que, chez ceux-là, les régulières visions du Blanc Manteau, ravivent leur sentiment d'Humilité…

*

* *

Liens

Quels sont les liens entre la matière inerte et la matière animée ? Sont-ce les mouvements moléculaires invisibles de l'inerte qui, à un certain moment de l'évolution les rends visibles ? Le mouvement apparent de vie ne serait-il que le résultat d'un processus d'organisation moléculaire ?

Nous sommes tous des atomes.

La vie des protozoaires n'est pas consciente, du moins on le suppose. Elle ne l'est pas non plus chez les animaux, sauf l'instinct de conservation, et non la peur de la mort qui procède, elle, d'une conscience.

L'homme serait-il parcelle de Dieu ?

*
* *

Le doute

L'absence de doute peut avoir des conséquences importantes comme l'illustrent ces exemples.

Dans le cadre de mon activité professionnelle, dont celle d'un bureau d'architecture intégré, j'employais un architecte avec qui je collaborais à la conception générale et à la construction d'immeubles collectifs et de maisons individuelles. Cet homme compétent, ne souffrait d'aucun état d'incertitude, quant aux choix et méthodes de construction, qu'il considérait définitivement établis, jusqu'à la fin des Temps.

Il ne lui a jamais effleuré l'esprit qu'une autre technique que celle qui était figée en lui, pouvait s'avérer positive. Il en est résulté une rigidité conceptuelle grave, qui pouvait être très préjudiciable à la bonne commercialisation du produit.

Quant au choix harmonique des coloris, des peintures intérieures et extérieures, il restait tout autant figé, le doute qu'il pouvait se tromper ne l'effleurait jamais. Plusieurs avis convergeaient vers une certitude : il avait le mauvais goût très sûr.

Autre exemple concernant un ami de « 20 ans » jamais non plus en état d'hésitation. Son comportement avait seulement le don de m'agacer. Curieuse manière d'appréhender un problème à résoudre : à la vitesse de la lumière, il exprimait la solution. Quand, délicatement, vous tentiez de suggérer qu'il faudrait quand-même réfléchir, peser le pour, peser le contre, il devenait physiquement sourd. Le doute ne l'habitait jamais. Pourtant, très souvent les résultats n'étaient pas conformes à ceux qu'il avait virtuellement laissé prévoir.

Les conséquences de ces deux attitudes ne sont pas très importantes, mais il est un domaine, où l'absence de doute, peut conduire à l'accident mortel. Je pense à ces jeunes gens qui ne doutent de rien, surtout pas de leur immortalité, et de leur invincibilité. Le triste résultat, qui personnellement m'atterre, se lit dans les journaux du lundi matin. L'absence de doute est la porte grande ouverte à un comportement inconscient.

Lorsqu'un peintre – amateur – réalise la copie d'un paysage en rapportant fidèlement sur sa toile, les formes et les couleurs qui se présentent à lui, il ne me paraît pas nécessaire qu'un doute le pénètre. Par contre, si la même personne détermine son choix d'inscrire dans son œuvre, la vibration et l'émotion que sa sensibilité lui dicte, il devra poursuivre sa création dans cet état d'incertitude, de lucidité, quant au but qu'il s'est fixé, et qu'il n'a pas encore atteint.

La présence du doute le fera progresser en qualité.

Tous les génies de l'Art graphique et les autres dont j'ai étudié la biographie, étaient habités d'un doute puissant, raisonné, raisonnable, vivant, lucide, jamais démenti. Ils vivaient l'angoisse de l'imperfection.

Malévitch, à mon sens, véritablement abstrait, pour avoir traduit par son graphisme la recherche philosophique de l'Absolu, a été en permanence pénétré du doute, dont les effets positifs ont conduit à la réussite géniale de l'œuvre.

Seul le poids constant de son insatisfaction, pouvait le conduire à la plénitude de sa démarche. Deux droits imprescriptibles lui étaient, et à lui seul, acquis. Le premier, fruit de son intelligence artistique et philosophique, de sa sensibilité, de sa vision inédite du but poursuivi, était celui d'estimer avoir atteint son ultime objectif. Le second, conséquence de sa rigueur, consistait à décider, sur-le-champ, de mettre un terme définitif à son activité artistique. Seul maître de ses décisions, nul n'a le droit de les critiquer, mais le devoir de s'y soumettre, telles qu'il les a voulues.

A une échelle infiniment moindre, ma propre démarche de peintre, m'a toujours dicté de ne jamais me complaire dans le laxisme. Combatif de nature, plutôt de tempérament perfectionniste, cet aspect de la créativité artistique, cet Art de peindre, ne m'avaient jamais échappé, au point d'en refuser la facilité.

Mais il m'apparaît bien que l'absence de doute dans tous les actes qu'on réalise, les démarches qu'on entreprend, entraînent à terme, la banalité, la médiocrité, la sclérose des résultats, et parfois, hélas, la mort ou pire l'infirmité à vie, si on se réfère aux accidents des jeunes le samedi soir. Eux aussi n'ont jamais été habités du doute de leur invulnérabilité.

La présence permanente d'un doute contrôlé dans notre comportement psychologique, est un moteur puissant de qualité créative.

*
* *

marcel le ny

Très cher Roger,

Aussi beaux, aussi bleus
.../...

...

que ceux de Michèle Morgan, les yeux de Margot Lammens, ta maman... Blancheur éclatante de ses dents, émouvant de bonté, le sourire de Madeleine Le Floch, ma mère... Jamais l'image de ces très belles jeunes femmes qui furent nos mères, n'a quitté ma pensée.

Très jeune enfant, je conserve le précieux souvenir des chaleureuses visites que Margot et Jean Goulias, ton père, rendaient régulièrement, dans les années 1930, à Madeleine et Marcel LE NY, mon père, à leur domicile, là, dans la maison construite de ses mains, rue Ratier, par Joseph LE FLOCH, mon grand-père, que je n'ai jamais connu.

Très jeune enfant, je conserve celui, aussi précieux, de l'émouvante sollicitude dont mes parents entouraient les tiens, aussitôt arrivés chez nous...

Capitaine au long cours, en pleine activité, Jean, qui paraissait si sévère au gamin intimidé que j'étais, prenait plaisir à raconter ses voyages...

C'était le temps d'un humanisme vrai, naturellement simple, celui des attachements, des manifestations d'affections familiales, hélas, peut-être aujourd'hui, pour beaucoup, oubliés...

L'éloignement, l'absence, à cette époque, d'usage courant d'une voiture, les difficultés et les restrictions de circulation pendant la seconde guerre mondiale, la destruction de Lorient et notre exil, le temps qui passe, mais certainement pas les méfaits de l'oubli, qui insidieusement aurait pu accomplir son œuvre, tous ces moments et encore bien d'autres, ont concouru à l'espacement des contacts entre nos deux familles.

Te souviens-tu qu'un des derniers remonte au début des années 1950, à l'occasion du mariage, à la Gaubretière, de Jeannine, ta sœur, auquel mes parents et moi avions été invités ?

Une trentaine d'années plus tard, j'ai eu le plaisir, par deux fois, de recevoir ta visite à Lorient.

S'il est un comportement humain, qui depuis le début de ma vie d'adulte, n'a cessé de m'étonner, de me rendre perplexe, c'est le constat souvent observé, révélé chez beaucoup de personnes, de la difficulté, non pas de comprendre, mais, même brièvement, prolonger sa pensée de l'instant, par la recherche d'une synthèse, lien d'ouverture vers la prise de conscience, puis de sortie opportune de sa passivité.

Mes propres capacités de synthèse étaient quant-à-elles si endormies, que je ne puisse pas, à mon tour, prendre conscience plus tôt, antérieurement à tes visites, du seul fait que Jeannine et toi, restiez les seuls représentants de la lignée LE FLOCH, à laquelle je suis tellement attaché et dont je me sens, avec les racines HENRY, si profondément, si exclusivement issu.

Ce fut en moi, l'amorce d'un souhait, de longues années en sommeil dans mon cœur, de rétablir entre nous certains liens, dont l'objectif n'est pas de reconstituer les mêmes que ceux que nos parents entretenaient à l'époque de leur jeunesse, mais d'aboutir, ce serait déjà beaucoup, à un échange devenu habituel, de pensées affectueuses.

Mon initiative de renouer, dont tu as toi-même marqué le chemin, nous a permis, au printemps 2003, à la Gaubretière, de nous réunir, en parfaite communion avec Jeannine et Fabienne, ma fille, autour d'un savoureux déjeuner.

Ce jour-là, ce fut l'occasion de mieux nous connaître et j'en porte l'espérance, de réveiller et conforter nos liens familiaux.

Par deux fois, avant et après ce déjeuner, la douce et sensible Jeannine, qui t'admire et t'aime profondément, m'a chuchoté : « Tu sais Marcel, ce n'est pas parce que Roger est sorti de Polytechnique, qu'il n'est pas resté simple. Il n'en a peut être pas l'air, mais c'est un tendre ». Propos émouvants…

Ce dernier sentiment, qui a marqué et parfois handicapé ma vie, me paraît être te concernant, trop intime pour me sentir autorisé à y penser.

Concernant le premier, je m'efforce de me dégager du rayonnement que constituent ton savoir, ta culture générale et ta prééminence intellectuelle marquée de simplicité vraie, pour ne considérer que le lien de parenté qui nous unit, puis l'homme que tu es dans son Essence et sa Vérité.

Les découvertes, les révélations passionnantes que m'apportent mes lectures, les questions sans réponses que je me pose souvent, les merveilleux chants que m'offrent la nature et le ciel, les arts et la poésie et aussi le rêve et l'émoi du passé que me révèlent l'origine historique des mots de notre langue, la prise de conscience de la chance que *j'ai de figurer parmi les humains qui peuplent cette terre, de vivre en direct, dans ses détails, des pages d'Histoire de notre époque, et ceci, et encore cela, tout concourt à rendre, à mes yeux, la vie passionnante.*

Cette insatiable curiosité, cette passion et cette joie de découvrir qui m'habitent et l'étonnement que, toujours, elle me procure, me conduisent à insister près de mes proches ou mes amis pour partager la réjouissance que m'offrent mes nouvelles connaissances.

Comportement juvénile, je le sais, sinon un peu naïf, je l'accepte, révélant malgré mon âge, non pas, je l'espère, les prémices d'une sénilité annoncée mais le maintien d'une certaine fraîcheur d'esprit.

Pardonne-moi d'exposer ainsi mes pensées...

Ce n'est pas pour me faire valoir mais pour t'affirmer à quel point je suis un auditeur intéressé et attentif, lorsque tu me dévoiles, sans ostentation aucune, les arcanes des Techniques et des Sciences.

Ces connaissances peuvent se démontrer et se transmettre à l'auditoire, dans la seule limite de leur froide réalité technique.

Mais à l'inverse, elles peuvent laisser transparaître fugitivement lors de l'exposé, l'émotion discrète de l'orateur, né du sentiment philosophique et théologique qu'il éprouve et associe à ce qu'il considère être un des miracles de l'Homme, constitué des inventions techniques et des avancées scientifiques.

Il confère ainsi une dimension autrement plus forte à ses propos.

Non seulement l'absence de sècheresse de tes exposés mais le plaisir et la passion qui transparaissent de tes paroles, m'apportent le sentiment – reflet de ta sensibilité que je perçois – que tu as, tout à fait naturellement, choisi cette voie.

Tes mini-conférences, nourries d'une telle maîtrise pédagogique, me réjouissent le cœur et satisfont ma soif de découvrir, au point d'apaiser mon ego et de m'apporter l'illusion de devenir, enfin, intelligent.

Depuis nos rencontres à Lorient et à La Gaubretière, je brûlais de te dire le sentiment que j'ai éprouvé ces jours là.

Sois assuré, Cher Roger, de mes sentiments familiaux très affectueux.

Les facéties de l'atome

La physique traditionnelle a été rapidement incapable de résoudre certaines énigmes paradoxales.

La physique quantique est sur le point d'y pallier.

On sait aujourd'hui que certaines particules élémentaires existent mais ne sont pas constitutives de masse. La preuve de leurs existences est qu'elles produisent une énergie qui a pu être mesurée.

C'est peut être la raison pour laquelle ont dit que le vide produit de l'énergie.

L'affaire des protons jumeaux est étonnante. Ce sont des atomes facétieux. Ils ont un don d'ubiquité qui a été prouvé scientifiquement.

En effet, ces corpuscules n'ont pas de masse mais produisent une énergie. **Si on les sépare et qu'on les éloigne l'un de l'autre quelque soit la distance, si on taquine l'un, l'autre réagit <u>en temps immédiat, hors notion de la vitesse de la lumière</u>**. Les physiciens nomment cette faculté « notion paradoxale ».

*
* *

Mon père, ma mère

S'il m'était demandé de définir, en deux mots, la personnalité de mes parents, je me prononcerais pour : Bonté concernant ma mère, Sagesse pour mon père.

L'origine patronymique des LE NY se situe dans le pays de Ploërdut-Le Croisty en Morbihan. Je doute qu'une recherche généalogique puisse trouver un autre périmètre que celui de cette zone. Côté grand-mère paternel, cette dernière se situe vers Plouay où elle est née. Côté maternel, l'origine des LE FLOCH-HENRY se trouve à Lorient. Je possède des papiers de famille (actes notariaux divers) dont le plus ancien date de 1713, proche de la naissance de L'Orient en 1666.

Mon père, talentueux footballeur amateur, rapide avant-centre, redoutable de la tête, jouait à la Portlouisienne, de l'autre côté de la rade. A la fondation en 1926, du Football Club Lorientais, au maillot damiers tango et noir, il fut avec mon oncle Le Mouroux, un des grands joueurs de ce club.

Un jour de 1924 ou 1925, il a rencontré ma mère à Port-Louis, au bal, qui était un des lieux de rencontre et de loisirs des jeunes de l'époque. Ils s'aimèrent, ils se sont aimés toute une vie. Je leur suis reconnaissant, je suis fier d'être un enfant né de leur amour. Je les vois encore, dans la plénitude de l'âge, se tenir la main en regardant la télévision. Jamais, enfant ou adulte, je n'ai assisté entre eux à la moindre dispute. Leur vie était gaie et sereine, et le bonheur était là, présent.

En vie affective et quotidienne, mon père était le pilier de ma mère, la bouée sans laquelle on ne flotte plus. Toute sa raison de vivre. L'impensable, le raisonnablement inenvisageable, le pire, le terrible est arrivé à l'aube du 30 Août 1969. Sans bruit, tranquillement, comme le fut son existence, mon père, à 62 ans, nous a quitté. Son visage était serein, apaisé, presque souriant. C'était mon premier deuil. Mon chagrin fut atroce, doublement, déchirant. Assumer ma propre peine, qui était immense, et en plus et surtout, partager celle de ma mère, pudique dans sa détresse, muette, tétanisée. Angoissant, étouffant, gorge nouée…

Marcel, mon père, d'origine modeste, portait le costume d'officier de marine en sa qualité d'Ingénieur DT. Il possédait le don de sagesse et son comportement était simple et réservé. Il aimait peu les discussions, principalement celles qui étaient trop animées ou empreintes de passion, car il estimait qu'il était vain d'essayer de convaincre un interlocuteur à la justesse éventuelle de ses vues, surtout que cette même sagesse lui dictait qu'il n'avait pas nécessairement raison.

De même qu'il n'appréciait pas beaucoup, encore moins que moi-même, parler pour ne rien dire – c'est épuisant – il possédait l'art et la manière de couper court, en souplesse, à la discussion, sinon en donnant raison à l'interlocuteur, au moins en ne le contredisant plus.

Ce comportement ne procédait certainement pas d'une intention quelque peu hypocrite ou méprisante, mais de sa seule conviction lucide de la vanité de poursuivre un dialogue sans espoir de conclusion. Alors pourquoi perdre son temps en vaines diatribes ?

Mais surtout, surtout, je le sais bien car j'ai hérité de cette faculté, son souhait se résumait à ce que soient le moins possible troublées, sa rêverie méditative et son écoute permanente du silence. En me relisant, c'est bien là ce que je ressens.

Madeleine, ma mère avait une sœur qui, à la disparition de leurs parents, avait quatre ans.

Ma tante Odette, fut confiée à un orphelinat de bonnes sœurs, puis instruite par cette communauté religieuse pour devenir Sœur Odile Madeleine, fille de la sagesse, professeur d'Histoire Géographie dans un lycée. Elle a disparu vers l'âge de 30 ans, enlevée par cette même maladie qui, en 1940, ne se guérissait toujours pas.

Ma mère Madeleine fut élevée, là où j'habite, rue Ratier par sa grand-mère, - mon arrière-grand-mère Henry - de laquelle je conserve un grand et très affectueux souvenir : j'étais son petit Gâ-çon, ainsi qu'elle le disait avec l'accent du Guilvinec qu'elle n'avait jamais perdu. Le café-chicorée et les tartines constituaient pour elles deux, le menu habituel, quelquefois tri-quotidien de cette nouvelle pauvreté.

J'embrassais rarement ma mère. Trop pudiques, l'un et l'autre, dans l'expression apparente de nos émotions, mais nous nous comprenions. Quelques jours avant qu'elle nous quitte, mourante mais consciente, installée dans son fauteuil crapaud dans lequel elle respirait moins mal, j'ai voulu vaincre ma pudeur : « je t'aime, tu sais maman… » « Je sais… » m'a-t-elle répondu… En lettres de feu ces paroles brûlent toujours en moi…

Oui, ma mère était d'une douceur et d'une bonté infinies. Jamais je n'ai entendu sortir de sa bouche des paroles de médisance, jamais non plus un seul gros mot a franchi ses lèvres.

Pudiquement soucieuse – ceci constitue une des subtilités et délicatesses de l'intelligence de ma mère, davantage et mieux révélée aujourd'hui à mon esprit en transcrivant ces instants – de ne jamais importuner les gens, y compris moi-même, en les contraignant à écouter, souvent plus par politesse que par réel intérêt, l'évocation des souvenirs intimistes de son enfance, elle m'a quand même laissé suffisamment entrevoir, ce que fût sa déchirante détresse de petite fille particulièrement douce et sensible, d'être, à 11 ans, définitivement séparée de sa maman.

A l'époque, ma jeunesse ne me permettait pas de comprendre la souffrance de ma mère.

Depuis trente ans, mes parents ne sont plus… Ils sont ailleurs… Ensemble. Heureux. Je le crois. Je suis sûr. Cela ne peut être autrement.

*
* *

Humour

* Laurence, 18 mois, sur les bras de sa maman Claude, d'un ton déchirant : « Mal ! Maal ! Mal ! ». Maman Claude affolée : « Tu as mal ! Où ? Où ? Là ? » désignant un point quelconque de l'épaule. « Là ? ». « Viiihiii… » répond Laurence d'un ton enjoué.

* 13 H 30 : Laurence, 2 ans, trottinant dans le séjour, passant et repassant devant son père Marcel qui lisait d'un œil le journal, tout en l'observant. Tac ! Tac ! Tac ! faisaient ses petits souliers. Tac ! Tac ! Tac ! Arrêt des

Tac ! Tac ! Tac ! Papa Marcel baisse le journal. Laurence plantée à 50 cm devant son père, les mains sur les hanches, dans un souffle : « Alors ! Marcel ! ça va ? ».

* 3 septembre 1995 : Dimanche midi. Invité mon ami Kik Poirier à partager mon repas dominical.
Kik : « Il est bon ton rôti de porc ! »
Marcel : « C'est du rôti de porc pompé. J'aime bien... »
Kik : « Il a été piqué au cyanure ? (saumure) (Rires...) »
On parle de choses et d'autres. De l'excellente Brigitte, technicienne de surface, selon la phrasologie en vogue, qui exerce ses talents chez chacun de nous deux.
Kik : « Brigitte ? elle est formidable ! »
Marcel : « ça c'est vrai, elle fait du bon travail. »
Kik : « Elle range tout après moi ! C'est d'un ordre impeccable... Ben dame ! je trouve plus rien après... »

* J'ai été en vacances aux Canaries... Là bas tout est racouilleux !

* Les chinois sont des guerriers... ce sont mêmes des tortureurs !

*
* *

L'intuition

Le chat est intuitif. Les marques d'affection qui lui sont portées, si elles ne sont pas sincères, ne le trompent pas.
Avez-vous soutenu le regard d'un chat ?
Tout y est dit. Toute sa pudeur et affection sont exprimées.

*
* *

La courbure de l'espace

Einstein nous a appris que l'espace est courbe. Jusqu'à cet instant, cette notion m'a paru impossible à comprendre. N'avais-je pas jusque là, fait l'effort nécessaire ?

Permettez-moi aujourd'hui, de vous amener à partager mon enthousiasme, d'avoir pu enfin apercevoir le bout du tunnel. Sauf de me fourvoyer complètement, je crois avoir en effet assimilé **superficiellement** cette notion.

Je m'explique : vous contemplez une étoile. Les photons, qui constituent sa lumière visible, voyagent vers votre œil et s'impriment sur votre rétine. Vous connaissez, certainement, la puissance et l'universalité de la force gravitationnelle. Le trajet devrait être théoriquement parfaitement rectiligne, sauf que cette force, a un certain moment, le courbe.

Voulez-vous faire l'effort de matérialiser ce train de photons qui démarre de l'étoile vers votre œil ?

Des milliards de galaxies abritent, chacune, des milliards d'étoiles qui émettent, tous azimuts, dans nos trois dimensions, leurs lumières visibles.

Pour ma démonstration, imaginez encore, que ces rayons soient matérialisés et visiblement immobiles. Tous subissent l'effet de la force de gravitation.

Considérez, maintenant, ces rayons réunis en faisceaux, qui se croisent, s'entrecroisent, se courbent et se recourbent, subissant les effets colossaux de cette force.

L'espace est, alors, un immense et invisible enchevêtrement d'un nombre inimaginable de faisceaux de protons, **tous courbés par la gravitation omniprésente.**

On peut, alors, comprendre ce que veut dire : courbure de l'espace.

*
* *

Tout

Tout, absolument tout, disparaît.

Le tronc de l'arbre mort, en humus. L'acier du Titanic dans la mer, qui se dissout chimiquement, en rouille. Notre corps en poussière du chemin.

Tout, absolument tout, disparaît. Ou fait semblant.

La mort ne serait-elle qu'un vaste tour de magie ?

Ou de chimie ?

Mais ce qui constitue, l'âme, la conscience de vie ? Quid ?

Amour avec un grand A

Aimer son conjoint, union civilement ou religieusement consacrée, est l'aboutissement de multiples et récurrentes aventures, avec un grand A, d'harmonies, de longueurs d'onde.

Lorsqu'un homme ou une femme, après plusieurs dizaines d'années de vie commune, ont le sentiment de toujours s'aimer ou au moins s'apprécier, c'est que leurs multiples, imprévisibles et facétieuses longueurs d'onde, ont pu se trouver en symbiose un nombre illimité de fois, et qu'elles ont nourri, entre elles, de nombreuses convergences dans un certain nombre de domaines, ce qui leur a permis de se comprendre, de s'estimer, et sans peut-être s'aimer d'amour fou, au moins d'accepter leurs défauts réciproques, et de pardonner avec un sourire souvent complice et apaisé, les erreurs commises, conséquences des aléas, inévitables et inattendus, de la vie.

De quelle manière cette aventure entre deux personnes a-t-elle pu débuter ?

Je reprendrai les propos de Coluche : « je n'ai jamais vu un mec se retourner sur l'intelligence d'une fille ». S'il a cette réaction, c'est bien pour contempler autre chose. Que celui qui ne s'est jamais retourné jette le premier, la pierre…C'est ainsi que débute une relation qui peut devenir celle de toute une vie. Uniquement, au départ, par cette attirance visuelle primaire, animale. Après, bien sûr, c'est la grande loterie de la vie…

Fondamentalement

Alors, pourquoi **ça** bouge ? **Dans quelle direction chercher, dans quoi trouver la raison, le moteur originel qui détermine le mouvement de vie ?**

Au fond, considérant la **seule matérialité** d'un objet, apparaissent autant de raisons, **sinon plus** pour, <u>qu'au départ, ça ne bouge pas.</u>

L'immobilité parfaite devrait être la règle, comme n'importe quel objet stable protégé du vent ou de la force centrifuge.

Si les atomes qui le constituent étaient immobiles, ce serait le **figement éternel** sans commencement ni fin, **le non sens de la matière**. Que dis-je ? **L'absurdité de la matière**, l'absence de vie, le froid absolu car immobilité égale froid, **l'anéantissement de la notion de temps, qui rejoindrait la matière dans son absurdité.**

L'immobilité, **la suppression de la dynamique de l'univers** entraînerait l'effondrement des atomes, des étoiles, des galaxies les uns sur les autres, **le noir. Absolu.**

Encore faut-il accepter l'hypothèse d'école, ayant pour base la naissance d'un univers dynamique, comme celui dans lequel nous évoluons. Absurdité. **Absurdité universelle de la matière et du temps.**

L'univers est un corps vivant. Vivant par **les effets de l'association** de l'électromagnétisme et des forces gravitationnelles sans lesquels **rien** ne serait.

Alors pourquoi **ça** bouge ? **Qui** a décidé ? **Qui** décide ? **Dieu** ? Un succédané **naturel** de Dieu ?

L'agitation intelligente de la matière serait-elle force d'énergie et source de vie ?

*

* *

An 2 000 001

Si, malgré les folles imprudences, le monde ne se détruit pas, si, dans des millions d'années, l'inexorable et lent phénomène de l'évolution, ne le fasse se diluer dans une espèce nouvelle, ou disparaître, ou encore si, son archaïque cerveau reptilien, au terme de sa probable dégénérescence n'a plus la capacité d'imposer ses pulsions, si, au stade de son ultime développement, le néo-néo-super cortex atteint sa plénitude de force et sagesse, l'homme deviendra, peut-être, infiniment bon.

Il sera alors pénétré d'une foi brûlante en Dieu ou en lui-même, si Dieu décide une nouvelle fois de se faire Hommes ou si l'homme devient Dieux.

Il abritera ce regard pur, illuminé, brillant d'amour universel, reflet du divin, perceptible chez certains communs des mortels ou religieux de toutes confessions déjà touchés par la grâce, dont l'éclat si particulier, suscite déjà, chez nous qui l'observons, tant d'interrogation, tant d'étonnement, tant d'admiration...

Combien sera immense, la joie intime et éternelle de cet Homme Nouveau, d'habiter à jamais cet espace doré de foi transcendée.
Combien alors sera, enfin, beau le Monde...
Vision idyllique du devenir lointain de l'Homme...
On peut rêver non ?

*

* *

Le dos

Dans le cours d'une conversation, rares sont les personnes qui demeurent très attentives aux paroles de l'autre. La plupart ne s'intéressent qu'à leurs propos. Certains parmi les plus délicats ont la politesse d'au moins essayer de cacher leur désintérêt. Dans une conversation à trois ou quatre personnes, certains mufles qui ne sont doués ni d'intelligence de cœur ni de sensibilité, n'adressent leur discours qu'en direction d'un seul. Les autres demeurent transparents.

Dans ce genre de situation, il m'est arrivé d'être très gêné lorsque je m'apercevais que j'étais l'interlocuteur privilégié, et de m'agiter maladroitement en gestes en en paroles pour orienter équitablement la conversation vers les fantômes.

J'ai tenu quelques fois le rôle de l'ectoplasme. Dans ce cas, dans la plus grande discrétion et la plus parfaite sérénité, je m'inscris en catimini aux abonnés absents, très facilement je coupe le son, de l'extrême coin de l'œil j'aperçois, de temps en temps, des lèvres qui bougent et je rêve. Fréquemment le con de service ne s'aperçoit de rien.

Le comportement de ce genre d'imbécile est plus fréquent qu'on l'imagine. Les femmes, souvent plus fines que ne sont les gros nounours qui leur servent de maris en souffrent souvent.

Je me souviens d'une remarque ironique cinglante, que je n'ai pu m'empêcher d'adresser à mon imbécile et impoli voisin de droite, près duquel j'étais assis, à la fin d'un repas à quinze, servi au restaurant, sur une table disposée en longueur.

Ces agapes concluaient une réunion philosophique. Cependant, on aurait pu se croire à la fin d'une grosse bouffe de chasseurs bourrés à mort, tellement le raconteur d'histoires graveleuses était déchaîné, mitraillant son auditoire placé en bout de table. Les rires agricoles étaient énormes. Au dessert, j'ai exprimé mes félicitations à mon jeune et gentil couillon voisin de droite, sur le magnifique coloris, la qualité indéniable du tissu et surtout sur l'irréprochable tombé du dos de sa veste, que j'avais eu le loisir d'admirer pendant plus d'une heure.

*
* *

Humour

* .... Et ceux qui étaient à souffrir sur les tables de billard, dans les salles d'opérations...

* Et il pleuvait, il pleuvait ! un vrai déluge ! A se demander s'il ne nous faudrait pas appeler d'urgence – comment ça s'appelle déjà ? – le bateau de Noémie.

* Je suis rentrée de boite à 5 heures du matin... j'étais fraîche comme un dindon !

* Les conflits mondiaux ? Ca va de pisse en mal !

* Oh ! oui. J'aimerais marcher dans le Sahara, admirer les paysages, boire le thé chez les Beaudouins...

*
* *

Télépathie

Dans la soirée, cela est inscrit dans ses gènes, le chat s'agite, se cache, épie. Il joue le simulacre de la chasse.

Très marqué, sans équivoque aucune, existe entre le chat et moi, un phénomène de télépathie. Cet échange de complicité, à effet rapide sinon immédiat, même avec un interlocuteur inconnu, se fait par le regard.

Généralement, un miaulement discret et poli, puis le soyeux de ma voix, ponctuent l'entente cordiale.

Il m'est arrivé, il n'y a pas si longtemps de capter dans le reflet de l'œil d'un minou, aussi clairement que par des mots, la lueur d'un message qui m'invitait à me déplacer pour recevoir les marques d'affection qu'il brûlait de me prodiguer. Cela, d'urgence, tout de suite, immédiatement, sur le champ et sans délai. Consentant, intrigué, je me suis assis sur le canapé du salon. Ce fût, je ne m'étais pas trompé, pendant quelques minutes, une débauche d'affection, de câlins de toutes sortes, appuyés de tendresse et d'amour. Oui, d'amour.

Apaisé, ronronnant, il s'est allongé près de moi, plaqué contre ma cuisse.

*
* *

La boule de billard

Au commencement était la parole et la parole était Dieu…
Au commencement…

Dans le cadre de notre logique cartésienne, à l'examen de choses ou de faits existants, il nous paraît parfaitement évident que ces choses et ces faits, n'avaient aucune existence **avant** pour en avoir une **après**. Donc pour atteindre l'**après**, nécessairement, il y a eu **un début**.

Dans certains concepts philosophiques nouveaux ou théologico-matérialistes, apparaissent la notion du « ni début ni fin ». Cette nouvelle appréciation me paraît être soit un dogme athée, soit un dogme de foi en Dieu. Plus besoin dans ce cas de parler de Bing-Bang, dont la grande question est de se demander ce qu'il pouvait bien y avoir avant « l'instant I », c'est-à-dire à « -I ». Grand mystère. Vertige du raisonnement. A tout vouloir déterminer, posez vous la question de savoir ou se trouve le début ou la fin d'un cercle parfaitement homogène, ou mieux encore d'une boule de billard ? Vous n'êtes pas sorti de l'auberge pour trouver une réponse.

L'univers, c'est-à-dire la Matière et le Temps ne seraient-ils qu'une vaste boule de billard incompréhensible au sens humain ?

*
* *

Alchimie

Ce furent, il y a longtemps, la pierre philosophale, la magie noire, la perspective de transmutation du plomb en or.

C'est devenu aujourd'hui une simple valeur métaphorique. Abstraite certainement mais bien réelle et présente, que l'on détecte partout, qui précède et impose ce processus mystérieux qui transforme, module, compose les matières et pensées.

On en perçoit les résultats dans notre vie quotidienne, à chaque instant.

C'est elle qui mélange nos pensées et construit notre humeur pour la rendre joyeuse ou morose, c'est elle qui rend tel met particulièrement savoureux, c'est elle qui transforme les couleurs sur la toile en chef-d'œuvre ou qui arrange les notes musicales et les mots du poème, qui ravissent de leurs chants, nos oreilles…

C'est bien elle qui fait naître le Miracle…

*
* *

Intellectualité

En politique, l'argumentaire intellectualisé, souvent utopiste, ne résiste pas longtemps à la force du bon sens.

*
* *

Scorpion

L'usage veut qu'on attribue à chacun, suivant sa date de naissance, un signe zodiacal qui présente l'ambition d'en déterminer la spécificité comportementale.

N'étant pas un inconditionnel de cette tradition établie, mais, pour autant, ne la rejetant pas, il m'est arrivé de découvrir dans un texte biographique concernant Voltaire, les traits dominants de sa personnalité, notamment ceux relatifs à sa volonté sans faille, à son goût de l'effort, à

267

sa pugnace combativité, et ainsi faire naître dans mon esprit, le soupçon de son appartenance au signe du Scorpion.

Ma difficile recherche de son mois de naissance, a révélé qu'en effet, il était bien tombé dans la marmite du signe.

Pour ma part, j'ai chu dans un récipient similaire, nanti, de façon atténuée, des mêmes caractéristiques, à cette différence que mon ascendance Sagittaire, en édulcore sensiblement l'expression, et me permet en certaines occasions, de bien maîtriser mon self-contrôle et ainsi d'imposer à ma fougue impulsive, une relative sagesse. Je cache ainsi mon jeu pour ne pas laisser apparaître mon désarroi et ma relative déception.

Si dès le début d'un dialogue, s'instille dans mon appréciation de l'instant, le goutte à goutte de la certitude d'orientation, inconsciemment voulue par mon interlocuteur, d'un long monologue, révélateur de son ancrage dans ses convictions, et dont il s'attribuera la maîtrise et le monopole, alors naît en moi l'absence d'intérêt et la vanité de poursuivre cet échange vraisemblablement stérile.

Surtout que, dans ce cas particulier, je sais qu'il restera psychologiquement sourd à toutes formes d'argumentations, que je pourrai lui proposer.

Mon espoir, de poursuivre une conversation riche et sereine dans ses conclusions, étant déçu, je m'autorise à éluder progressivement l'objet du débat et à me réfugier dans une aimable et évanescente attitude.

Le rapport de force virtuellement imposé par mon interlocuteur, trouve ainsi un écho dans la souplesse de ce que je considère être ma légitime défense.

Dans le second exemple, lors d'une discussion libre et spontanée à plusieurs, au cours de laquelle, généralement, personne n'écoute beaucoup personne, où chacun prépare dans la tête ses idées qui conforteront son argumentaire, où d'autres deviennent physiquement sourds d'émerveillement à la révélation et au partage de leur propre et génial avis, je revêts les habits du guetteur poli, attentif à l'apparition d'un court créneau de silence, qui romprait incongrûment le brouhaha ambiant et m'offrirait la possibilité d'y placer, timidement, mon grain de sel.

Surtout que, effectivement, il ne m'est jamais paru bienséant de violer, d'une voix de Stentor, une conversation en cours.

Dissoute dans un maelström verbal particulièrement évolutif, ma désespérance résignée me porte conscience que, de toutes manières, chaque seconde qui se déroule, éloigne toutes chances à mon verbe en attente, de se manifester utilement, dans la mouvante actualité des propos.

Alors sans acrimonie, sans méprisante condescendance, sereinement amusé, en véritable Scorpion d'ascendance Sagittaire, je me dis que, **quand même**, tout ça m'emmerde et alors je ferme définitivement ma gueule en attendant que ça passe…

*
* *

Le Crabe

Il était une fois un petit crabe dont je vais vous conter l'histoire.

Pour ceux qui ne sont pas très familiers de ces bestioles, je préciserai qu'il s'agit d'une étrille, une race très rapide au sol, très vive.

L'héroïne de l'histoire était grande comme l'extrémité de deux doigts. Elle s'attrape à la main dans les rochers, parmi les algues, les jours de grandes marées.

Mon père adorait cette pêche à pied. Moi, j'avais peur de me faire pincer.

Or donc, au marché, un de ces derniers samedis, comme souvent à l'époque des mois en R, chez mon ostréiculteur habituel dont les parcs sont situés dans la ria d'Etel, j'ai acheté mes huîtres dominicales, celles qui sont proprement nacrées à l'intérieur de leurs coquilles, et savoureuses comme il est rarement permis de l'être.

Le commerçant dépose au fond du sac, couleur océan, un lit de varech puis y place comme il faut les huîtres, et recouvre le tout d'une autre couverture de goémon.

Rentré à la maison, sans tarder, dans un récipient, je dispose mes huîtres bien à plat afin qu'elles conservent toutes leurs eaux délicieuses.

En effectuant ces manipulations, la petite étrille, à peine adolescente, s'échappe du goémon ou elle se cachait, court vivement sur la table, tombe au sol, et part se réfugier derrière la cuisinière. C'est embêtant, me disais-je, dans quelques jours ça risque de sentir un peu… J'oubliai l'incident.

En fin d'après-midi, j'aperçus la demoiselle gambadant sur la moquette de ma chambre, toujours pleine de vigueur. Il est indispensable de préciser que cette étrille débrouillarde avait abandonné sa cachette, traversé la cuisine, puis le séjour et le corridor, et enfin pénétré dans la chambre. Sacrée expédition !.. Affreux dilemme… Cornélien même ! Je dois avouer que je n'éprouvais aucun état d'âme quand il s'agissait de réaliser la cuisson d'un dormeur ou d'une araignée, la perspective de savourer leur chair succulente, agrémentée d'une sauce relevée dont la base est le corail contenu, quand c'est une dame, dans leur coquille, me faisant écarter toute sensiblerie.

Mais voilà, ma petite étrille était devenue une amie familière, presque autant que Minet ou Médor.

Après l'avoir attrapée, je la plaçais dans une boite en plastique, mais qu'allais-je en faire ? je l'aimais bien ma petite copine. Devinez ? J'ai pris ma voiture et me suis retrouvé à quinze kilomètres, dans les rochers, la plongeant à nouveau dans l'océan, lui souhaitant bonne route et longue vie.

J'espère qu'un jour je te reconnaîtrai dans mon assiette, car je me souviendrai toujours que tu avais de beaux yeux, tu sais…

*
* *

Sérénité

L'angoisse métaphysique… cela peut paraître terrible pour l'équilibre psychologique de l'homme de rejeter **l'espoir**. Ceux qui sont habités par la foi en Dieu, quelle que soit la forme qu'ils **LUI** donnent, quel que soit le support religieux qu'ils ont choisi, ont **dépassé cette notion pour vivre leurs certitudes**. Leur existence se déroule dans une relative ou totale sérénité.

Mais **ceux qui doutent**, qui n'ont pas la foi, **qui rejètent même l'espoir d'une survie de la conscience** dans une quatrième ou centième dimension, doivent être bien malheureux.

Peut être qu'au moment de leur mort, ou plus précisément dans la période ou elle s'amorcera, **s'accrocheront ils à la première branche d'espérance à portée de leurs mains**.

J'ai constaté cette réaction d'angoisse chez une amie très chère, talentueux médecin au Centre de Rééducation Fonctionnelle de Kerpape, qui en bonne santé, en pleine force de sa certitude, s'affirmait athée. Mais son inébranlable conviction se fissura dès la prise de connaissance de sa proche disparition, pour trouver l'apaisement dans la FOI.

Physique

Depuis plusieurs décennies, les voies de la physique classique sont dépassées, parce qu'inadaptées à la compréhension de phénomènes nouveaux apparus dans l'analyse de l'infiniment petit. L'instrument utilisé pour tenter de pressentir, de comprendre, autant qu'il soit possible, l'incompréhensible, le paradoxal, le mouvant, l'illogisme apparent, est la physique quantique.

C'est pénétrer dans l'antichambre d'une quatrième ou cinquième dimension, où l'intuition, le paradoxal, l'imaginaire et pourquoi pas les interprétations philosophiques ont déjà presque leurs places.

*
* *

Humour

* Dans les châteaux anciens il y avait de grandes, d'énormes cheminées. On y faisait cuire des bœufs entiers… Des chèvrefeuilles aussi ?

* Laurence, maman de Julie 3 ans, au cours d'un jeu éducatif : « Julie ! Quand dit-on "allo" ? » Julie de répondre : « Quand on veut que quelqu'un aille se baigner ! ».

* Le lendemain, passant devant un camp de gens du voyage à Pont Scorff, Mamie Claude : « Eh bien ! On se croirait à Montpellier ». Julie : « Mamie ! Qu'est-ce qu'il y a à ton Pellier ».
* Pour les points noirs sur la figure, on m'a dit que les dermatos les enlevaient avec des aiguilles à peine toutes petites.

* Mon fils est étudiant à Rennes. Eh bien ! il y a des potiches qui lui ont fait une farce.

*
* *

<u>16/11/1994</u> : Un flash : « la lumière est l'ombre de Dieu ».

*

* *

Facops

J'ai le souvenir d'un couple de voisins, très comme il faut, qui possédaient une petite chienne, authentiquement de race. Elle s'appelait Facops, nom d'un minéral que lui avait donné son papa qui était géologue.

Un jour, Facops s'est échappée pour se faire couvrir par le plus affreux bâtard du quartier. Cet animal obéissait à son instinct.

Notre comportement, nous êtres humains, reste et demeure animal, et je suis persuadé que nous obéissons aux mêmes règles.

C'est la manifestation de notre instinct qui nous fait obéir à cet impératif génétique.

C'est la raison pour laquelle nous sommes inconsciemment habités et influencé par le choix d'un type physique du sexe opposé, qui répond à cet impératif.

Il ne s'agit pas bien sûr d'un stéréotype précis, mais réfléchissez bien, vous trouverez beaucoup d'exemples, chez vous même et chez vos proches, les preuves de ce que j'avance.

J'ai tout à fait conscience que mon argumentation n'a rien de scientifique, je dirai même qu'elle est primaire. Mais elle a le mérite, je crois, de poser le problème dans une optique de simplicité.

Le deuxième sens qui entre en jeu est l'ouïe. Ce sont les échanges verbaux et comportementaux, réciproques, qui confirmeront ou infirmeront notre désir de poursuivre cette relation.

S'il y a, quelqu'en soit le niveau, convergence intellectuelle, si une osmose s'établit, si en d'autres termes, vous vous sentez bien en compagnie de l'autre personne, il y aura confirmation et poursuite des échanges.

Interviennent ensuite les trois autres sens qui sont l'odorat, le toucher et le goût. Je ne m'étendrais pas plus, sauf sur ce phénomène particulier, dont l'être humain n'a pas conscience, qui est l'émission des phéromones. Je vous rappelle que le phéromone est une substance chimique ou une hormone émise par un animal pendant la période des amours.

Il en est des âmes...

Il en est des âmes comme des corps...
Les graces dont certaines sont
Parées,
Ne se révèle qu'à ceux qui veulent chercher
Qui savent voir...
Les rares élus reçoivent pour salaire
La révélation de leur discrète
Beauté

Il en est des âmes comme des corps,
Petits, grands ou gros, ou maigres ou
Beaux

Certaines sont épaisses comme la nuit
Sans lumière aucune que celle de la question
Puissante et multiforme,
Mêlé d'angoisse métaphysique, du
Devenir

D'autres qui ont su ou qui ont pu
Dépasser, maîtriser, canaliser cette angoisse
Sont chaudes, sereines, transparentes,
Souffle de vie

Il en est des intelligences comme des corps,
Petits, grands, ou gros, ou maigre ou
Beaux

Certaines sont obscures à jamais
Parce que la nature est ainsi faite...
D'autres sont lucides, précises et froides
D'autres encore sont nuances, subtilités
Parfums légers...

Il en est aussi dont la
Force est Beauté et la Beauté
Sagesse...

D'autres, enfin, sont simples, fortes,
modestes et
Belles

Il en est des sensibilités humaines comme
des corps
Petits, grands ou gros, ou maigres ou
Beaux...
Il en est de béton, il en est de subtiles
Drapées de pudeur
Il en est de lucides, il en est de lumières
Qui apaisent, qui rayonnent, qui éclairent
Elles sont généreuses
Et conscientes de leur Devoir
D'aimer

Il en est de l'âme
Il en est de l'intelligence
Il en est de la sensibilité
Comme des corps
Petits, grands ou gros, ou maigres ou
Beaux...

Boeing

C'était il y a longtemps, longtemps...
Les blouses d'écolier étaient noires
Et les boutons rouges parfois, pour faire plus
Gai.
C'était il y a longtemps... longtemps...
Sept ans, il avait sept ans ;
Le doux petit garçon maigre...

Le doux petit garçon maigre
Aux oreilles décollées,
Au regard tendre,
Rêvait...
Rêvait sur son banc
Lustré de génération d'écoliers...
Et contemplait...

Et contemplait à travers la lucarne, sombre
De nuages lourds, gris de décembre,
Sa première neige qui
Tombait...
Tombait...
Tombait...
Et s'écriait dans son rêve de neige :
Des plumes ! des plumes !...

Résonne encore, résonne toujours,
Dans les oreilles décollées du doux petit garçon maigre
Aux yeux très tendres,
Le " Boeing " de la gifle de
Monsieur l'instituteur...

Monsieur l'instituteur
N'était pas poète...

Le doux petit garçon maigre
Aux oreilles décollées,
Aux yeux très tendres,
L'a regretté...

Par télépathie-Express   *Paradis : date de l'Eternité*
                               Planète Terre : 6 juin 2004

Du paradis des chats où je viens d'arriver, s'envolent vers toi, Marcello, mes plus douces pensées.

Cher Marcello, ne pleure pas, ne pleure pas...

Je suis heureuse ici dans mon nouvel état, parmi les Hommes que j'aime et toutes les créatures que Dieu a créées depuis bien avant l'éternité, et qu'IL ne cesse d'accueillir à chaque instant.

Tu as rendu, je l'ai vu, ma vieille fourrure tigrée que tu as tant caressée, celle de la chatte âgée que j'étais, aux sables dorés des dunes, près de la plage, bien profondément enfouie. Tu as bien fait ainsi.

Dieu m'a autorisé à te dire, très cher, qu'en réalité j'étais un ange descendu ici-bas, pour transmettre à cette terre, qui en a tant besoin, un message de tendresse et d'amour.

Tes gros câlins, tes sincères marques d'affection, tes paroles chaleureuses murmurées à mes oreilles, me ravissaient.

Moi aussi, cher Marcel, je t'aimais, au moins, beaucoup et cer-tainement plus encore...

Pense à remercier Jean-Charles et Nicole pour leurs soins éclai-rés prodigués dans mes derniers moments. Surtout n'oublie pas de transmettre à Fabienne, dont j'ai apprécié l'affection, mes plus aimantes pensées.

Pour toi, très cher Marcello, mes ronrons d'amour vrai, mes petites léchettes râpeuses sur le bout de ton nez, ou sur ta joue, les mêmes que celles que je te faisais régulièrement dans la journée ou pendant ton sommeil et qui te réveillaient, mais que tu semblais tant apprécier...

Ainsi qu'il l'a toujours été, mon regard, pour toi très cher Marcel, restera marqué d'une infinie tendresse.

Mille miaou, miaou...

                                                    Minette

277

L'aube

L'aube de la jeunesse ce matin s'est levée...
Et sur la fraîche rose
A l'aube à peine éclose
Toute mouillée de la nuit de la rosée perlée
Un papillon voltige et doucement se pose
D'azur et de soleil et de fleurs il se grise
Sur l'aile du Zéphyr et au gré de la brise...
De la rose parfumée il en a fait éclore
Un parfum ineffable, une ineffable odeur...
Il embrasse la fleur et se délecte d'elle,
Du doux nectar sucré...
De ses pâles rayons
Et dans un ciel d'azur
Il monte à l'horizon
Lentement je pénètre sous le bois flamboyant
Tristement je m'assied et de toi en rêvant
Pénètre le souvenir. Les yeux dans le lointain...
Je ne regretterai rien de cette vie maudite...
J'implore la nature...
Suis-je trop jeune hélas pour pouvoir émouvoir
Le cœur de cette jeune fille qui de mon désespoir
Ne fut jamais touchée. De mon amour elle rit
Et de mon infortune parfois elle sourit.
O injustice du sort que le mien est injuste
Le grand char de la nuit qui tout à l'heure, le maître
Est lentement parti et il n'a pas vu naître,
L'aube qui des ses pleurs a mouillé le gazon,
Le soleil se lève et monte à l'horizon...
Dans un ciel d'azur à travers la ramée
De ses faibles rayons il embrasse le chemin
L'aube de la jeunesse ce matin s'est levée
L'amour enflamme
De ses rayons divins
D'un baume réconfortant ils remplissent tout l'être
Un baume délicieux qui enchante la vie.
Un baume souverain qui exhale et pénètre
Dans mon âme ravie.

J'avais 14 ou 15 ans

Les Glénan

Nacres claires
Irisées
D'émeraude...

Le sel goûte tes
Lèvres...

Algues brunes,
Danses lascives de
Houle tendre,
Reflets que bercent
Les bleus du ciel...

Calmes brumes oranges,
Perles de rosée
Irisées d'aurores...

Coquettes
Violettes,
Primevères
Légères,
Ravies d'être,
Tenaient conférence
Du silence
Au théâtre de mousse
Pour voter
Le printemps...

A l'orée d'indigo

La houle balance...
Les mouettes dorment encore...

Senteurs diffuses...
De boëte et de sel, de chanvre
Et aussi
De goudron...

Crissement de godille
Dans l'air
Léger...

Paix iodées des
Nuits d'été...

Alors ?

Alors,
A l'orée
D'indigo
S'avancent
Les magiques
Aurores...

A l'heure
Où les vagues
Eclairent encore
La nuit...

A l'heure des
Silences...

L'aube
Se tait
Pénétrée
D'infini...

Pointe de Trévignon.
J'avais dix ans.
Quatre heures du matin.
Une partie de pêche avec mon père...
Nuit encore noire. Calme, odeurs de
sel, de goudron, de cordage, clapot
léger de la plate... crissement de
godille...
En mer... Bientôt l'aurore...
L'impression qui m'en est restée toute
ma vie...

Spleen...

Je m'en vais au hasard à travers prés et bois
Chercher le réconfort dans cette jeune nature
Marchant à pas pesant et m'asseyant parfois
Au bord du clair ruisseau au si faible murmure...
#
O nature immortelle, prête moi tes chaumières,
Tes arbres, tes forêts et tes prés, tes rivières...
Que dans toi je me plonge que je rêve solitaire
A mon amour perdu à mes regrets amers...
#
Là-haut sur la colline, face au lointain levant,
Je me suis arrêté. Mon regard étonné
A trouvé la vie morte et le site désolant
Un seul être vous manque et tout est dépeuplé...(1)
#
Un vent frais s'est levé, maintenant il fait nuit
Une faible lueur a surgi des ténèbres
C'est l'étoile de Dieu, une étoile qui luit,
Bientôt va résonner le lugubre glas funèbre.
#
La guerre, terrible fléau, viendra peut être me prendre
Avec la sombre Mort, j'irai dans les ténèbres,
La Mort aux bras glacés saura bien me surprendre
Oh ! Résonnera le lugubre glas funèbre.
#
Je ne serai plus là, Denise pour vous aimer
Mon âme sera à Dieu, mon corps sera sous terre...
Que petite est la place que nous avons sur terre !
Il faut savoir en jouir, il faut savoir aimer...
#
La Parque m'aura pris, et fantôme sans os
J'irai errant la nuit sans trêve ni repos.
Dans peu de temps mon corps, qui maintenant sous terre
N'aura dans aucune langue, aucun nom sur la sphère
#
Mes yeux dans le néant sonderont l'inconnu,
Insondable mystère... et dans ce gouffre noir
Ils verront toutes les âmes et tous les cœurs à nu,
Briller comme des étoiles éclairant un beau soir...

(1) Oui, je savais...   **J'avais 14 ou 15 ans**

Haï-Kaï est une forme de poésie Japonaise qui ne doit
comporter que trois vers :
le premier : 5 pieds au plus et au moins
le deuxième : 7 pieds au plus et au moins
le troisième : 5 pieds au plus et au moins
le thème reste libre

Gaie vaguelette
Sur la plage s'apprête
A fêter l'été...

Une fleur était fatiguée
De sentir bon.

De sentir bon
Pour ceux qu'elle aime,
Et qui ne sentaient pas...

Par un chirurgien enrhumé,
Elle se fit greffer des pétales
En plastique,
Bien commodes
Ma foi...

Elle vécut heureuse,
Et n'eut plus jamais
De boutons...

Sur lit, de roses
Fleuri, chatte repose,
Rêve, alanguie...

TANT QUE ...

Tant que   la soif, la joie,   la capacité,
la curiosité, d'apprendre,
d'analyser, de découvrir,
les Pensées, les Couleurs,
les Vérités , la Vie ,
m'habiteront...

Tant que   je pourrai m'en questionner,
m'en étonner, m'en émouvoir,
m'en éblouir...

Tant que   l'angle de ma pensée sera
sincérité , philosophie ,
poésie, amour de l'art...

Tant qu'   il m'apparaîtra certain que
la femme représente
Lumière, Sagesse, centre
du Monde...

Tant que   sans pitié, de mon cœur,
de mon corps, je chasserai
les ans qui s'accumulent...

Tant que   je m'efforcerai d'être
moins égoïste et
vaniteux et humble
davantage...

Tant que   je saurai pardonner aux
infirmes qui ont abusé
de ma confiance...

Tant que   mes enthousiasmes, mes
excès, m'apparaîtront
être sources vitales...

Tant que   mes pensées, mon cœur
et mon âme, resteront
vierges de duplicité et de
calcul...

Tant que	*j'éprouverai, au fond de moi-même, respect véritable du plus démuni d'argent et d'esprit...*
Tant que	*j'aurai le courage de, comptabiliser mes erreurs et mes faiblesses, celui de reconnaître mes torts, celui enfin de prendre conscience, de m'avouer qu' en , certaines circonstances, j'ai été con...*
Tant que	*ma force vraie, prendra, sans calcul, le visage d'une fausse faiblesse...*
Tant que	*je saurai conduire ma vie dans le souci, sincère de n'offenser personne, même celui mal intentionné...*
Tant que	*ma combativité, mes passions, mes caprices mes colères , mes impulsions , mes indignations ne seront pas altérés...*
Tant que	*mon premier regard restera naïf, mais quand il le faut, grandement lucide et perspicace...*
Tant que	*toujours, je croirai sans avoir vu...*
Tant que	*j'apprendrai, sans fin à cultiver, à maîtriser ma nostalgie...*

Alors, ma Jeunesse, mes Jeunesses resteront, mes complices, mes confidentes, mes amies fidèles...

287

Mes pensées
Ont osé
Effleurer
La corolle de tes lèvres...

L'onde de ma tendresse
T'a pénétrée,
Je crois...

Tu as laissé, je sais,
Te quitter, un instant
Ton ange de prières
Déposer sur mes songes

Un baiser,
De lumières...

J'ai ressenti
L'émoi...

Dialogues des regards
Qui ne parlent qu'en vers

Mais là s'arrête
Le rêve,
Pour moi...

Qui n'a pas entendu les miaulements des chats, ou constaté la frénésie des chiens à certaines périodes de l'année ? Qui n'a pas pris connaissance du fait que les phéromones émises par la femelle du papillon, attirent les mâles, même si ces derniers papillonnent à plusieurs kilomètres ?

J'ai lu que les êtres humains seraient inconsciemment conditionnés de la même manière.

Acceptons en l'augure. Ce qui expliquerait l'aboutissement et la pérennité de certaines idylles. Pour ce qui nous concerne considérons qu'elle est positive, et que nos protagonistes filent le parfait amour, pendant une certaine durée.

C'est ainsi que pour certains couples, la vie commune s'est déroulée tant bien que mal, que les pierres se sont accumulées les unes sur les autres, jusqu'à l'achèvement de l'édifice.

Aimer son conjoint, c'est aimer un autre soi même. C'est aimer les joies et les peines vécues ensemble. C'est éprouver un sentiment pudique de reconnaissance mutuelle. C'est un bonheur tranquille. C'est une paix.

*

* *

L'œuvre artistique

Où commence le beau ? Où finit-il ?

Chacun d'entre nous à le droit d'attribuer, à telle ou telle œuvre, son propre label de valeur : élevé, bas ou nul. C'est selon l'expression de sa culture, de sa sensibilité. Pas facile… facile…

A partir de quels critères analyser et porter un jugement ?

Sept m'apparaissent qui peuvent s'ajuster aux œuvres lisibles, non lisibles ou abstraites.

●Les œuvres lisibles : chacun connaît.

●Les non lisibles sont, comme le dit Lapalisse, celles qu'on ne peut pas lire, mais qui offrent la possibilité d'apprécier le niveau d'harmonie générale et chromatique et qui peuvent, à l'occasion, révéler le degré de sensibilité de l'auteur.

●Les abstraites, porteuses d'un message subliminal.

Sept critères au sujet desquels je vous concède le droit de critiquer ou de refuser d'être d'accord avec moi :
- la couleur
- le volume
- la composition
- l'équilibre harmonique
- l'intention et la sensibilité de l'auteur
- le message contenu
- la vibration qui en émane

La réponse sera plus ou moins forte suivant la sensibilité du spectateur.

J'exclurai de mon analyse, les œuvres de ceux qui se soumettent ou se sont soumis sans réagir, à la dictature et au terrorisme artistique de l'Art officiel actuel, politisé et mercantile, qui dicte son propre concept de création et rejette, plus ou moins, virtuellement l'Académisme, comme Art Décadent.

Ce sont ces mêmes imbéciles officiels qui ont, en 1989, tenté d'exiger que l'Histoire de la France commençât en 1789, occultant ainsi les siècles antérieurs. Les pauvres cons…

Aujourd'hui, nombre de personnes se lancent dans la peinture artistique. J'exprime d'abord ma tolérance, mon respect et ma considération aux peintres amateurs ou professionnels qui ne possèdent ou ne possèderont aucun, ou peu, ou beaucoup de talent, **pour autant qu'ils demeurent, avant tout, honnêtes et authentiques.**

Certains **regrets** m'habitent vis à vis de ceux **qui trichent**, qui **adaptent sans vergogne**, leur **production de série au goût d'une clientèle**, qui, **faute** de **l'avoir appris, ne possède pas** la faculté d'apprécier à **sa valeur artistique réelle** – même naissante – l'œuvre qu'on lui propose à l'achat. **Ces « artistes » sont de bons marchands de mauvaise soupe.**

Je m'insurge, lorsque je pense à certaines productions mièvres, vues fréquemment dans les galeries de Pont-Aven, ou ailleurs, faites de paysages côtiers plats, ne représentant RIEN, sinon un effet de couleurs pastels fades, ou à ces armadas de femmes du Pays Bigouden, en coiffe et costume du dimanche, pêchant à marée basse, ou encore – ce qui me rend furieux – à ces toiles qui présentent des bateaux de pêche au mouillage, dessinés à la perfection, et pour cause, puisque le dessin n'est que le calque d'une projection « diapo » photographique. Ces agissements constituent une insulte à l'esprit de l'Art.

On trouve toutes ces saletés dans les galeries de Pont-Aven ou de Saint Paul de Vence.

Jamais, vous m'entendez, jamais, dussé-je mourir de faim, ou seulement au seul nom de l'honnêteté morale, je n'accepterais une telle compromission dans ma peinture.

Concernant les peintres abstraits consacrés, les Malevitch, Hartung, Kandinsky et autres Soulages, ce n'est plus le super talent, mais le génie universel. Rare intelligence artistique. Des cherchants, des souffrants, des persévérants, des visionnaires, des philosophes. Je pense que seules leurs œuvres peuvent bénéficier d'une terminologie spécifique. Tous ces artistes sont doués d'une rare intelligence, principalement de cœur.

Il m'apparaît que le seul droit à l'appellation d'Art Abstrait » est consacré, pour ces œuvres, par l'expression graphique d'une recherche philosophique, spirituelle, ésotérique, d'absolu, métaphysique, cosmologique ou intemporelle. Ce message est immense, faussement hermétique et difficilement compréhensible parce que subliminal. Le sentiment éprouvé de sa révélation, même partielle et confuse, est sublime.

C'est la première des mille et une marches qui mènent déjà à une autre dimension...

Est-ce la dernière création des œuvres d'émotion ? En attendant les hypothétiques nouveautés d'un authentique Art contemporain ?

*

*   *

La foi

Celui-ci, en proie à une illumination mystique intérieure qui, en conscience, vit l'impression de pouvoir accéder au Divin, à la connaissance suprême, et, simultanément, rejette ce qui est matériel, y compris son corps, pour ne considérer que l'âme, est, sans conteste, **gnostique.**

Ce personnage **éthéré,** en transe mystique, a peu de chance d'être rencontré par l'un d'entre nous, à moins de scruter attentivement le ciel, pendant des siècles...

Celui-là, quelle que soit sa confession, persuadé de sa foi, qui est réelle et profonde, sans pour autant posséder l'impression d'être touché par la grâce Divine, clé de la porte qui ouvre au Grand Secret, vit le mieux qu'il peut son passage sur terre, semble mériter le nom de **croyant.**

Mais de quel qualificatif doit-on appeler ce même personnage, s'il professe, en même temps, l'idée définitivement établie que la nature, l'origine, et la destinée de l'homme demeurent inaccessibles à l'esprit humain ?

Devient-il pour autant agnostique, cette dernière appellation surclassant alors celle de croyant ? Oui, sans doute, si je maintiens l'adverbe « définitivement » dans ma phrase précédente.

Mais si je le supprime, je pose une fausse question, car la foi qu'il possède procède tacitement de l'acceptation de l'idée qu'il connaîtra un jour ce grand secret, quand son âme rejoindra le Dieu de sa croyance.

Alors agnosticisme ? L'agnosticisme intègre-t-il la **pensée définitive de l'incapacité de l'homme à comprendre** ? Ou bien a-t-il rejeté, **inconsciemment ou consciemment, cet adverbe de sa réflexion ?**

S'il a associé ce mot à son analyse, je crois bien qu'**on ne peut même plus** le qualifier d'agnostique. **Athée seul** me paraît convenir. Remarquez que j'ai eu la charité de ne pas associer ce qualificatif à celui, habituel, de bête et stupide.

J'utiliserai un autre mot : **nihilisme forcené,** qui cache peut-être une grande **désespérance.**

Pour ma part, **je ne me permettrai jamais de m'attribuer le luxe intellectuel,** de m'affirmer athée. De plus, il m'apparaît qu'il est au-dessus de ma volonté de tolérance, **d'accepter l'outrecuidante et péremptoire certitude d'une personne, qui se prétend ainsi.**

Trop facile cette affirmation !

Je ne prétends pas obliger telles ou telles personnes que j'estime et que j'aime, dont l'intelligence est aussi grande que sont prestigieux leurs diplômes, à épouser telle ou telle croyance, mais je serais le plus heureux des hommes, si, par les propositions contenues dans mes analyses, je pouvais leur faire la **vacherie,** pour moi une action **altruiste, d'insuffler un certain doute dans leur esprit. Je crois à la force des mots, à celle de mes propositions. Je crois à mes convictions.**

Le pressentiment, étayé par les **incontestables** découvertes **scientifiques,** la réalité d'un **monde parallèle** suscite le soupçon légitime, voire la quasi certitude de l'existence d'une quatrième ou d'une cinquième dimension **et rend plausible ce qui était, jusque là, inimaginable. L'inimaginable est DEJA entré dans le monde réel.**

Les fondements du discours, en cours de modification, des actuelles et futures générations de scientifiques seront tellement **différents** demain, de ceux, encore aujourd'hui, Cartésiens, qu'**on ne peut plus rejeter la possibilité d'une organisation mécanique DIVINE ou NON dépassant l'entendement humain,** mais qui reste **cohérente et mystérieuse.**

Les nouveaux scientifiques devront-ils obligatoirement accéder à l'agrégation de philosophie ?

Plaçons le débat dans une sphère métaphysique flottant dans un AILLEURS que l'homme percevra sans doute un jour, mais dont la réalité est déjà pressentie par certains.

Il faut penser que ceux qui se disent **athées**, sont particulièrement solides ou à l'**inverse inconscients** dans leur tête ou encore **masochistes** ou **désespérés** pour TOUT rejeter à la **poubelle de leur présomption**, même la **chaleur de l'espoir. Croyance en Dieu ou pas, le grand mystère demeure...**

*
* *

Le mâle

Le mâle humain – davantage que la femelle – est soumis à des pulsions sexuelles impérieuses.

Comme d'ailleurs tous les êtres vivants mâles qui peuplent cette terre.

La volonté seule et les conventions sociales lui permettent et lui imposent de modérer ce puissant appel.

Quid de la survie des espèces sans ce comportement naturel ?

*
* *

Chaire Tati, Chair Tonton,

Mon chat a moi, il a jamais voulut me dire son age. Mon chat !... Bon ! Enfin... je veu dire ma chatte, que dont je vous ai déjà causer. Je sais qu'elle est veille, très veille. Je trouve que ça santée, ça vat pas bien, quelle a moins de souplèce en sôtant. Bon !...

Mon ami Jean-Charles, le vétérinaire, non, non, tu te trompe pas, c'est bien ce grand beau mec, oui, oui, celui qui paraît très sensible, l'a

293

examiné l'otte jour et lui a fait une prise de cent. Vous vouillé ben que j'avais raison : elle a un peut duré. Bon... Régime qu'il a dit ! Bon... 50 grammes de bouffe, pas plus, qu'il a dit !...

Bon !... Pendant l'examen, c'est la très amoureuse et belle Nicole, sa meuf, elle aussi vétérinaire, qui tenait Minette qui narétait pas de ronronée. Bon !... Jean-Charle lui a pri sa tempétatur, elle a pas aimer ça dutout. Je comprend. J'aurais pas aimer non plus. Non, mais, Jean-Charles !... Caisse qui t'a pri ? Elle lui a dit en arêtant ces ronrons...

Des foie, il pleu. Alors je peu pas lui fer prendre l'air. Elle dor toute la journée. Toute la nuit aussi. Elle ronfle comme les vieux. Maime qu'elle se réveille avant moi vers cinq heures du mat. Assise en chien de fahiensse – c'est bizarre pour un chat – sur le traversein, ses moustaches frolants ma joue, elle me contemple... En silence. Elle respecte mon sommeil...

Malgré ces précaution, ça me réveille, quan maime... Alors j'ouvre un noeil : la machine a ronronner se mais en marche... Dis don, quel bonheur !...

Caisse que j'ai de la chance d'avoir un chat aussi gentil...

Ouais ! Caisse que je l'aime bien...

Dis don ? Quan elle va partir au paradis des chat, je vé trouvé dure...

Dis don ? Le paradis des chats et celui des hommes, c'est le maime, non ?... Ah ! Bon ! c'est bien...

Bon baisés

Henri-Edouard

P.S. : je pace mon bac au moi de juin, tum souhaite bonne chance ou quoi ?...

*
* *

Humour

* Il était tellement fatigué qu'il tutibait...

* Le centre d'orientation m'a dit que mon fils de 18 ans était au niveau du cours préparatoire… J'en suis restée couac…

* Je ne vous vois plus vous gratter le fond de l'oreille ! Vous ne semblez plus avoir d'hymen dedans.

* Il était maigre… Il n'avait plus que les os sur la peau.

* J'ai trouvé sa réflexion bizarre. Ça m'a mis l'œil à la puce.

*
* *

Dieu et le Divin

Pour ceux qui possèdent la foi, une foi inébranlable, la question ne se pose pas.

Pour certains qui s'interrogent, habités d'une pensée cartésienne plus ou moins affirmée, la réponse constitue, à travers leurs doutes, une orientation, en filigrane, plutôt positive.

Pour d'autres, dont la pensée est similaire, le constat des fulgurantes et surprenantes avancées des connaissances scientifiques actuelles, qui a pour résultat d'entrouvrir **les portes du paradoxal et de l'inimaginable**, entraînant l'apparition d'un nouveau discours, **d'une nouvelle réalité sinon d'une vérité tangible et conceptuelle**, les amènent à formuler des **interrogations à connotation ésotérique voire théologique**.

Leur **cheminement de pensée** a tendance à **s'infléchir** peu à peu en direction de **l'agrément**, de l'idée d'une **possibilité – peut être même probabilité** – d'existence d'une **force naturelle universelle**, surtout **consciente mais également intelligente et organisée**, que chacun, à sa convenance, peut appeler **Dieu ou le Grand Architecte de l'Univers**.

Permettez-moi d'insister sur le fait que la science d'aujourd'hui se trouve nécessairement ébra**nlée dans sa certitude Cartésienne**, au constat révélé, parmi de nombreux autres, du **très inhabituel comportement** – comparé aux normes de la physique classique et dont l'anormalité est prouvée par sa propre analyse – de **certaines particules élémentaires** qui possèdent, par exemple, **le don d'ubiquité**, et d'autres, **celui d'émettre une énergie sans posséder de masse**.

Encore balbutiante, parce que découverte « récente » cette Nouvelle Physique, **n'ouvre-t-elle pas la porte à un nouveau concept d'analyse** et ne constitue-t-elle pas la **future et virtuellement seule norme de recherche des fondements de la dynamique de l'Univers et de ceux de la mécanique de la vie ?**

La base de raisonnement de cette Nouvelle Science – à l'instar de la Nouvelle Philosophie – **se modifiera, s'infléchira vers la nécessité,** mieux : vers **l'obligation d'intégration** d'une ou plusieurs dimensions **complémentaires** autres que les **trois** que nous connaissons.

Le support de notre esprit Cartésien, la pensée linéaire classique de la science ne sera plus la même. Elle se situera aussi et sans doute ailleurs.

En quelque sorte, certains d'entre nous n'ont-ils pas déjà pris le chemin d'une **propension à orienter leur croyance vers l'acceptation raisonnée d'un Divin immanent, universellement et totalement naturel, plutôt que vers une personnalisation à visage humain d'un Dieu puissant et parfois redoutable ?**

*

* *

Les « Bon-Œil »

Mai 1943. Encore six mois pour atteindre, enfin, mes 17 ans...

Lorient, ma ville natale détruite, les terribles bombardements qui achevèrent de la brûler, de la casser, avaient cessé depuis avril. Seules, dans la journée par temps clair, de plus en plus nombreuses, des myriades de Flying Forteress Américaines groupées en escadrilles serrées, zébraient de leurs traînées blanches, le ciel de la forêt, à l'orée de laquelle se situait la triste masure à fagots, désaffectée pour la circonstance, qui constituait notre abri, à mes parents et à moi, exilés de notre ville détruite.

La nuit, les vrombissements lourds et lancinants des gros bombardiers Britanniques Lancaster ou Halifax, qui terrorisaient tant ma mère, se faisaient plus rares, leurs itinéraires variant désormais avec leurs nouveaux objectifs.

Immuablement tranquilles et à peine frémissants, 360° d'horizon de verdures en lignées verticales, seulement interrompues dans leur partie haute par le gris ou bleu du ciel, s'offraient en permanence à notre regard.

L'Orchestre Symphonique de la forêt jouait, sans trace de lassitude, la même Rapsodie en vert, marquée, en fin de soirée, par le retour du travail de mon père, férocement affamé par les 40 kilomètres à vélo – sans moteur – qu'il était dans l'obligation d'accomplir, tous les jours, pour regagner notre foyer.

C'était la guerre et son cortège d'efforts anormaux, inimaginables aujourd'hui.

Privé de lycée, en vacances forcées, sans doute inconsciemment inspiré par le « sous-préfet au champs » de Daudet, je composais des poésies incroyablement romantiques, lorsque ma quête stratégique passionnée des nouvelles relatant les batailles du front de l'Est, captée par mon oreille devenue experte à déchiffrer en clair les émissions brouillées de Londres, dont l'écoute était interdite et punie par les occupants Allemands, m'en laissait le loisir.

Le général des batailles de Kiev ou Karkov ou autres Smolensk que j'étais devenu, marquait avec soin au crayon gris, les percées de nos alliés d'alors, sur la carte ridiculement exiguë et sommaire du Petit Larousse Illustré édition 1936, offert par ma très aimée arrière grand-mère Henry, dont je continue à fleurir la tombe, pour mes 10 ans.

Le moins qu'on puisse en dire, est que l'ambiance du village de Coët Cado, une quinzaine d'habitants nous compris, n'était pas trépidante. Mais nous avions le bon air et malgré les restrictions alimentaires nationales, une nourriture saine et abondante, sinon variée. On s'ennuyait ferme mais nous n'étions pas, sur ce plan là, malheureux.

Vous comprendrez alors que chaque fête villageoise, 15 kms à la ronde, constituait dans sa spécialité, un événement. Ainsi celle, toujours réputée aujourd'hui, de Sainte Anne des Bois. Le clergé était mobilisé, l'évêque en première ligne, lors de la messe et de la procession du matin, l'après-midi étant consacré à la visite des paroissiens à leur domicile, pour leur apporter la bénédiction. Très surpris, n'ayant jamais été informés de l'usage établi de ces visites, apparu alors devant nous, assisté des dignitaires ecclésiastiques et du curé de Berné, le prestigieux Monseigneur Duparc, évêque de Quimper mais ancien curé d'une paroisse de Lorient, pour présenter l'anneau épiscopal à l'effleurement timide et maladroit de nos lèvres. Dans la plénitude de son sacerdoce, Monseigneur nous a, dans son élan, bénis et avant de prendre congé, s'adressant à ma mère et me désignant, prononçât ces inattendues paroles « Il a un bon œil, il a une bonne tête, il réussira… » Sans une circonstance fortuite intervenue en mars 2002, l'opportunité d'extirper cette anecdote enfouie dans mes souvenirs depuis 60 ans, ne se serait jamais présentée, ni celle d'en lier et d'en décrire les quatre suivantes.

C'est à Anduze, accueillant et chaleureux gros bourg touristique, situé à la porte des Cévennes, que s'est déroulée la naissance du deuxième « Bon-Oeil » en 1995. C'était jour de marché coloré et plein d'odeurs. Nos pas de badauds nous ont fait croiser une très jeune fille de 17 ou 18 ans qui, immobile, semblait attendre un membre de sa famille. Déjà perceptibles, une sensibilité et une gentillesse naturelles émanaient de sa personne. J'en ai touché un mot à Claude, mon épouse, qui également a éprouvé le même sentiment. Cédant à ma pulsion, je pris l'étonnante et spontanée décision de retourner sur mes pas, pour lui faire part de mon intime impression et lui présenter mes compliments. Un inconnu qui aborde, comme ça, dans la rue, aurait pu, en ces temps troublés où tellement d'agressions de personnes se produisent, susciter chez elle un réflexe de méfiance et de rejet. Il n'en fut rien. La délicate et intelligente réaction à mes propos, était en parfaite harmonie avec l'aura rayonnante, qui vue de plus près, émanait bien d'elle. Moments simples et magiques…

Le troisième « Bon-Œil », s'est révélé au cours d'un séjour dans le Midi.

Traditionnellement, quand je me trouve à Antibes, nous allons en famille, déguster une Socca dans un bistrot du Vieux Nice.

A côté de nous se trouvait une famille de gens âgés, parmi lesquels un homme d'une soixantaine d'années, dont le teint rougeaud trahissait son origine rurale. La laideur de son visage était si grande, qu'elle évoquait dans mon jugement spontané, d'ailleurs dépourvu de critique moqueuse, la tête horriblement laide d'une baudroie, qui est, sans conteste, le poisson le plus affreux de la création. Fasciné par cette laideur, je ne pouvais m'empêcher de lui adresser de brefs et fréquents regards, qu'il me rendait d'ailleurs furtivement, avec gentillesse et discrétion. Rapidement, je m'aperçus que ses yeux, qu'il avait bleu, resplendissaient d'une exceptionnelle intelligence de cœur, qui transfigurait et illuminait son visage.

Je sais qu'il avait perçu mes pensées, ma surprise et mon chaleureux message. J'en veux pour preuve le salut, amicalement complice, que nous nous sommes adressés à mon départ. Cet homme, affreusement laid, était devenu à mes yeux, par la seule grâce de son aura, transfiguré et divinement beau.

Quant au quatrième, il s'est révélé en mars 2002, il y a donc trois semaines. Ce mois-là, est apparue la nécessité d'effectuer un court séjour au service diabéto de l'hôpital de Bretagne Sud, afin de mieux équilibrer mon taux glycémique. Tant qu'à faire, check-up général dont un fond de l'œil.

Incroyable vieux Marcello, mon copain de 77 ans bientôt, qui reste intéressé par tout…

Posez votre menton là, demande la jeune interne qui procédait à cet examen. Regardez en haut… bien… à droite… bien…

Détendu, j'obéissais de mon mieux à ses directives, attentif, je discernais, je constatais, j'appréciais la douceur de son regard, la sérénité de son léger sourire, l'absence de froideur de ses propos cliniques, bref, je captais déjà, réjoui et admiratif, les vibrations authentiquement simples qui émanaient d'elle. C'est bien cela… Elle avait le « Bon-Œil ».

Effet de miroir de mon ressenti profond… Ravi et étonné, oui, j'étais bien étonné et ravi… Charge émotive en hausse. Oserai-je lui exprimer ce que je ressens à son sujet ? Ne vais-je pas la choquer ?

J'ai hésité. Une minute peut être. Peur d'être considéré comme un vieux maniaque, en phase terminale de sénilité… Peur, oui, mais modulée par ma certitude instinctive d'avoir découvert, à l'instant, une rare et précieuse pépite…

Alea Jacta Est…

Mes craintes étaient infondées. Surprise de mon initiative, tellement inattendue et directe, elle le fut. Pudiquement réceptive aux compliments que je lui adressais, je le sentis, mais aucun reproche, aucune méfiance perceptibles dans son regard, dont la lueur demeurait douce et amicale.

Bon vent, heureuse vie de bonheur, Docteur Bon-Œil,… la bien nommée.

En ce dernier samedi d'avril, un doux crachin d'iode enveloppe le marché de Merville. A l'extérieur des Halles rondes, là où convergent les trois avenues, les petits producteurs, serrés les uns aux autres, exposent leurs fruits et légumes « bio » ou « du jardin », dont les couleurs paraissent encore plus éclatantes dans cette humidité ambiante.

Moins sans doute qu'une journée ensoleillée, les Lorientais aiment aussi ce temps qui n'engendre dans leur âme, la moindre tristesse.

Mais quelle est cette surnaturelle et diffusante lueur qui réchauffe cet endroit ?

Quel est cet éclat qui progresse et s'affirme vers un centre de lumière, que, de mieux en mieux, on perçoit dans ce passage étroit ?

Et qu'il nous brûle de découvrir ?...

Derrière son étal, Françoise, aux yeux bleus immuablement souriants de gentillesse, présente ses produits. Son bon et gai regard illumine le jour, et caresse les fabuleux pains dorés, faits de farine « bio » et de vivant levain qui exhalent leurs généreuses et chaudes effluves...

Merci, Mademoiselle « Bon-Œil number five », de nous câliner le cœur de votre aura...

En ces lieux, les grises journées, par la magie d'un seul regard, deviennent soleil...

*
* *

Julie 3 ans ou une journée à la montagne

Elle n'avait guère plus de trois ans. Mamie Claude et Papi Marcello, en assurions la garde. C'était la fin du printemps et la journée s'annonçait belle et chaude. Luxuriante végétation Cévenole à cette époque de l'année, horizons bleutés, somptueux.

Les joyeuses réjouissances commencent par le farouche refus de Julie, de s'asseoir sur le siège de sécurité installé à l'arrière de la Volvo, et de se laisser sangler. L'autorité des gardiens en est finalement et non sans peine venue à bout. En voiture Simone...

Nous avions prévu de déjeuner à Vébron, petit patelin situé dans la vallée arrosée par le Tarnon, au bas des Causses Méjean.

Dans les Cévennes, beaucoup de rivières prennent un « on » après leur appellation géographique de base : ainsi le Gard qui ne reprend son nom qu'à Nîmes, mais qui le perd en amont pour devenir le Gardon d'Alès, celui de Mialet ou encore de Saint-Jean. Le Tarnon lui était l'enfant en bas âge du Tarn.

Julie dort... Papi et Mamie tranquillos...

Dans les Cévennes – logique – beaucoup, beaucoup de virages... Route pittoresque, mais étroite.

— Mamie, pipi ! Mamie, pipi ! Mamie, pipi ! hurlait Julie.

— Marcello arrête toi ! a ordonné Mamie.

— Peux pas -, répond Papi Marcello : virages, rien que des virages, toujours des virages.

— Pipi, Mamie ! j'ai envie pipi, Mamie.

— Attend un peu Julie, on ne peut pas s'arrêter, il y a des virages.

— Mamie, pipi ! Pipi, Mamie !

Arrêt à un endroit où normalement on ne doit pas.

Traduction du regard furibond du conducteur de la voiture qui nous croise : — Quel est ce cong' qui s'arrête dans un in'droit pareilleu ?

Reprise du voyage. Julie est tranquille. Trop. C'est suspect. Une demi heure se passe.

— Ouaaah ! Ouaaah ! Mamie, j'ai mal au pied ! hurle Julie.

Mamie, affolée et essayant de pivoter sur son siège, mais bloquée par sa ceinture : Qu'as-tu Julie ?

Mamie marmonnant : Saloperie de ceinture !

— Ouaaah !

— Qu'est ce que tu as Julie ? Tu as mal au pied ?

Le dit pied, coincé dans le trou du repose tête avant. Julie continue à hurler.

— Ouaah ! Ouaah !

— Arrête toi Marcello ! Et cesse de rire !

— Peux pas, c'est plein d'virages…

Mamie se contorsionnant sur son siège avant, ballottée dans les virages, essaye vainement d'extirper le pied du repose tête.

— Ouaah ! continue Julie.

Julie qui glisse, qui glisse sous les sangles de son siège et qui va être suspendue par son pied prisonnier. « Tic ! Tac » « Tic ! Tac ! » va peut être faire Julie suspendue comme le balancier d'une horloge ancienne.

Mamie contorsionniste : - Oh ! là là. A faire l'acrobate comme ça, je me connais, je vais être malade ! Marcello, arrête toi !

Mamie furibonde : Arrête de rire ! Marcello !

— Peux pas y'a des virages !

Ligne droite, salvatrice. Julie délivrée. Pas de bobo. Tout rentre dans l'ordre.

Restaurant du Tarnon ! Bonjour Madame, Monsieur. Deux personnes ? Avec la petite ? Pas de problème. Dans la grande salle ou sous la pergola ? Je vous laisse voir si cela vous convient, je reviens…

— Ouaaah ! Ouaaah ! hurle Julie qui, en quelques secondes, avait trouvé la bêtise à faire.

— Ouaaah ! Mamie, j'ai mal au poignet…

Géniaux les enfants pour découvrir ce qu'il ne faut pas faire. Nous, adultes, on ne voit pas. Eux, si ! Sur le champ.

— Ouaaah ! Ouaaah ! criait Julie qui avait trouvé le moyen de se bloquer le poignet, avec le serre nappe en plastique qu'elle ne pouvait plus retirer.

Salle agréable, ombragée, temps superbe. Pastis à l'eau fraîche de la source. A côté de notre table, trois quatrième âge (au moins) masti-quaient silencieusement, concentrés – du cinéma muet, genre Charlot au restaurant.

— Hiiii ! Hiiii ! hurlait Julie à la limite de l'ultrason, qui avait déjà quitté la table et qui jouait à l'hirondelle tournoyante, avec la nouvelle copine Espagnole de son âge, qu'elle avait dégotée à la table plus loin.

— Hiiii ! Hiiii ! hurlaient les deux hirondelles…

— Hiiii ! Hiii !

— Arrête de crier, Julie ! ordonne Mamie. Julie obéit.

Le mur du son ne sera pas franchi…

La petite Espagnole ne parlait pas français. Génie Français ou génie Espagnol, celui des enfants à détecter la bêtise, est universel.

Elles ont mis peu de temps à remarquer que le centre du plancher de la pergola était, de beaucoup, le plus souple.

Après le jeu des cris d'hirondelles en détresse, celui du trampoline. Hop ! Hop ! Hip ! Et hop !… Hip ! et Hop ! En cadence…

Au centre… Près des quatrième âge… Air béat de plaisir des gamines…

Hip ! Hop ! Hop ! Aidons la digestion des quatrième âge…

Mastication désynchronisée… Mâchoires entrechoquantes… Arrêt de la mastication… Stupeur… Œil hagard… des vieillards…

Hop ! Hip ! et Hop ! En cadence les quatrième âge ! Mâchoires pen-dantes…

— Juliiiie ! criait Mamie la nouvelle hirondelle. — Arrête ! Va jouer dans le jardinet à côté, il y a une balançoire…

— Aïe ! Mamie, ça pique ! ma jambe !

— Ce n'est rien, tu t'es frottée à l'ortie, dit Mamie.

La vie est belle, la chère est bonne, le petit rosé du pays à parfaite température… Le temps merveilleux…

Retour tranquille. Chœur de Mamie et Papi : — J'ai bien mangé, j'ai bien bu… (Julie attentive) — j'ai la peau du ventre bien tendu (Julie béate) — merci petit Jésus (Julie subjuguée…)

— Mamie ! Mamie ! Chante encore la peau de Jésus ! Chœurs bis.

— Mamie ! Mamie ! Je veux la peau de Jésus.

Gauche, droite, gauche, droite font les virages…

Julie dort…

— Mamie ! J'ai soif ! J'ai soif ! Je veux boire de l'eau !

— J'ai oublié d'en prendre, dit Mamie.

— J'ai soif ! Mamie ! Je veux boire ! dit Julie.

— Je n'ai rien à te donner, dit Mamie.

— J'ai soif ! dit Julie.

— Enfin Julie ! Comprends moi, j'ai oublié d'en prendre ! dit Mamie.

Julie Idéfix : — J'ai soif !

Papi doctoral : — Enfin Julie ! Regarde où nous sommes, en pleine montagne, pas un café où s'arrêter ! Regarde bien, tu verras que c'est vrai !

— Ouaaah ! J'ai soif ! Etc. etc. Noria de réclamations à boire de Julie.

Le moral de Papi Marcello et de Mamie Claude reste encore bon.

Arrêt à Valleraugue, au pied du Mont Aigoual, à la terrasse ombragée d'un café au bord de l'Hérault pour abreuver la bête.

Retour à l'Estréchure via le Col de Pas et les Plantiers par une route très sinueuse, étroite et pentue.

Paysages toujours superbes. Avons tous chaud en cette fin d'après-midi.

— Ouaaah ! Ouaaah ! hurle Julie après quelques minutes de route.

— Ouaaah ! Ouaaah !

— Qu'est-ce-qu'il y a encore ? dit Mamie.

— Encore ton pied coincé ! Ça va pas dans ta tête ou quoi ? dit Mamie.

— Ouaaah ! Ouaaah !

Papi Marcello goguenard, dégustant le comique de la situation.

Mamie contorsionniste qui essaye de dégager le pied de l'orifice du repose tête :— Oh là ! là !

Je sens que je vais être malade dans cette position.

— Marcello ! Arrête de rire !

— Ouaaah ! Ouaaah ! hurlait Julie.

Mamie : - Surtout après ce repas. Je me connais… Marcel ! Arrête-toi !

— Peux pas, y'a des virages.

— Marcel ! Arrête de rire ! dit Mamie.

— Ouaaah ! Ouaaah ! hurlait Julie.

Arrêt Col du Pas. Pied de Julie sauvé. Papi et Mamie épuisés mais vivants. Julie va très très bien.

Quelques jours plus tard, Marcel est reparti pour Lorient. Julie à Mamie : — Mamie, où est Papi Marcel ? Il va venir Papi ? — Non ma chérie, il est à Lorient. Julie : - Ah bon, alors tu lui souhaiteras le bonjour !..

*
* *

Le violeur

Je n'ai jamais été un violeur de conversation. C'est avec plaisir que j'insère mon avis dans les propos que tiennent mes voisins, s'ils m'en permettent l'ouverture.

Souvent dans certains dîners, la chaleur communicative aidant, la conversation devient rapide et bruyante, difficile à cerner. Il m'arrive parfois lorsqu'un rare créneau de silence se présente, généralement bref, d'en profiter sans vergogne, d'émettre un « mais... » étranglé, rapidement recouvert par le brouhaha de la reprise de conversation. Personne n'écoute personne. Alors je me tais. Définitivement et sans acrimonie. Comme le mannequin que j'ai inventé, je souris béatement, je coupe le son en conservant à peine l'image et je me raconte mes pensées...

*
* *

Le violon

Les musicologues affirment qu'extirper la divine quintessence harmonique d'un violon, procède d'une rare et magique maîtrise.

On dit que deux âmes habitent cet instrument : l'une, grâce à une structure technique mécaniquement fine, révèle et amplifie la qualité de la sonorité, l'autre, transforme la pureté magique des sons émis, en voix humaine.

Du cœur et du corps de la femme, Dieu a conçu un stradivarius, mais hélas, souvent par égoïsme et absence de contrôle de leur impatience, peu, très peu, d'hommes savent en jouer...

Stupéfaction

*N*ous le savons tous, les forces gravitationnelles gouvernent l'univers.

On pensait que son expansion, à partir du Bing-Bang se stabilisait.

Einstein avait pressenti qu'il existait une force capable de **contenir la gravitation** et par là même **permettre la dispersion des étoiles**.

Il a appelé cette nouvelle force « constante cosmologique ».

Permettez-moi de vous faire partager avec **mes seuls mots, mon enthousiasme** au constat **de la magie de l'univers**.

Voici : cette constante est contenue dans l'ensemble du vide intersidéral. Il s'agit d'un vide relatif car chaque m^3 de « vide » contient des atomes d'hydrogène. **Tout l'avenir de l'univers est contenu dans le chiffre 5.**

Nous aboutissons à une alternative :

* ou bien, il y a **plus** de 5 atomes par m3 de vide, et alors **la force gravitationnelle du vide intersidéral** sera **tellement forte** que **tout** ce que compose l'univers (terre, soleil, étoiles, galaxies, etc...) **s'effondrera sur lui-même** pour former un trou noir, qui à mon sens est régi par une dimension **autre** que les quatre que nous connaissons, qui est incompréhensible à l'intelligence humaine,

* **ou bien**, chaque m3 possède **moins de 5 atomes d'hydrogène**, alors la force gravitationnelle **ne sera pas assez forte** pour **retenir** l'univers dans son **auto-expansion**, qui ralentira sans **jamais** s'arrêter.

Cette **dernière** hypothèse est généralement **admise** aujourd'hui par les astrophysiciens.

Merveilleuse mécanique, n'est-ce pas ?

*
  * *

Chair Dominique,

Tonton Marcello ma dit que tu lavai vu hier soir, et que tu lui adi que t'aimais pas les chats. Il a été navrer, qui madi.

Bon !... Il madi que tu préférait les zoisos, qui madi en rigolant. Ouais !... Tiens, rotis avec des raisins flambés au Coniac, qui madi, en se marrant... T'aime pas les chats, qui madi passeque ils bouffe les zoisos. Merdalor, toi aussi tu bouffe les zoisos, qui ladit... un poulaid c'est pas un noiso, non ? Et une grive, une kaï, une noie, et une perdri aussi ? Non ? Bon !... Merdalor, qui ladi en se marrant...

Beaucoup de gens croivent que les chats, ils n'aime les gens que quand ils leur y donne à bouffer... C'est maime pas vraie... Hisson cons les gens... Les chats hissente tout... Tout de suite... Si tu les aime, hissave... à la seconde. Les chats ? Des télépattes sur pattes. Des estraterrestes...

Tonton Marcello m'a raconter que quand il se prépare à partir quèque fois en réunion le soir, sa chatte l'observe. L.M. pas ça, mais L.M. pas ça dutou. Tu verrais son regar, quimadi ! Plin de muai reproches, qui-madi... Une vrai bobonne qui veut gardé son rami au chô à la méson.

Mais au retour, ver minuit à la méson c'est une esplosion de joies : des ronrons, des calins qui narête pas, quimadi. Elle narête pas de causer pour me dire qu'elle est contante... Mrumm !... Mrumm !... Miaou (je traduit) un amour de chatte quimadi...

*Va pas lui dire, mais je croit bien que Tonton Marcello est dingue de son chat. Toi qui est mes deux seins des veillard, toi qui les aime tant, **je sais**, foktu t'occupe de Marcello... Mon Tonton va avoir besoin...*

Il madi de te dire à toi, que les chats était comme les zoisos, des créatures du bon dieu et que cépa la fôte des chats si leur instain leur commande de chasser les zoisos...

Les gros zoisos, sans complesque, ils chasse eux aussi les petits zoisos et maime il les bouffe parfois. Alors fô pas esgagérer. Les grand parents des zoisos c'était des dinosaures... Les grand maires des chats c'était des mamy-fer. Les cons non plu cépa leur fôte si hisson cons... Moi par exempe, tout le monde hidi que chui con, cépa ma fôte sichui con, hein ? Bon ! faut comprendre, accepter, pardonner...

Pour t'aidé à aimé les chats, Tonton Marcello madi de te dire à toi, qu'il peut te faire invité chez des gens qui fon dubon civet. Enfin, tes pas obligé d'accepté... Mais donne moi une réponse. Je veux pas te forcé, mais c'est une bonne ocaze pour aimer les chats...

Ah oui ! Jalais oublier. Tonton Marcello madi de te dire à toi, que si tu l'invitait dans quèque zannées, y voudrai pas que ce soit avec des vieux de 50 ans.

Hi veu bouffé qu'avec des gens marrants... quiladi. Comme je laidi à Jean-Charles et à Nicole, j'ai pacé mon bac en juin. J'laipa-hu. M'en fout. J'irai au chomedu, ça paye...

Ya qu'en Français que j'ai hu une bonne note : le prof a trouvé que je fesai pas de fôte.

Je t'embrase.

Henri Edouard

P.S. : si tu trouve une fôte dans ma lettre, tumedi hein ? Merci.

*

* *

Humour

* Le couvreur n'est pas encore venu faire ses réparations, ce n'est pas faute de l'avoir tarabiscoté !

* C'est une lourde charge pour les parents qui ont des enfants mongols.

* L'autre jour j'ai reçu un appel téléphonique en PVC.

* La dernière vaccination inscrite sur mon carnet de santé était, je crois, le jour où j'avais mordu le chien.

* J'aime mieux te dire qu'on ne m'y reprendra plus... Je me suis fait échafauder une fois...

*

* *

L'âme est-elle immortelle ?

Si l'on admet comme hypothèse de discussion, l'alternative décrite précédemment dans la chirurgie de l'âme, soit :

* entité abstraite munie ou non de l'étincelle divine
* ou énergie corpusculaire munie ou non de la même étincelle
peut-on admettre que l'âme est immortelle ?

I – Si on considère qu'elle est une **entité abstraite sans étincelle divine**, si on considère que ce qui est **conscience d'être est pur hasard**, si on considère **que ce** qui constitue l'essence de **la vie est mécaniquement naturel**, on a le **droit** de penser que l'âme **disparaîtra en même temps que le corps**, comme la flamme d'une bougie qui s'éteint. **Mais quelle tristesse, cet état de désespérance.**

II – Si on considère qu'elle est, **bien qu'entité abstraite, munie de l'étincelle divine**, au moins, l'espoir pour **certains**, la **certitude pour d'autres, de sa pérennité après la mort, demeure. Comment imaginer que Dieu, dans cette hypothèse, qui a créé cette âme, puisse un jour la détruire ?**

III – Si on considère l'âme comme une **énergie non munie de l'étincelle divine**, il ne reste **qu'une seule possibilité d'appréciation, pour essayer de déterminer, à partir de nos pauvres moyens humains, le commencement de preuve de la mortalité ou de l'immortalité d'un atome et de l'ensemble de la matière atomique.**

En effet, le **corpuscule élémentaire composant le système atomique, possède une masse qui produit une énergie.** De récentes découvertes scientifiques élaborées à partir de l'utilisation de la physique quantique, **apportent même la preuve qu'un corpuscule sans masse**, ou dont on n'a pu mesurer la masse, **produisait de l'énergie.** Les questions qui se posent sont : **l'atome a-t-il une raison de mourir ? Et dites moi de quelle manière peut-il bien mourir ? A sa mort va-t-on l'enterrer comme un humain qui meurt ?**

Et si tous les atomes composant l'univers – cela fait beaucoup d'atomes – **mouraient, où va-t-on les enterrer ?** Si on ne peut pas les enterrer, où va-t-on (qui : on ?) les mettre ? Cela n'engage que moi, mais je reste persuadé que **l'atome NE PEUT PAS MOURIR.**

IV – Si on considère l'âme comme une **énergie munie de l'étincelle divine, la démonstration restera la même, avec en plus la certitude que Dieu** – quelqu'en soit la forme qu'on lui donne – **ne détruira pas ce qu'il a créé.**

*

* *

308

Vous avez dit : promoteur ?

Vous avez dit : promotion immobilière ? Ah oui ! cette profession à base de créativité, spécialement difficile et compliquée, à hauts risques financiers, dans l'exercice de laquelle une seule erreur peut provoquer la mort subite, qui exige des compétences multiples, où parfois l'intuition doit surpasser la théorie, une profession qui impose la possession de qualités sans faille, concernant l'organisation, la coordination, le contrôle des dizaines de paramètres, qui tous convergent vers l'ultime finalité : **livrer en conformités parfaites,** juridique, légale, technique, qualitative, quantitative, réglementaire, conventionnelle, esthétique, financière, commerciale, administrative, **l'objet juridiquement promis,** c'est-à-dire l'immeuble, dans son ensemble et dans tous ses détails, et assurer ainsi à la fin, la parfaite satisfaction des acquéreurs.

Ces multiples responsabilités pèsent sur la tête d'un seul homme : le promoteur, gérant des sociétés civiles qu'il a, au départ, constituées, chef d'orchestre, garant de tous ses choix. Attentif, lucide en permanence, il doit sans cesse marcher, **il doit sans cesse courir à travers les champs de mines...**

Vous avez dit : exagération ? Auriez-vous osé, cher monsieur, comme je l'ai fait, prendre et assumer les risques jusqu'à ceux de perdre votre chemise ? Auriez-vous eu le courage et la détermination d'accomplir, chaque jour, ce travail de Titan ? Auriez-vous eu la capacité, en 15 ou 20 ans, **de livrer plus de 5 500 logements de bonne qualité à des acquéreurs, tous, satisfaits ?** Permettez-moi, monsieur, d'affirmer ma légitime fierté de l'avoir fait. Non, monsieur, je n'accepte pas votre opinion réductible ! Oui, monsieur, je considère que votre mauvaise foi est entière, et votre muette et secrète condescendance méprisable !

Ah ! que n'ai-je choisi une profession simple, dans laquelle il est nécessaire mais suffisant d'être compétent et honnête pour éviter les risques, une profession dans laquelle on ne conduit qu'une locomotive à la fois, tantôt omnibus, tantôt TGV, munie d'un seul tableau de bord à surveiller ? Que n'ai-je choisi d'exercer une profession « ron-ron petit patapon... » ? ça va pas Marcello ? « ron ron petit patapon » ! je te connais, je sais bien, moi, qu'au bout d'un certain temps tu te serais emmerdé...

*

* *

Quel malheur !

J'éprouve au fond de mon cœur, un désespoir vrai, sans borne, un sentiment d'impuissance à observer les gens, surtout les écoliers, à fumer. A ma peine, à ce qui se transforme en légitime colère, s'ajoute le désespérant constat de leur absence de prise de conscience du danger mortel que constitue, à terme, cette stupide habitude.

Fumer ne procède réellement d'aucune utilité. Ça coûte cher, ça encombre les poches, ça fait puer du bec, ça provoque des toux grasses – il faut bien ramoner la bête – qui donnent des hauts le cœur à ceux qui les entendent et des pituites **peu ragoûtantes** régurgitées au petit déjeuner. De plus, ça pue quand c'est froid, ça emmerde **énormément** ceux qui ne fument pas ou qui ne fument plus, et à la longue ça tue les amis ou les membres de sa famille…

Compte tenu des horreurs qui précèdent, je ne risque plus rien de poursuivre, en vous révélant que je trouve qu'ils ont l'air con à accomplir ce geste suicidaire de porter cette maudite cigarette à leurs lèvres, et je les vois encore bien plus béatement et connement satisfaits, **à inhaler leur fumante chimie de mort, jusqu'à l'extrémité de leurs doigts de pied.**

Bordel ! Vous ne pouvez pas arrêter cette connerie ?

Hé ! Ha ! Oh ! Je n'ai jamais dit qu'ils étaient cons, j'ai dit – nuances – qu'ils en avaient l'air…

Oui ! Oui ! Je sais, j'ai fait fort. Volontairement. Oui, mes paroles ont dépassé mes pensées… Je vous en demande bien pardon.

Mais aurais-je aidé, par ma violence verbale, à sauver, ne serait-ce qu'un seul égaré, en éclairant sa conscience, et en stimulant sa volonté ?

*
* *

Oublier

Affront. Trahison. Faute. Blessure. Agression.

Pardonner ? Oublier ? Relativiser ? Pardonner sans oublier ? Pardonner et oublier ? Pardonner et relativiser ? Comprendre et pardonner ? Comprendre sans pardonner ? Pardonner sans comprendre ? Ne jamais pardonner ? Ne jamais oublier ? Ne jamais comprendre ?

Mes amis, mais c'est l'enfer et le paradis que je décris là... L'enfer pour certains. Les tourments éternels dans leurs têtes et dans leurs cœurs. Pourtant, quoi faire pour aider celui qui ne **peut pas**, qui ne sait choisir la voie de l'apaisement ?

J'en connais. Ils sont profondément malheureux, et pansent éternellement leurs blessures qui saignent.

Oui, quoi faire ? Comment les aider à comprendre qu'il faut relativiser. Positiver. Terrible pour ces gens qui ne peuvent pas oublier... Dieu m'a préservé de ce blocage. J'oublie. J'enfouis. J'efface... Souvent il me faut un réel effort de mémoire pour reconstituer dans tous ses détails, l'affront, la trahison, la faute, la blessure, l'agression subis.

Je pardonne sans effort, de la même manière que je respire sans y penser. Quand la faute est trop grave, je pardonne au fond, mais sans mépriser beaucoup, j'indiffère un peu. Parce que je possède naturellement la faculté d'oublier, d'enfouir, d'effacer. Mon cœur m'a dicté qu'il le fallait, parce que ma raison m'a susurré de comprendre que l'être humain était imparfait, qu'il était toute sa vie condamné à commettre des fautes. Parce que ma raison m'a dicté clairement, que c'était dans sa nature. Parce que ma raison m'a dicté encore qu'il fallait relativiser et accepter cette évidence, et qu'il était de mon devoir, après tout, le cœur apaisé, de pardonner.

Cela me paraît simple et léger, ce processus qui mène au pardon. C'est l'association du cœur et de la raison, du cœur, un peu plus, que de la raison, qui conduit à l'oubli et au pardon.

*
* *

Christophe Colomb

L'on pouvait comprendre les anciens, qui, ne possédant aucun repère, considéraient le sol sur lequel reposait leurs pieds, comme une petite partie d'un immense champ plat.

L'on pouvait comprendre les sentiments des équipages de Christophe Colomb voguant sur les mystérieux océans à la découverte d'hypothétiques Nouveaux Mondes, fous d'angoisse et de terreur à l'idée de basculer, en avançant jusque trop loin sur la mer, dans un gouffre sans fond.

L'on peut nous comprendre, nous, qui marchons dans cette verte prairie, sans nous poser de questions métaphysiques sur la spacialité de notre globe.

311

Mais quel inimaginable choc il me fut donné d'affronter lorsque, un jour d'août 1975, je franchis à bord du Mermoz, le cercle polaire arctique.

Révélateur fut mon très vif étonnement, pourtant prévisible, aux constats de la vision du soleil qui, sur 360° rasait l'horizon et n'échappait donc plus à mon regard, de la disparition du besoin de sommeil, de l'altération de la notion réelle de l'heure et de l'absence de fatigue.

Spectateur désormais averti, j'émergeais, enfin, de mon pré. Hissé sur mon tabouret virtuel, en plein vertige psychologique, je ressentis, en un instant, **cette fulgurante prise de conscience** – comment l'expliquer ? – de la réalité matérielle et palpable, de l'énormité de l'objet sphérique sur lequel mes pieds reposaient, mais aussi et peut être surtout, de sa solitude et de son mouvement dans l'espace.

Vertige magique mais assez terrifiant...

*

* *

Humour

* Cet imbécile ! Me traiter de SS ! Moi si doux si pacifique, avoir tué des milliers de morts.

* Moi, je te le dis, je suis anti-contre !

* Enfin ! Je ne vais pas attendre sa décision indéfinitivement !

* Mes chers amis, ça vous plait ?
 Humm ! **C'est un régal** !
  ça vous plait vraiment ?
Oh oui ! **C'est délicieux**...
Et toi, Yoann mon chéri (2 ans) tu aimes ?
Oui, oui Maman, **c'est régalicieux**...

*

* *

Dieu est présent dans le regard. Le Diable aussi parfois.

En général

La culture sous toutes ses formes, la connaissance du passé ajoutent des points de repère nouveaux à ceux de sa propre existence. Outre le plaisir personnel ressenti et la joie de la découverte, elle nous permet de mieux nous situer philosophiquement dans l'échelle du Temps et de l'Espace.

A partir de quel critère peut-on considérer qu'une personne est cultivée ? Aucun, à l'instar de la science, ne possède la culture infuse.

Ce qu'on a stocké dans son magasin à mémoire a été au préalable lu, analysé et retenu.

La possession de la véritable culture n'est pas aisée à définir.

Dans l'absolu, elle pourrait être l'incarnation d'une encyclopédie universelle des connaissances. Cela est impossible.

La véritable personne cultivée est-elle celle, le scientifique par exemple, qui a polarisé son savoir de façon étendue et profonde dans une matière unique ou presque unique, ou bien celle, qui au cours de sa vie, a beaucoup lu, beaucoup vu, beaucoup compris, appris et retenu ?

Il me semble que cette dernière alternative constitue la meilleure analyse.

La véritable culture me paraît se situer aussi dans la faculté de connecter entre elles les unités de connaissances. Aussi et peut-être même surtout, la possibilité culturelle de procéder à l'exégèse d'un sujet déterminé.

Ces deux derniers points me paraissent fondamentaux.

Un des aspects, important lui aussi, est représenté par le sens psychologique, fruit de l'intelligence de cœur, de ne pas trop « en jeter » afin d'éviter de blesser la vanité d'un « autrui » bien moins nanti.

Concernant ce dernier, mon grand-père lui aurait toujours conseillé, dans une conversation où il se trouverait dépassé, d'adopter l'attitude la plus intelligente : discrètement fermer sa gueule…

Devant un auditoire bienveillant et attentif, qui aura bien compris que son discours n'est pas destiné à se faire briller, **la personne cultivée saura lui faire partager sa passion, et seulement cela, au cours de ce festin culturel**.

*
* *

*
* *

Ars longa, vita brevis

La peinture – La poésie
Un poème, un tableau, achevés…
Comment s'est réalisé ce miracle ?
L'homme, à sa naissance, hérite d'un patrimoine génétique de sensibilité, et d'une faculté plus ou moins grande à pouvoir l'exprimer.
C'est le génie de l'homme.
Il a su, puisant dans ses émotions et ses connaissances littéraires, dans son capital de vocabulaire, extraire les mots qui conviennent, les arranger, les mettre en forme, de telle manière qu'il a généré un poème.
Cet homme, sur une toile, je dirais passive, inerte, indifférente, a su étaler, là où il faut, la quantité et la touche de couleur qu'il faut, à côté de celles déjà choisies, afin de composer une œuvre harmonique.
Là aussi, comme pour la poésie, il a puisé dans son capital génétique de sensibilité, pour atteindre le but qu'il s'était fixé, ou qu'il lui est apparu au cours de son travail.
Le résultat est une œuvre, bonne ou mauvaise, mais sincère et vraie.
Grâce à son expérience, l'artiste découvre quelquefois un « truc ». Son truc. Le truc permet l'accentuation de l'effet chromatique ou graphique.
S'il est doué d'une intelligence de cœur, s'il est intellectuellement honnête, il n'en abusera pas, ni en puissance, ni en effets répétitifs.
Son œuvre restera authentique, mais ne plaira pas forcément au grand public. S'il est pécuniairement intéressé, il en exploitera à fond, les effets.
Il n'aura plus qu'un but : produire.
Ses œuvres, bâclées ou copies de gravures, ou encore réalisées rapidement en l'absence d'émotion, auront perdu leur âme mais plairont souvent et trouveront acquéreurs.
Ainsi l'artiste, quelquefois talentueux, s'est dévoyé en flattant, en épousant le goût des acheteurs potentiels, et s'est transformé en éleveur de poulets en batteries. Triste.

Tous les artistes, les véritables, savent que malgré, ou à cause des « trucs » l'œuvre de qualité n'est pas trichée. Ils le sentent à l'examen de l'œuvre et éprouvent l'éclatante vérité d'une œuvre sincère.

Un miracle s'est donc accompli, grâce au génie créatif de l'homme.

C'est l'activité mentale, consciente et inconsciente, qui crée chez l'artiste, le poète, le besoin d'échapper aux contraintes du temps et aux déformations de notre éducation, de la civilisation, et fait naître chez lui, l'espoir, toujours renouvelé, mais toujours en lutte, de pouvoir, de temps en temps, exprimer l'inexprimable.

L'artiste, le poète, voyage de l'autre côté du miroir.

Et quel voyage ! Quel merveilleux voyage ! Quelle extraordinaire aventure, mais quel difficile chemin : semé d'embûches, de questions sans réponses immédiates, de craintes, de doutes, de stress.

Devant son papier ou sa toile, l'homme de l'Art se trouve souvent en situation bloquée, qui accroît la tension de l'effort infructueux. Quand tous se sont révélés vains, quand tous les essais ont été épuisés dans la recherche d'une solution, comme un manège, la pensée tourne en rond, et le cerveau, sa sensibilité, ses chairs, sont saturés.

L'artiste, alors, abandonne, capitule provisoirement et il se positionne en état de veille, il demeure, néanmoins sous tension passive, mais cet état psychique, crée chez lui ou plutôt confirme, sa nouvelle réceptivité. Il n'a plus que le loisir de cohabiter avec sa recherche, se pénétrer encore et toujours du sujet, et d'attendre, et de vaquer à ses occupations habituelles.

Son subconscient va travailler à sa place, à son insu.

J'ai éprouvé moi-même, le rôle du conscient et du subconscient dans mes modestes travaux artistiques, et j'ai trouvé à l'audition d'émissions radios et télévisuelles portant sur la peinture et la poésie, confirmations de mes propres réactions. Car croyez-le bien, la poésie et la peinture, abordées avec la passion qui convient, ce n'est pas du tricot.

Je suis incapable d'écrire une poésie si je ne me trouve pas en état de choc émotionnel.

Le jour où cette émotion me pénètre, plus rien en compte : ni parents, ni amis.

Une obsession m'habite, m'envahit, une force puissante, tyrannique, me pousse, m'oblige à écrire.

Les mots se bousculent, veulent s'extraire. Parfois la poésie chante au fond de moi, toute prête, presque définitive.

Après plusieurs jours, la tempête se calme, la paix irradie : la poésie est née.

Dans la peinture, l'émotion fondamentale est moins intense, moins violente, mais elle est permanente, et, bien que très atténuée, reste présente.

Aucune œuvre de qualité ne peut être entreprise, à mon sens, en l'absence d'émotion qui prend toute son acuité pendant sa réalisation.

Le peintre est un homme aveugle, sourd, muet : aveugle à l'environnement, polarisé sur sa toile, sourd aux bruits ambiants qui disparaissent, muet de concentration.

Lorsqu'il peint l'artiste est un homme seul.

De tout cela, il résulte, au moment de la création, comme un phénomène métaphysique : le corps physique, quotidien, se dérobe, remplacé par un autre corps destiné à capter la plénitude de sa sensibilité.

L'artiste habite ce corps le temps de son œuvre, et ses attitudes, ses gestes, sont ceux du peintre. Ces gestes, qui peuvent étonner, ne sont pas feints ni composés, mais expriment les manifestations visibles de la tension émotionnelle, de la puissante volonté, de la grande force – une force qui vient d'ailleurs – qui l'habitent.

Ces gestes, ces attitudes, ces mimiques, sont identiques et communs à tous les peintres en état de tension émotionnelle.

Le peintre livre un véritable combat avec sa toile et ressort épuisé physiquement, nerveusement de ce combat.

Le texte ci-après, que j'ai relevé dans un ouvrage sur la peinture, illustre mieux que je ne saurais le dire, la fatigue du peintre.

Peindre fatigue ! Le dramaturge américain, Tennessee Williams, dans son œuvre « La chute d'Orphée » met dans la bouche de l'un de ses personnages, ce thème de la peinture et de la fatigue. Il dit :

« J'ai passé ma journée à peindre. J'ai achevé ce tableau en dix heures. Je ne me suis arrêté que pour manger, et je suis si fatigué que je tombe de sommeil. Non, il n'est rien au monde de plus épuisant que de peindre. Ce n'est pas seulement le corps qui se fatigue, il semble que l'on se consume de l'intérieur. Comprenez-vous ce que je veux dire ? C'est... comme si une part de l'être brûlait à l'intérieur. Mais en achevant l'œuvre, on sent que l'on a sensation de faire partie de quelque chose. De quelque chose de grand et d'élevé. »

La création d'une œuvre artistique ou poétique est l'opposé d'une pensée rationnelle, sauf si le peintre se satisfait de reproduire fidèlement la réalité de la nature morte ou du paysage, ou si le poète se contente de faire coller la rime.

Nous tous, somme maître de notre conscient dans l'accomplissement de tous nos actes quotidiens, mais ce dernier s'efface, chez l'artiste au moment de la conception de l'œuvre, pour ne laisser subsister que son ombre, à l'abri de laquelle, il demeure, pendant le temps de sa création.

Il se situe dans une bulle.

Mais quelle est la pulsion qui guide sa main vers la palette, dans le choix de telle couleur et l'étaler à l'endroit qu'il faut, pour créer l'harmonie ? De toute ma force, je vous exprime ma conviction : la pulsion qui guide cette main, me paraît avoir pour origine, le subconscient.

De même que c'est ce dernier qui cherche à votre insu, l'effet harmonique ou la solution à un blocage de la même nature, ou qui analyse, avant la prise de conscience du peintre, que ce dernier, ce jour-là, est saturé de peinture, donc inapte à peindre. On peut dire que l'œuvre d'un peintre, par ses couleurs, son graphisme, sa composition, est véritablement l'expression de son Moi le plus profond, le plus intime, le plus secret.

Lorsque l'artiste plante un clou dans le mur pour accrocher sa toile, seul, bien entendu le conscient agit.

Lorsqu'il peint, il se trouve, à mon sens, guidé par 2 pulsions :

La première, le subconscient – entité structurée, puisqu'en fait il représente l'écho du conscient – est l'émetteur des vibrations profondes de sensibilité, d'instinct, de talent ou de génie.

La seconde, l'ombre de la pensée consciente, que je prendrai la liberté de nommer le « conscient parallèle » cet autre monde dans lequel l'artiste pénètre, constitue le récepteur et le synthétiseur des vibrations émises par le subconscient.

Ces 2 pulsions s'exercent simultanément, en symbiose.

Le subconscient émet, le conscient parallèle reçoit et commande, et la main obéit. Toutes ces angoisses, toutes ces craintes, toutes ces questions mais toutes ces joies du peintre, ont pour fondement les activités mentales du subconscient et du conscient parallèle, dont l'association et l'osmose parfaites, font naître – si la sensibilité, le talent ou le génie, existent – une œuvre de qualité, ou talentueuse ou géniale.

Bien sûr, je ne dis pas que l'artiste se trouve en état d'hypnose quand il peint : Il reste au plan du conscient, dans une sorte d'état second, parallèle. Et laisser le subconscient agir, dans la bonne longueur d'onde

317

qui est celle du conscient parallèle, c'est le moyen de permettre à ce dernier, de se libérer des schémas rigides, ceux de notre instruction, de notre éducation, du poids de notre civilisation, de notre conformisme.

De même que la mort qui est porteuse de résurrection, la destruction l'est, de création.

L'artiste doit, par sa volonté consciente, son intelligence, son pragmatisme, sa lucidité, être capable de se remettre en question, de détruire son concept, ses idées reçues, ses habitudes.

Ne vous y trompez pas, et tous ceux qui ne manquent ni de cœur et de fine intelligence, ni de perspicacité, le savent, l'artiste n'est pas ce personnage falot, mièvre que certains imaginent.

Au contraire, il est établi que l'artiste, malgré sa sensibilité ou peut-être à cause d'elle, est un homme de caractère, quelquefois de mauvais caractère, d'une grande force intérieure et mentalement très structuré.

Etonnant n'est ce pas ?

Tous les témoignages biographique de scientifiques, d'artistes, de poètes, d'écrivains, révèlent qu'à un certain moment de leur vie, ces derniers se sont imposés, par lucidité, les épreuves de remise en question, de destruction des idées reçues, figées, sclérosées qui pèsent sur les processus mentaux de la créativité.

On peut dire, que la volonté de destruction, à intervalles réguliers, de ces schémas rigides, constitue le début du processus créateur, du caractère génératif de l'œuvre.

Cette œuvre sera bonne ou mauvaise, mais elle sera de toute façon authentique et vraie, car il semble bien qu'il n'est d'ART véritable que transcendé.

Quels sont les instruments et véhicules transcendantaux de l'Art ?

La probité intellectuelle de l'artiste, son talent ou à défaut son authenticité et sa sincérité, ou sa pureté, la qualité de sa structure mentale, sa volonté, la seule existence du doute permanent qui l'habite, son humilité et sa modestie, sa force, sa sensibilité, ses capacités de réflexion et de recherche, son courage de se remettre en question, son sens du Beau, vu sous l'angle de l'Absolu, en représentent les principaux.

Le doute, ai-je dit plus haut.

Pesant, permanent, latent, mais combien utile, que dis-je : indispensable, vital dans l'accomplissement des progrès, dans l'évolution de la qualité et la recherche de l'originalité de ses œuvres.

Supprimez le doute et remplacez-le par une béate et inconsciente sûreté de soi.

Alors, insensiblement, l'artiste s'installera dans son confort, il y aura démission insidieuse, rupture de l'effort créatif, donc arrêt du progrès, et, surtout, rétrogradation de la qualité générale des œuvres.

Le doute associé à la modestie et à l'humilité est le tonifiant de la créativité. Néanmoins, il doit, de temps en temps, lever et faire lever le doute. Il a besoin, pour cela, d'exposer ses œuvres et de recueillir les réponses, qui vont le rassurer, le conforter, aux questions qu'intimement, il se pose.

C'est en cela, outre le légitime et compréhensible intérêt d'au moins récupérer ses dépenses, ou même de vivre de sa peinture, celui d'organiser des expositions, pourvu que les œuvres, exposées, soient, non pas nécessairement talentueuses, mais rigoureusement authentiques.

Mais comment définir une œuvre authentique ?

D'abord elle doit être unique, ce qui rejette l'idée de production ou reproduction en série.

Ensuite, elle est la traduction du message émis par le sujet, l'objet ou le personnage, ce qui implique obligatoirement que le peintre a vu, s'en est imprégné directement au moins une fois et qu'éventuellement en atelier, il interprète et achève son œuvre.

Enfin, s'il a du talent, il doit naturellement l'exprimer, sinon il offre ce qu'il a : ses tripes.

Dans le fond, l'authenticité, c'est la tripe, sans tricher.

Après cinq studieuses années de cours à l'école des Beaux-Arts de Lorient, grâce à mon regretté Maître et ami Henry Joubioux, j'ai compris que la maîtrise de cet art, procédait d'un secret incommunicable. L'alternative est simple : ou bien l'élève trouvera lui-même et par ses propres moyens, ce secret, ou bien il ne trouvera jamais.

Joubioux disait toujours : « **Quand le Saint Esprit te visitera tu le sauras bien...** »

Mais comment définir ce secret incommunicable ?

Pour y accéder, l'artiste en devenir – qui obéit à ses pulsions intuitives – doit, au préalable, résoudre le problème de la pénétration, de l'association et de la convergence de tous les ingrédients qui composent une œuvre : La nouvelle vision des choses, le sens de la couleur et des proportions, la puissance de réception du message émis pour construire l'harmonie, l'habileté et l'originalité d'adaptation du graphisme, la faculté de captation des vibrations du sujet, dont aucun n'est banal, l'illumination créative.

Quand il a découvert le fil d'Ariane et synthétisé, par le mécanisme de sa seule sensibilité, tous ces ingrédients – et point n'est besoin pour lui d'être talentueux, il lui suffit d'être authentique – il découvrira la porte de l'escalier invisible, dont la première des mille et une marches conduit à l'antichambre de l'antichambre de la Connaissance.

Pousser la porte de cet escalier et gravir cette première marche, c'est ressentir à la fois profondément et confusément, mais avec certitude, la perception de l'intuition de l'existence d'un monde spirituel quadri-dimensionnel, dont l'exercice des arts, de tous les arts, en constitue les prémices.

Oui, l'intuition de l'existence d'un monde spirituel quadri-dimensionnel, c'est bien cela : celui que j'ai déjà évoqué plus haut dans lequel l'artiste pénètre quand il se retrouve – seul – devant sa toile. **Accéder à ce monde, c'est quitter des yeux l'horloge du temps terrestre.**

La pratique – pas nécessairement talentueuse, mais authentique et sincère – d'un art est voyage dans l'irrationnel avec le merveilleux.

L'ART, est sacré et message divin.

Le dévoyer est sacrilège.

Achevé d'imprimer sur les presses de l'imprimerie
Keltia Graphic - 29540 Spézet
Le 18 décembre 2004 - Dépôt légal : 4ᵉ trimestre 2004